100
ВЕЛИКИХ
ЕВРЕЕВ

100
ВЕЛИКИХ

ЛЮДЕЙ
ЧУДЕС СВЕТА
ПОЛКОВОДЦЕВ
ЛЮБОВНИКОВ
КАТАСТРОФ
ЖЕНЩИН
АВАНТЮРИСТОВ
ЛЮБОВНИЦ
КНИГ
КАЗНЕЙ
БИТВ
МОРЕПЛАВАТЕЛЕЙ
ТАЙН
ХРАМОВ МИРА
ПУТЕШЕСТВЕННИКОВ
МУЗЕЕВ МИРА
КОМПОЗИТОРОВ
ИЗОБРЕТЕНИЙ
КОРАБЛЕКРУШЕНИЙ
КАРТИН
МЫСЛИТЕЛЕЙ
УЧЕНЫХ
ГОРОДОВ
РОССИЯН
ПИСАТЕЛЕЙ
СОКРОВИЩ
АРХИТЕКТОРОВ
ДИКТАТОРОВ
ЧУДЕС ПРИРОДЫ
ВОЕНАЧАЛЬНИКОВ
ГЕОГРАФИЧЕСКИХ
ОТКРЫТИЙ
ДВОРЦОВ МИРА
ДИНАСТИЙ
ПАМЯТНИКОВ
ВОЙН

ТЕАТРОВ МИРА
РАЗВЕДЧИКОВ
АДМИРАЛОВ
ДИПЛОМАТОВ
ЧУДЕС ТЕХНИКИ
МИФОВ И ЛЕГЕНД
УКРАИНЦЕВ
НАУЧНЫХ ОТКРЫТИЙ
АКТЕРОВ
БОГОВ
НАГРАД
ЗАГАДОК ИСТОРИИ
СКУЛЬПТОРОВ
ЗАПОВЕДНИКОВ
  И ПАРКОВ
ПРОРОКОВ
  И ВЕРОУЧИТЕЛЕЙ
АРХЕОЛОГИЧЕСКИХ
  ОТКРЫТИЙ
МУЗЫКАНТОВ
ЗАМКОВ
ЗАГОВОРОВ
  И ПЕРЕВОРОТОВ
ЕВРЕЕВ
АРИСТОКРАТОВ
АВИАКАТАСТРОФ
ВОКАЛИСТОВ
СПОРТСМЕНОВ
НОБЕЛЕВСКИХ
  ЛАУРЕАТОВ
ЗАГАДОК ПРИРОДЫ
УЗНИКОВ
ПСИХОЛОГОВ
ЗАГАДОК XX ВЕКА
НЕКРОПОЛЕЙ
ФУТБОЛИСТОВ
ВРАЧЕЙ

М. Шапиро

Сто великих® евреев

МОСКВА
«ВЕЧЕ»
2004

ББК 63.3(2)
Ш 23

Вниманию оптовых покупателей!

Книги различных жанров
можно приобрести по адресу:
129348, Москва, ул. Красной Сосны, 24,
издательство «Вече».
Телефоны: 188-88-02, 188-16-50, 182-40-74;
т/факс: 188-89-59, 188-00-73.
E-mail: veche@veche.ru
http://www.veche.ru

Филиал в Нижнем Новгороде
«Вече—НН»
тел. (8312) 64-93-67, 64-97-18.

Филиал в Новосибирске
ООО «Опткнига—Сибирь»
тел. (3832) 10-18-70

Филиал в Казани
ООО «Вече-Казань»
тел. (8432) 71-33-07

С лучшими книгами издательства «Вече»
можно познакомиться на сайте
www.100top.ru

Michael Shapiro
The Jewish 100
© 1994 by Michael Shapiro
All rights reserved.
© Перевод. Медников В.Н., 2004.
© ООО «Издательский дом «Вече», 2004.

ISBN 5-94538-286-8

От издательства

История еврейского народа насчитывает не одно тысячелетие. Вклад, внесенный его выдающимися сыновьями и дочерьми в сокровищницу человеческой цивилизации, во все сферы и отрасли политики, экономики, науки и культуры, бесспорно, весьма велик. Любой автор, попытавшийся создать сборник биографий не только ста, но даже трехсот великих евреев мира, оказался бы перед нелегкой проблемой отбора персоналий.

Решение перевести и издать в России книгу Майкла Шапиро созрело в издательстве не сразу. Мы не нашли в ней, к примеру, биографий Чарли Чаплина, Лиона Фейхтвангера, Шолом-Алейхема. Но, как заметил Козьма Прутков, никто не обнимет необъятного. К тому же Майкл Шапиро не профессиональный историк и не претендует на создание научной энциклопедии. Он композитор, живет в Нью-Йорке, является автором ста произведений, большая часть которых основана на еврейских темах и мелодиях. Легкий, порой ироничный стиль, доступное изложение достаточно сложных и запутанных проблем являются несомненными достоинствами книги. Конечно, читатели православного, мусульманского или буддийского вероисповеданий не смогут согласиться с постоянно повторяющимся тезисом об определяющем влиянии иудаизма на морально-этические нормы человечества, на становление всех ведущих мировых религий. Известная тенденциозность в компоновке и подаче материала, проповедь сионистских концепций в отдельных очерках также вызывают желание поспорить с автором. Однако со страниц книги на нас смотрит другой мир, мало нам известный, порой забытый и частью самих евреев. Не стоит ли попытаться выслушать, по бессмертному выражению римлян, altera pars (другую сторону)?

Кроме того, в книге Майкла Шапиро не хватало биографий многих знаменитых евреев России, и мы попытались хоть в малой степени восполнить этот недостаток. Издательство «Вече» с согласия зарубежного правообладателя решило заменить семь второстепенных, на наш взгляд, биографий на очерки о людях, без которых невозможно себе представить российскую и мировую науку и культуру.

Это — Илья Мечников, Исаак Левитан, Осип Мандельштам, Иосиф Бродский, Леонид Утесов, Аркадий Райкин, Михаил Ботвинник.

Всего же знаменитых представителей еврейской нации, живших и живущих в России и прославившихся во всех областях человеческой деятельности, — многие и многие сотни. Вклад еврейской нации в науку и культуру России (особенно в советский период) весьма значителен. Кстати, свободный доступ трудиться на поприще науки на территории бывшей царской России евреи получили практически только при советской власти. В результате уже к середине 1920-х гг. евреи-ученые заняли серьезные позиции во многих областях советской науки, а в ряде из них стали основателями и лидерами целых научных школ и направлений.

Так, например, в астрономии таким лидером был Г. Шайн. Одним из основателей советской космонавтики являлся А. Штернфельд. А. Фридман создал модель нестационарной Вселенной, которая стала основой всей советской космологии.

Крупнейшую роль в создании советской ядерной мощи сыграли Я. Зельдович (создатель теории процессов и теории расширяющейся «горячей Вселенной») и Ю. Харитон, впервые осуществивший вместе с Зельдовичем расчет цепной реакции деления урана. Подавляющее большинство всех советских военных, а затем и гражданских вертолетов, начиная с «Ми-1», было разработано и сконструировано в конструкторском бюро под руководством М. Миля.

Чтобы только перечислить самые основные имена ведущих российских ученых-евреев, основавших свои научные школы, потребуется не одна страница. Также и в области российской культуры и литературы невозможно назвать всех выдающихся евреев писателей, художников, музыкантов, артистов, деятелей искусства.

Допустим, если взять только поэзию советского периода, то в ней мы не обойдемся без О. Мандельштама, В. Ходасевича, С. Маршака, Б. Пастернака, М. Светлова, В. Багрицкого, Б. Слуцкого, С. Кирсанова, Д. Самойлова, А. Межирова, А. Кушнера, И. Бродского, Ю. Мориц; без множества поэтов-песенников, таких, как М. Лисянский, Е. Долматовский, М. Матусовский и т.д.

В истории не только российского, но и мирового театра почетные места занимают режиссер Всеволод Мейерхольд (репрессирован и расстрелян в 1940 г.) и не менее известный актер Соломон Михоэлс (по официальной версии, попал в автокатастрофу в 1948 г.).

Особенно много евреев всегда работали в кинематографе. Вспомним лишь некоторых из огромного ряда выдающихся советских кинорежиссеров: Сергей Эйзенштейн, Александр Зархи, Роман Кармен, Григорий Козинцев, Михаил Ромм, Фридрих Эрмлер, Леонид Трауберг, Юлий Райзман, Иосиф Хейфиц, Михаил Швейцер, Савва Кулиш, Александр Митта...

Среди художников-живописцев евреев относительно немного (сказывается влияние религиозной традиции), но чего стоит одно только имя великого Исаака Левитана — непревзойденного певца русской природы. Зато в музыкальной культуре России (композиторы, исполнители, певцы, преподаватели музыки) процент евреев достигает своего максимума, а многих российских евреев-музыкантов хорошо знают во всем мире.

Правда, по прогнозу известного социолога Р. Рывкиной, к 2010—2020 гг. количество евреев в России может резко сократиться: из-за ассимиляции, незнания языка (до 95% российских евреев сегодня не знают идиша и иврита), а также отъезда евреев в Израиль, США или в ФРГ. Но ответ, данный российскими евреями на вопрос: «Как вы считаете, евреи, проживающие в России, должны уехать в Израиль или должны остаться?» — все же обнадеживает. Значительная часть респондентов (42%) ответили, что евреи должны жить в России, сохраняя свою национальную специфику.

Трудно уже представить себе Россию без Иосифа Кобзона и знаменитого альтиста Юрия Башмета, без Андрея Макаревича с его «Машиной времени» и чемпиона мира по шахматам Гарри Каспарова, без Ефима Шифрина и главного режиссера театра «Современник» Галины Волчек.

Будем надеяться, что еще долгие годы самые знаменитые евреи россияне — ученые, артисты, музыканты, писатели — будут продолжать трудиться на поприще российской науки и культуры.

Вступление

Начиная с Авраама и кончая гибелью Симона Бар-Кохбы во время трагического восстания против римлян в 135 г. н.э., еврейский народ оказывал на мировую цивилизацию более глубокое и длительное влияние, чем какая-либо иная древняя культура. Разумеется, богатства человечеству добавили и другие народы: вавилонская форма правления, китайские изобретения, египетская архитектура, греческие философия, литература и демократия; индусский мистицизм и римская государственность — все они внесли большой вклад в историю.

И все-таки именно еврейский народ дал миру Моисея и Иисуса из Назарета и вдохновил пророка ислама. «Услышь, о Израиль, Господь — наш Бог, Господь един» — эти слова, впервые произнесенные в почти безжизненной пустыне, расцвели в религиях многих миллионов людей.

После того как римляне жестоко расправились с Бар-Кохбой и его соратниками, уцелевшие были проданы в рабство или рассеяны по империи. Если исключить расцвет иудаизма в доинквизиторской Испании, вплоть до времени Баруха Спинозы в семнадцатом веке ни одному еврею не удалось оставить след в западной цивилизации. Почти шестнадцать веков евреи жили затворниками и едва ухитрялись выжить. Евреи почти не были замечены ни во времена итальянского Возрождения, ни в эпоху королевы Елизаветы. Тем не менее в указанные столетия изоляции и диаспоры целый ряд талантливых раввинов и людей, соблюдавших религиозные ритуалы, сохранили иудаизм и еврейскую культуру.

Только после того, как лидеры вроде Мозеса Мендельсона и Ротшильдов вывели свой народ (с помощью Наполеона) из гетто, уготованных ему судьбой в Европе, евреи снова начали участвовать в развитии мирового сообщества. Период с эпохи Просвещения в конце XVIII в. и по настоящее время стал третьим величайшим этапом в истории еврейской культуры.

В настоящей книге дается оценка 100 самым влиятельным евреям всех времен. Каждый из них в своей области деятельности оказал особое воздействие на человечество. Они изменили наш образ жизни и наше мышление. Даже те немногие из них, кто повлиял на умы и души, исключительно важны для нас своим определенным присутствием в еврейской самобытности.

Кое-кто из 100 великих евреев видоизменил свой иудаизм в нечто новое. Савл из Тарсы стал Павлом, учеником человека, которого он называл еврейским Мессией. Спиноза обратился к логике и тем самым полностью освободился от иудаизма. Карл Маркс навязал почти библейский смысл истории, дабы доказать императив своего политического идеала. Вопрос о том, послужили ли их усилия улучшению жизни, всегда будет вызывать споры и дискуссии.

Другим источником дебатов служит относительное значение различных сфер деятельности человека. Библейские персонажи необязательно оказываются влиятельнее некоторых современных людей. И развлечение не всегда менее важно для человечества, нежели религия или наука.

Некоторые из 100 евреев имели то преимущество, что выработали свое уникальное влияние на протяжении тысячелетий. Груз веков отдает, похоже, предпочтение древним перед современниками. Однако было бы несправедливо умалять свершения Альберта Эйнштейна только потому, что царь Давид жил за три тысячелетия до него. Эйнштейн сохранит свое влияние и в новом тысячелетии, когда человечество, возможно, пострадает от ядерного пожара или овладеет скоростью света, чтобы прорваться в дальний космос.

Настоящий обзор не претендует на роль справочника. Жизнь большинства из 100 самых выдающихся евреев описана в энциклопедиях и научных биографиях. В книге эти 100 евреев рассматриваются и оцениваются по степени их влияния на весь мир, а не только на евреев. Не все 100 евреев были великими и безупречными, но все они нарушали заветы или вели общество к тому, что они считали праведностью, стараясь улучшить жизнь не только для себя, но и для всех чад Божьих.

МОИСЕЙ

(XIII век до н.э.)
(По другим источникам: 1570—1456 до н.э.)

Прежде он был египетским принцем, после убийцей, парией, пастухом, освободителем рабов, воспреемником заповедей Божьих, судьей, завоевателем, пророком. Спасенный из Нила, он был воспитан сестрой (дочерью по Библии. — *Прим. ред.*) фараона и вскормлен израильтянкой (своей родной матерью). Только раб, воспитанный как принц крови, мог иметь смелость и знания, необходимые для того, чтобы возглавить триумфальное восстание рабов. Бегство евреев из Египта было, как ни удивительно, единственным в античные времена удачным восстанием порабощенного народа. Исключительное событие в истории — Исход превратило язычников в силу, которая навсегда изменила жизнь на Земле.

Исход в большей степени, нежели Сотворение мира, выделил еврейский народ. Законы, данные Богом в пустыне непосредственно Моисею, стали известны как синайский Завет, основой которого явились Десять заповедей, или Десятисловие. Простое правосудие и уважение жизни были установлены в Синае как факторы, управляющие человечеством.

На древнеегипетском языке имя Моисей, или Мошех, означает «рожденный» или «рожден». Древнееврейское слово *masheh* переводится как «вытащенный из». Каким бы ни было происхождение его имени (которое, похоже, сочетает черты древнеегипетской и древнееврейской культур), история жизни Моисея доминирует в Библии. Он был самым образцовым из древнееврейских пророков и самым влиятельным евреем за всю историю. Благодаря этому образу или реальному человеку были внесены в человеческую жизнь забота о попранных людях, идеализм, надежда, система законов, позволявшая выживать людям первоначально в пустыне на протяжении сорока лет, а потом и в больших каменных и мраморных дворцах. С помощью Моисея Бог направлял человечество. Однако он был косноязычным и полагался на своего красноречивого брата Аарона.

«Я есмь Сущий», — объявил Бог Моисею. Бог Моисея и израильтян был *един*. Моисей, однако, был человеком со свойственными людям недостатками, но отнюдь не каким-то второстепенным божеством (в отличие от фараонов и римских императоров, мнивших себя богами). Монотеизм, или вера в Единого Бога, навсегда вытеснил примитивное поклонение богам и в облике животных. Каждый человек должен познать Бога на личном опыте. Бога можно постигнуть только абстрактно, а не с помощью идолов. В отличие от скульптурных изображений египетских богов Бог Моисея — это всегда Бог жизни, утверждения, существования, того, что есть, и того, что будет. Обозначающее Бога древнееврейское слово YHWH означает «быть».

Пророк Господа и политический лидер Моисей остается живым символом праведной борьбы против гонений. В наше время библейский призыв «Отпусти народ Мой!» стал боевым кличем американ-

ского движения за гражданские права, а позже был озвучен советскими отказниками.

Моисей постоянно боролся с несправедливостью. Еще будучи молодым египетским вельможей, он убил жестокого надсмотрщика и похоронил его в неглубокой могиле. Как вельможа, он мог просто приказать надсмотрщику прекратить издевательство над рабом. Но Моисей зарубил его. Как если бы желал собственного разоблачения как самозванца. Он также прекратил драку двух евреев, защитил свою будущую жену и ее сестер от мародерствовавших пастухов и возглавил восстание против огромного деспотического государства.

Каждый его поступок имел большое символическое значение. После убийства надсмотрщика Моисей бежал в пустыню, женился на Сепфоре, дочери мудрого шейха Иофора, и очистил свою душу от египетских обычаев. Моисей знал, что убил надсмотрщика в приступе ярости, вызванном ненавистью к египетской тирании. Рабство и поклонение животным делали жизнь евреев в Египте отвратительной. Жизнь любого человека, будь то раб или фараон, должна быть неприкосновенной. Бог послал Моисея освободить рабов, с тем чтобы они могли молиться ему.

Когда Моисей умолял фараона отпустить израильтян, сердце властителя оставалось каменным, несмотря на страшные бедствия, обрушившиеся на его народ, и его молчаливый отказ стал причиной эпидемий чумы, несших смерть на землю Египта. Хотя чума и гибель египетских воинов на боевых колесницах в Красном море воспринимаются сегодня как небылицы или эпизод из Священного Писания, однако эти события носят исторический характер. Египтяне действительно топили еврейских детей в Ниле, пытаясь таким порочным образом контролировать рост численности рабов. Красное же море было на самом деле морем камыша, трясиной, в которой с легкостью увязали колесницы.

Раввины более поздних поколений учили людей, соблюдавших религиозные ритуалы, не радоваться подобным чудесам. Исход скорее преподал урок сострадания: не ненавидьте египтян, поскольку когда-то вы были чужими на их земле. Пролитые во время празднования еврейской Пасхи капли вина напоминают праведным евреям, что их радость от спасения уменьшается — чаша счастья не полна, — когда страдают другие люди. Такая примечательная примиренческая отзывчивость на боль побежденных характеризует не только иудаизм, но и всю западную цивилизацию.

Пламенеющий куст также выжег новый смысл для страдающего человечества. Не следует и дальше поклоняться богам-животным.

В Ветхом Завете осуждаются и уничтожаются золотой телец и все, кто ему поклоняется. Пламенеющий, но неопалимый куст свидетельствует о власти всемогущего Бога над природой. (Пламенеющий куст рассматривался так же как символ выживания евреев и провидческой мудрости Моисея.)

Законы, полученные в пустыне, или скрижали Завета известны сегодня как Моисеевы законы. Хотя в руинах Месопотамии были обнаружены более древние своды законов (особенно «Законы Хаммурапи»), и еврейские законы имеют очень похожие на другие законы античности структуру и лексику. Иудаизм был первой системой верований, уважавшей человеческую жизнь. Большинство античных правительств ценило право собственности на людей. Преступления против собственности наказывались смертью. С другой стороны, убийцы могли компенсировать смерть своих жертв их родственникам, заплатив определенную сумму или принеся в жертву дорогого раба. Еврейский закон проникнут заботой о морали и общественных ценностях. Прежде в истории не было ничего подобного.

Пророка и законодателя Моисея чтят и христиане, и мусульмане, хотя и не совсем одинаково. Моисея считают второй по значимости после Авраама, естественно, личностью. Описание многих событий в Новом Завете как бы следует образцу жизни и деятельности Моисея. Юность Иисуса сравнима с молодыми годами Моисея. Жестокий царь грозит убить всех новорожденных, пророк бежит в пустыню и возвращается, чтобы «спасти» свой народ. Пока пророк отсутствовал, народ ни во что не ставил его, предал забвению его проповеди. Нагорная проповедь была призвана обогатить завет, данный на Синае. Иисуса описывают как «второго Моисея». И того, и другого называют спасителем. Святой Павел считал веру Моисея религией закона, а веру христиан — покоящейся по милости Божьей во Христе. Христиане называют Иисуса Сыном Божьим, а Моисей в глазах евреев остается человеком, вестником Закона Божьего.

В исламе Моисей, подобно Мохаммеду, получил откровение Божье через книгу. Мохаммеду тоже пришлось скрываться в пустыне до своего триумфального возвращения, которое обусловило его благословенную смерть и вознесение на небо. От иудаизма и христианства ислам отличает вера мусульман в то, что Мохаммед — конечная *печать* всех библейских пророчеств, поскольку он обнародовал слово Божье в его чистейшем виде.

Моисей — в отличие от Будды или Конфуция — не был замкнутым в своем духовном мире мистиком. По Моисею, идеальную жизнь нельзя найти дрейфующей по морю бесконечности. Иудаизм и порожденные им религии — христианство и ислам призывают своих последователей взаимодействовать с Богом через повседневное поведение, подчиняющееся Его законам. Моисей подобно Иисусу и Мохаммеду не только сталкивается с видениями Бога, но и непосредственно разговаривает с Ним. Человечество точно также должно мечтать о милости Божьей во время жизни в сообществе, управляемом этикой и моралью.

ИИСУС ИЗ НАЗАРЕТА

(ок. 4 до н.э. — ок. 30 н.э.)

В любом рейтинге самых влиятельных в истории евреев Иисус из Назарета займет одно из первых мест. При тщательном, объективном и чисто логическом изучении истории истинное воздействие его *этоса* должно быть признано, однако, менее сильным, нежели идеал Моисея. Установленные Моисеем обычаи выделили еврейский

народ и стали основой трех великих монотеистических религий — иудаизма, христианства и ислама.

Любой иудей, христианин или мусульманин не может не признать, что многие заветы Иисуса содержат неотъемлемые истины и показывают высочайшие нормы нравственного поведения. Яркий свет его видения просветил многочисленные души и вдохновил создание величайших шедевров искусства. И все же так много людей по всему свету отказывались столетие за столетием следовать его добрым и мудрым урокам морали. Кроткие не унаследовали землю. Начиная с разрушительной дикости крестовых походов и кончая современными «этническими чистками», человечество неоднократно предавало этого сына человеческого. Люди всех вероисповеданий продолжают нуждаться в следовании Моисеевым законам, дабы выжить вместе.

В мире накопилось много примечательных случаев неодобрения убийственного злоупотребления нечестивцами имени Иисуса. Отмена рабства во время Гражданской войны в Америке, спасение евреев добродетельными христианами с неописуемым риском для себя во время Холокоста и уход за больными такими святыми женщинами, как мать Тереза в Калькутте и Хейл в Гарлеме, служат свежими примерами (из числа многих неназванных).

Данный Иисусом образец пацифизма оказал широкое и в высшей степени положительное воздействие на верующих всех религий. Его завет «подставь другую щеку» стал первым примером пацифизма в западной истории и, определенно, одним из самых важных заветов западной цивилизации. К сожалению, все еще возникают жизненные ситуации, когда агрессию не остановишь без оружия. Христианский пацифизм оказался совершенно не эффективным перед лицом нацистского террора. Проповедовавшийся Иисусом дух ненасилия возродился все же в недавние времена в деятельности доктора Мартина Лютера Кинга Младшего (под влиянием примера индуса Махатмы Ганди). Но ненасильственное сопротивление тирании возможно только в редких обстоятельствах, когда общество в своей основе справедливо.

Если бы люди следовали Иисусовой проповеди мира, Европу не сотрясали бы на протяжении веков постоянные и жестокие войны между религиями и культурами. Крестоносцы устраивали на пути в Святую землю геноцид евреев в качестве практики предстоявшего избиения мусульман. Испанцы изгоняли или сжигали безбожников во время организованной ненависти инквизиции и грабили народы и природные богатства Нового света. Католическая Франция сражалась с протестантской Англией. Наполеон вел завоевательные войны; Гитлер уничтожил миллионы невинных; совсем недавно резня между различными этническими группами охватила Балканы.

Только самые узколобые осмелились бы отрицать, что учение Иисуса должно быть опровергнуто тысячелетиями кровавой бойни (особенно почти полным уничтожением его народа в Холокосте). Грехи, совершенные от его имени церквями, правительствами и отдельными лицами, следует отделять от его наследия любви и милосердия. Его главное послание: не делить, а мирить людей. Ключевой миссией современной церкви должно стать признание того, как легко лжепророки фанатизма могут превратить его откровения в непримиримую ненависть.

Как бы посмотрел Иисус на десятки вероисповеданий, созданных от его имени? Повелев Симону и Андрею стать «ловцами человеков», представлял ли себе Иисус не только восточную православную, католическую и протестантскую церкви, но и бесконечное число постоянно меняющих свои названия вероисповеданий? Способность христианства приспосабливаться к отличным друг от друга культурам (представьте католическую литургию в Бостоне и в Восточной Африке) позволила этой религии расти и привлекать множество верующих. Мечты Иисуса о братстве и о жизни после смерти в раю стали везде близкими для народов различных культур.

Изучение жизни и идей Иисуса поднимает много вопросов без ответов. Часто его невозможно понять, он остается загадкой. Использование им иносказаний, притч и непритязательных историй в качестве доказательства своих идей делало невозможным их краткое изложение. Он, казалось, постоянно подвергал сомнениям всякие допущения.

Во времена жестокого римского гнета и рьяной оппозиции Иисус призывал своих соотечественников не к восстанию, а к воздаянию кесарю кесарева. Предвидел ли он разрушение Храма в Иерусалиме и рассеяние палестинских евреев, или его «предсказание» было придумано позже христианскими богословами для оправдания подъема собственной религии и доказательства своей верности Риму во время иудейских бунтов?

Хорошо известна точка зрения Иисуса на личную собственность. Он призывал людей продавать все, чем они владели, и раздавать вырученные деньги бедным. В этом Иисус честно следует традиции еврейского благотворительного дарения («tsedakah»). Интересно сколько за всю историю было христианских правителей и католических пап, отдавших свои сокровища попранным подданным?

Иисус впервые провозгласил основные нравственные принципы христианства. Святой Павел с его харизматической внешностью, живым умом и умелым владением словом истолковал заветы Иисуса и превратил их в религию. Хотя и неясно, каким бы было христианство без Павла, но оно точно не стало бы таким сильным без обращения им язычников в свою веру, без его богословия.

Способность Иисуса расшатать традиционный образ мыслей сделала его в свое время несговорчивым. Его заветы и сегодня остаются свежими и полемическими. Подчас их одновременно легко и трудно понять. В традиции великого раввина и фарисея Гиллела (который мог быть его учителем) Иисус цитировал Священное Писание для придания особого значения своим высказываниям. Он также испытывал влияние со стороны еврейской монашеской секты ессеев, веривших в обряды очищения, в святость одеяния священника и требник, в преданность бедным и в богослужение без показного великолепия иерусалимского храма. Иисус несомненно считал себя реформатором и искал в традиции еврейского крестителя и в сектах ессеев способ очищения религиозного ритуала.

В Новом Завете трудно, однако, увидеть реального человека. Евангелия, написанные через много лет после смерти Иисуса, служили интересам церковной иерархии, они противоречат друг другу и не могут рассматриваться в качестве надежных источников. Звали ли его Джошуа, Ишуа или Иегошуа? Ни в одном из этих имен мы не можем быть уверены. Ссылки на него часто встречаются в работах античных авторов — Иосифа Флавия, Тацита и Светония, но не были ли они вписаны средневековыми переводчиками? Из песков пустынь было извлечено достаточно древних черепков, доказывающих существование Иисуса. Но почему же так много людей по всему свету забыли его уроки? Мифы похоронили истину.

В самом деле, то, что он проповедовал Золотое правило, свидетельствует о его заботе о человеке. Эта забота непосредственно вытекает из еврейской традиции. Еще до Иисуса раввин Гиллел утверждал, что Золотое правило является основополагающим принципом иудаизма. Разумеется, прежде Гиллела о том же принципе говорили Конфуций и древняя индусская поэзия, а позже он появился в высказываниях Мохаммеда. Не может быть монополии на нравственность.

Миссия Иисуса состояла в проповеди терпимости и мира. Вопрос о том, был ли он богом или нет, следует, разумеется, рассматривать как вопрос веры. Иудеи и мусульмане считают, что ни один человек не может быть богом. Только Бог есть Бог. Утверждение

Павла, что Иисус был Мессией, и более позднее — в четвертом веке — объявление на Никейском соборе Иисуса «благочестивым» разделили иудеев, христиан и мусульман, выросших практически на общей почве.

Иисус, скорее всего, считал себя одним из многочисленных пророков, учителей и праведников. Он несомненно нашел бы утешение в том, что так много несхожих народов по всему свету стали исповедывать монотеизм, повседневно следуя, по сути, иудейским представлениям и взглядам.

АЛЬБЕРТ ЭЙНШТЕЙН

(1879—1955)

Самым влиятельным человеком Нового времени был родившийся в Германии физик Альберт Эйнштейн. Законодатель Моисей выделил еврейский народ и по сути основал цивилизацию. Иисус из Назарета обратил многие миллионы человек в беззаветную веру. На рассвете первого технологического столетия Эйнштейн открыл неиссякаемые возможности материи. Его знаменитое уравнение: $E = mcI$ стало синонимом понятия, что энергия и масса равносильны. Его теории, изложенные в элегантных формулах и красноречивой прозе, весьма сложны и с самого начала были весьма революционными и спорными. В отличие от относительно легких для понимания идей

Исаака Ньютона теории Эйнштейна очень трудны для восприятия. Эйнштейн же полагал, что любой студент, усвоивший основы физики, может понять его частную теорию относительности.

Его жизнь навсегда связана с тремя определяющими событиями двадцатого века: вспышкой нацистской ненависти и террора; подъемом сионизма и созданием государства Израиль, и открытием ядерной энергии и ядерного оружия. Соприкосновение самых разрушительных и самых созидательных тенденций человечества привело к тому, что первое десятилетие двадцатого века, да и большая часть жизни Эйнштейна стали периодом страданий и возвышения, темнейшей ночи и слепящего света. Эйнштейн велик не только своими научными достижениями (он изменил принятые нормы), но и своим участием в динамичных общественных событиях своего времени.

Эйнштейн родился в небольшом городке Ульм в Баварии. Его отец был неудачливым хозяином электрохимического концерна. В годы юности Альберта семья часто меняла местожительство, следуя за отцом, постоянно пытавшимся поправить свой бизнес. У юного Эйнштейна были, видимо, проблемы с речью. Свою неразвитость он называл основной причиной своего весьма оригинального мировоззрения. Альберт получил светское образование в мюнхенской гимназии и выработал в себе пожизненное отвращение к жесткой тевтонской власти и к негибкому мышлению. По его мнению, милитаризму нет места в свободном обществе идей.

Вслед за семьей он переехал в Италию. Рост немецкого национализма вызвал у него отвращение, и он отказался от своего гражданства. Став апатридом, Эйнштейн переехал в Швейцарию с надеждой поступить в знаменитый Политехнический институт Цюриха. С первого раза поступить не удалось (директор института признал его превосходное знание математики и наук в целом, но отметил заметное отставание по другим предметам), и Эйнштейну, самому блестящему уму после Ньютона, пришлось провести год в подготовительной школе в швейцарской деревушке. В институт он был принят только в 1896 г. После его окончания в 1900 г. Эйнштейн, ставший к тому времени гражданином Швейцарии, не смог добиться места преподавателя в своем институте и согласился на работу в патентном бюро в Берне.

Работа государственного служащего давала много свободного времени для проведения собственных исследований. Товарищи по работе поражались тому, что Эйнштейн за один час успевал сделать больше, чем средний сотрудник за полный рабочий день. В 1905 г. Эйнштейн опубликовал в известном тогда научном журнале «Анна-лен дер Физик» три необычных труда. В первом было представлено в количественной форме так называемое броуновское движение молекул (повлиявшее в будущем на научные методы измерения). Второй описывал «фотоэлектрический эффект», давший теоретическое обоснование будущего изобретения телевидения. Третий труд, посвященный «частной теории относительности», изменил со временем наше мировоззрение.

Эйнштейн теоретически допускал, что физические законы не изменяются, когда наблюдатели передвигаются относительно друг друга. Его концепция относительности движения доказывала, что пространство и время не абсолютны, а находятся под влиянием отношений движения и массы.

Его первый труд, посвященный относительности, еще не содержал знаменитого уравнения $E = mc^2$. Оно было опубликовано Эйнштейном в дополнительной статье следующим летом после первой публикации частной теории. Изменив общепринятые объяснения физического мира, Эйнштейн сделал следующий логичный шаг. Он изучил различия между неподвижной массой и массой в движении, а также последствия превращения материи в чистую энергию. За сорок лет до Хиросимы Эйнштейн открыл сердцевину энергии под всеми материальными телами.

Эйнштейн не занимался — как Бор, Ферми, Силард, Оппенгеймер и Теллер — непосредственно исследованиями деления ядра. Труды этих и других физиков лишь «подтвердили его точку зрения».

Первая теория Эйнштейна изменила взгляды на мир и показала, как мало знал человек. Кубизм Пикассо, литература «потока сознания» Джойса и дробление гармонии и мелодии Шёнбергом — вот на каком фоне произошло эстетически блестящее открытие Эйнштейна.

После опубликования труда по частной теории относительности Эйнштейн недолго преподавал в университетах Цюриха и Праги, в 1912 г. он вернулся в Политехнический институт на преподавательскую работу. По рекомендации известного немецкого физика Макса Планка Эйнштейна назначили профессором Прусской академии в Берлине. Оставаясь швейцарцем, он восстановил свое немецкое гражданство (от которого откажется вновь после прихода нацистов к власти). Во время Первой мировой войны он был одним из немногих известных пацифистов в ура-патриотической Германии. В разгар траншейной войны в 1916 г. Эйнштейн объявил о создании общей теории относительности. Она придала относительность всем видам движения — и равномерного, и неравномерного. Он отметил соотношение гравитационных полей с крупными массами. Применив неевклидову геометрию к понятиям четырехмерного пространства, Эйнштейн первым заявил, что небесный свет «изгибается» под воздействием солнечной гравитации.

Когда его теория «кривизны света» была доказана учеными, наблюдавшими солнечное затмение в 1919 г., Эйнштейн почти моментально стал всемирной знаменитостью. Хотя его скромность не годилась для славы, Эйнштейн использовал свою известность для достойных целей. Ставший после мировой войны прославленным символом нового научного века, Эйнштейн проповедовал мир от имени Лиги наций, настойчиво призывал использовать науку во благо человека, а не для его уничтожения, и, откликнувшись на воззвание Хаима Вейцмана, горячо поддержал цели сионистского движения.

В 1920-х гг. снизилась научная активность Эйнштейна, но его известность росла. Он воодушевлял более молодых ученых на открытие практического применения своих теорий. Его публичные дискуссии с Нильсом Бором подняли самосознание возродившегося — хоть и на короткий период, до захвата власти нацистами — международного научного сообщества.

Когда в 1933 г. Гитлер пришел к власти, Эйнштейн отказался от должности профессора в Берлине и принял предложение Института передовых исследований в Принстоне, в штате Нью-Джерси.

Осознав опасность создания ядерного оружия в Германии и получив поддержку со стороны Лео Силарда, Эйнштейн написал ныне ставшее известным письмо президенту Франклину Рузвельту, в котором указал на необходимость проведения интенсивных исследований атома. Считается, что это письмо положило начало тайной разработке атомной бомбы в США, что привело в конце концов к окончанию войны с Японией и началу нового времени. Позже Эйнштейн выступил против применения атомной бомбы. В 50-х годах он резко протестовал и против тоталитарной тактики сенатора Джозефа Маккарти и призвал ученых не давать показаний перед сенатским комитетом по расследованию антиамериканской деятельности.

Незадолго до своей смерти в 1955 г. Эйнштейн трудился с полной отдачей сил над «единой теорией поля». Он надеялся объяснить взаимодействие теорий гравитации и электромагнетизма. Его работа над единой теорией была продолжена Стивеном Гокингом и другими учеными.

Эйнштейн больше, чем какой-либо другой ученый, обогатил наш движимый наукой мир. Ни один другой человек не олицетворяет в такой степени роль и значение достижений науки. Пока государства все еще одержимы стремлением заполучить как можно больше могущества, их народы считают научный прогресс наискорейшим путем к собственному материальному благосостоянию. Огромное влияние Эйнштейна заключается не только в его новаторских теориях, но и в его духовном примере. Он не раз отмечал, что Бог не играет в кости. Под небесами должна быть цель. Будущим поколениям не следует забывать сделанное Эйнштейном предостережение в том смысле, что ученым нельзя терять душу в холодном логическом поиске и что, напротив, они должны служить интересам человечества.

ЗИГМУНД ФРЕЙД
(1856—1939)

В любом перечислении самых влиятельных евреев не только современной истории, но и всех времен Зигмунд Фрейд должен быть назван в числе первых. Фрейд был (как охарактеризовал его Пол Джонсон в «Истории евреев») «величайшим из евреев новаторов». Такая характеристика весьма справедлива. Эрнест Джонс, коллега Фрейда и пропагандист его учения, также отмечал в своей трехтомной биографии венского психоаналитика огромное влияние Фрейда во многих областях. В частности, Джонс указал на воздействие Фрейда на клиническую психиатрию, биологию, антропологию, социологию, религию, оккультные науки, искусство, литературу, психологию, образование и криминологию.

Фрейд общеизвестен как отец психоаналитической теории и практики. Он не был первым психологом, но он — первый, кого вспоминают люди, когда обсуждают умственные расстройства. Многие из его теорий подвергались нападкам уже в момент их выдвижения, часть из них оспаривается до сих пор, некоторые высмеиваются как яркие, но бесполезные. Значение Фрейда несомненно заключается в качестве его мышления, а не просто в необычном характере многих из его исследований. Его идеи изменили восприятие людьми подсознания. До него большинство людей считали, что припадки истерии вызывают демоны.

Благодаря Фрейду, люди теперь лучше разбираются в психических заболеваниях. До его открытий душевнобольных заточали в психиатрические лечебницы без надежды на выздоровление. Вопреки все еще живущему предрассудку (и страху) сегодня многие признают психологические расстройства как еще одну болезнь, излечимую с помощью терапии. Выбор правильного метода лечения породил величайшую полемику. Многие ученые ставили под сомнение медицинскую обоснованность теорий Фрейда. Их не устраивают как его психоаналитические методы (часто требующие много времени), так и его основные предпосылки. И все же его идеи продолжают оказывать свое влияние.

Фрейд родился в городе Фрейберг в Моравии, бывшей в то время областью Австро-Венгрии. Его самые ранние воспоминания связаны с богатым домом. Когда Зигмунду исполнилось четыре года, его отец разорился на торговле шерстью, и семья переехала в Вену, где пережила период настоящей нищеты. Фрейд уже никогда не забывал пережитых им в юности лишений.

В семье не следовали предписаниям иудаизма. Несмотря на свое уважение к еврейской истории и к характеру своего народа, Фрейд никогда не соблюдал религиозного ритуала. Тем не менее он отказывался обратиться в христианство, поскольку находил в своих еврейских корнях силы чувствовать свою особенность.

Поступив в Венский университет, Фрейд был поражен антисемитизмом студентов и преподавателей. Их приглушенная либо откровенная этническая ненависть повысила его чувствительность и пробудила его энергию. Позже он вспоминал с немалой горечью историю, рассказанную отцом, когда Зигмунду исполнилось десять лет. Однажды прекрасно одетый молодой Яков Фрейд прогуливался по Вене. Внезапно какой-то хулиган сбил с его головы новую меховую шапку и прокричал: «Эй ты, жид! Очисти тротуар!» Яков спокойно перешел на мостовую, подобрал свою шапку и удалился, ничем не выказав своего протеста. Зигмунд пришел в ярость от испытанного отцом унижения и всегда с болью вспоминал об этом эпизоде. Эта-то ярость и поддерживала его стремление отстаивать свои убеждения.

Отличник Фрейд изучал медицину, проявляя особый интерес к естественным наукам. Не зная, чем заняться помимо изучения здоровья человека, он на-

чал работать в физиологическом институте, но вскоре в отчаянном желании больше зарабатывать на жизнь перешел в Центральную больницу Вены. Работая в разных клиниках больницы, Фрейд продолжал свои исследования. В тот период он баловался наркотиками, в том числе кокаином, стал наркоманом и пережил муки отвыкания. Поскольку его карьера была запятнана слухами об употреблении им наркотиков, Фрейд оставил больницу и переехал в Париж, чтобы принять участие в исследованиях выдающегося французского невропатолога Жана Шарко. В этот период он опубликовал более двадцати статей, посвященных нервной системе.

Вернувшись в Вену и желая обеспечить достойную жизнь своей жене Марте Бернай, Фрейд открыл частную практику в качестве невропатолога. Он начал работать с другим врачом-евреем Иосифом Брейером, который был на четырнадцать лет старше его и проводил эксперименты по лечению истерии с помощью гипноза. Вместе они попытались излечить молодую женщину, освободив ее сознание от страшных воспоминаний. В своем классическом труде «Исследования истерии», опубликованном в 1895 г., Брейер и Фрейд называли ее «Анна О.». (Ее настоящее имя — Берта Паппенгейм, позже она много сделает для создания первых немецких организаций социального обеспечения.) Их катартический (очистительный) метод был лишь первой простейшей попыткой использования психоаналитической техники, но они пытались показать «Анне О.», что сдерживание ею своих чувств и истерическое состояние объясняются срабатыванием защитного механизма, прячущего истину от нее самой.

Работая под руководством Брейера, Фрейд приступил к самостоятельной разработке теорий сексуальности, с которыми не мог согласиться его старший товарищ. Так распалась их дружба. То был первый из многочисленных случаев, когда Фрейд заводил важные для него дружеские отношения, чтобы потом безжалостно порвать их из-за философских разногласий (в том числе с такими известными учеными, как Карл Юнг и Альфред Адлер). Фрейд поступал как библейский пророк: когда его идеи оспаривали, он окружал себя последователями подобно благочестивому учителю, изрекающему талмудическую мудрость внимающим каждому его слову ученикам.

В 1900 г. Фрейд опубликовал свою самую великую, во всяком случае, самую заметную книгу — «Толкование снов». В ней утверждается, что люди действуют, полностью не сознавая своих желаний. Анализ снов помогает раскрыть и расшифровать бессознательные или спрятанные от сознания мысли. Фрейд выдвинул новые теории, объясняющие, как люди чувствуют и поступают. Возвращение в прежнее состояние, подавление, замена модели поведения, перенос эмоциональных реакций — таковы были психологические состояния, впервые подтвержденные им. Фрейд научил нас думать иначе о том, как мы понимаем себя, и о тех словах, которыми мы описываем наши мысли.

Благодаря Зигмунду Фрейду в обиходном языке появился целый новый словарь. *Обмолвки* («фрейдистские оговорки»), *детская сексуальность, сексуальная энергия, структуры реакции, ид (подсознание), эго, сверх-я, либидо, Эдипов комплекс, ингибиции, фаллические символы, инстинкт смерти, принцип наслаждения-боли, гратификация, принцип «примирения» с действительностью, привлекательность и отвращение, сублимация, избежание беспокойства, модификация поведения, метапсихология* — таковы некоторые термины, введенные им в сокровищницу трудов по психологии.

Фрейд часто использовал биографии великих людей для доказательства своих психоаналитических теорий. В частности, он был очарован жизнеописаниями Моисея, Леонардо да Винчи и Уильяма Шекспира. Фрейд постулировал теорию, согласно которой Моисей в действительности был египтянином и истинным основателем иудаизма (а вовсе не Авраам). По Фрейду, Моисей взял за основу некую египетскую теорию монотеизма и начал проповедовать ее среди порабощенных евреев. В конец запутавшиеся евреи убили Моисея и до сих пор испытывают нескончаемое подсознательное чувство вины.

Фрейд был не только ученым-первооткрывателем, но и прекрасным литератором. Революционный мыслитель был довольно консервативен в своих художественных вкусах, четок в личных привычках (строгое расписание занятий с пациентами, проведения исследований, прогулок и свиданий с любимой) и вполне обеспечен материально. Даже будучи ассимилированным, Фрейд оставался гордым и дерзким евреем, так и не капитулировавшим перед нацистами после аншлюса. После отъезда в 1938 г. из Вены в Лондон испытывавший сильные боли от рака челюсти (который через год стал причиной его смерти) и принужденный сделать положительное публичное заявление о том, как с ним обращались нацисты, Фрейд написал: «Я всем очень рекомендую гестапо». Собственная жизнь Фрейда доказала двойственную натуру психолога.

АВРААМ

(ок. XX—XIX в. до н.э.)
(Согласно Библии, 1813—1638 до н.э.)

Отец трех великих религий — иудаизма, христианства и ислама, прародитель еврейского и арабского народов, плодовитый пророк, образец праведного послушания, сторонник и получатель личного и бессрочного завета со своим единым и вечным Богом, Авраам несомненно является одним из самых влиятельных людей в истории мира.

Вплоть до восемнадцатого и даже девятнадцатого столетий большинство людей считали, что он действительно существовал. Библейские истории принимались на веру, и никто не ставил их под сомнение. Затем такие философы, как Георг Гегель, принялись объяснять жизнеописания патриархов, накладывая современные им понятия на истории, имевшие место за тысячелетия до них. Позже археологические раскопки, проведенные на месте рождения Авраама в городе Ур, на берегах Евфрата, вблизи от Персидского залива, и открытие в недавние годы древних табличек, содержавших многие имена его родственников, друзей и врагов, подтвердили его историю. Раскопанные через многие тысячелетия древние руины доказали, что Авраам жил в развитом обществе, а не с примитивными людьми бронзового века. Городами правили монархи, связанные друг с другом торговыми отношениями и общей охраной. Города были окружены полями, кормившими их плодами земли. Божий дар — земля обетованная — для его народа имел особое значение, если иметь в виду, как поистине близко к земле жили Авраам и его собратья.

Он был вождем или шейхом племени кочевников или изгнанников под названием *habiru* (позже — евреи). Это племя негорожан переходило с места на место, останавливаясь на короткое время и двигаясь дальше, когда это было необходимо. Не будучи частью оседлого общества, *habiru* не вызывали доверия, но одновременно пользовались вполне заслуженным уважением. В отличие от пастухов-бедуинов, передвижения которых были связаны с необходимостью пасти скот и заниматься определенного вида земледелием, *habiru* были наемниками и торговцами. Их «охота к перемене мест» не побуждала строить города, но, где бы они ни странствовали, они сохраняли свой язык, литературу и веру. Их религия была переносной, поэтому и Авраам был первым странствующим евреем.

В самом деле Библия описывает его примечательные перемещения по Ближнему Востоку: от места рождения вблизи Персидского

залива через переживавшую засуху землю обетованную (Ханаан) в славившийся богатыми урожаями Египет и обратно. На всем своем пути Авраам заключал договора с местными царями, выступая в качестве наемного воина, и приобрел места захоронения у хеттов, подчеркивая, что является чужаком и временным жителем.

Путешествуя по пустыням и горам, Авраам не сразу стал великим и легендарным пророком. В своих странствиях он научился переносить трудности и не раз подвергался опасностям. Как и в случае с молодым Моисеем, его мужество проходило испытания. Первоначально названный Аврамом (вероятно, аморетским именем), он стал благодаря своему опыту и вере новым человеком — Авраамом. В то время как хананеи молили своего древнего бога о богатых урожаях и о долгой жизни, Авраам превратил этот культ в особые новые взаимоотношения. Концепция земли, навсегда обещанной одному народу, особый завет детям Авраама — стал новым и уникальным фактором в иудаизме. И все же этот завет может быть отозван в случае, если не следовать строго закону Божьему. Божье милосердие и благодать можно завоевать только после трудного существования. История Авраама впервые прояснила хрупкую природу жизни евреев на протяжении многих веков.

Твердость веры патриарха была подвергнута испытанию, когда Бог велел ему отвести своего сына Исаака (рожденного его старой и бесплодной женой Сарой в далеко уже не детородном возрасте) на вершину горы и принести его в жертву. Исаак в своем покорном принятии судьбы также служит великим символом. Бог может отобрать все данное Им, завет — своеобразный договор об аренде, а не дар навеки. Когда Бог остановил Авраама, не дал ему принести в жертву своего сына, человечеству был преподан важнейший урок: человеческая жизнь священна и любима Богом. В самом деле во время недавних археологических раскопок в Израиле были найдены кувшины времен Авраама, в которых были обнаружены останки маленьких детей, явно умерщвленных хананеями в ходе ужасных древних обрядов. История Авраама и Исаака учит человечество верить и доверять.

Евреи считают Авраама своим прародителем, отцом Исаака, у которого родился Иаков, названный Богом Израилем. Потомок по прямой линии сына Ноя Сима, Авраам был семитом и человеком, строго следовавшим закону Божьему. Он был обеспокоен пороком, царствовавшим в Содоме и Гоморре, и пытался убедить Бога в том, что в этих развращенных городах оставалось еще много добропорядочных жителей. Его вера в Бога была непоколебима. Он готов пожертвовать Исааком по велению своего Господа. Авраам получил обетование Божье о земле обетованной и о многочисленном народе.

С точки зрения христиан, обет Божий воплотился в Иисусе. Авраам и Иисус — оба исповедовали простую веру, которая руководила их поступками. Отречение «Отца» от «сына Божьего» аналогично «принесению» Авраамом своего сына Исаака в жертву. И Авраам, и Иисус полностью изменились под воздействием своей абсолютной веры. Если Авраам получил благословение для своего народа, то Иисус, как сказано, передал всем любовь Божью.

Мусульмане почитают Авраама так же, как иудеи и христиане. Будучи отцом Измаила, праотца арабов, Авраам основывает Мекку как истинное святилище Бога. Бегство Авраама из Ура служит образцом для бегства пророка из Мекки. Авраам — основной пример исламской добродетели, человек, живущий по законам Божьим, праведный и угождающий Высшему судье. Изначальное открытие Богом Аврааму святой истины наилучшим образом описано мусульманами в священном Коране — без того, что они называли искажениями иудаизма и христианства.

Центральное место Авраама в качестве праотца трех великих религий, источника монотеизма по всему свету требует, чтобы его потомки попытались наконец помириться друг с другом. Все три религии пользуются общим изначальным языком, верой в единого Авраамова Бога и пророчеством, гласящим, что существует провидение Божье и что без нравственного поведения человек утрачивает свое божественное начало.

САВЛ ИЗ ТАРСЫ (СВЯТОЙ ПАВЕЛ)

(4—64)

Он родился в городе Тарса, что в Киликии (нынешней Турции), вырос в Иерусалиме, был учеником великого раввина Гамалиила, прозванного фарисеем из фарисеев, шил палатки и всю жизнь был ревностным служителем Бога. Известен на протяжении тысячелетий как Святой Павел, апостол в христианском мире. Без этого замечательного еврея христианство вряд ли стало бы всемирной религией.

Поскольку в настоящей книге речь идет о влиянии, а не о величии и герои перечисляются в порядке степени их влияния, Павел должен быть поставлен рядом с Моисеем и Иисусом как наиболее влиятельная религиозная фигура всех времен. Но Павла не было бы, если бы не было Иисуса из Назарета. Иисус определенно был более величественной фигурой, по убеждению его последователей, величайшим из когда-либо известных миру людей. И все же Павел мог оказать большее влияние на формирование современного ему настоящего и будущего. Какие бы радости и печали ни принесла человечеству всемирная религия христианства, она не могла быть создана из мессианского иудаизма без уникального гения Савла из Тарсы.

При его жизни Ирод Великий построил в Иерусалиме грандиозный Второй Храм. Одновременно, исходя из неотразимой логики своих заповедей и будучи в какой-то степени отмеченным преследованием со стороны Рима, иудаизм стал не только верой, сопряженной с храмовыми обрядами и жертвоприношениями, но и религией внутренней мысли. Такие великие раввины, как Гиллел, Шаммай, Гамалиил (а позже — Акиба и Иоханан-бен-Саккай), подчеркивали огромную важность закона, храма веры, основанной на Торе, а не помещенной в большое здание.

Павел был призван привести язычников к иудейскому монотеизму, не требуя от них обрезания, соблюдения законов кошерного питания или бесчисленных предписаний праведного поведения. На самом деле Павел более семидесяти раз цитирует Тору в своих посланиях и каждый раз отрицает ссылки на нее. Только через веру в человека, которого Павел считал Мессией, можно добиться спасения.

Павел признавал, что христианство не понять без веры в Воскресение, в историю Христа и его божественность. По мнению Павла, смерть Иисуса была ключевым моментом всемирной истории. С Воскресением его преодолена сама смерть. «Могила, где твое торжество? Смерть, где твое жало?» Вместо того чтобы ублажать Бога бесчисленными жертвоприношениями птиц и овец в Храме, «агнец Божий» умер на кресте ради освобождения своих детей. Принесение в жертву

одной жизни ради всех, с точки зрения Павла, стало исключительным и важным актом искупления грехов человеческих.

Подобно другим первым евреям-христианам, Павел был одержим смертью на кресте. Его значительно меньше заботили фактические события из жизни Иисуса. Многие из первых евреев христиан не знали, как относиться к страшной смерти Иисуса. Римляне применяли такую позорную и ужасную форму казни, как распятие на кресте, к тем, кого они считали самыми страшными преступниками, — восставшим против Рима рабам и бунтовщикам.

Одержимость Павла Распятием Христа непосредственно вытекает из его новой теории первородного греха. В противовес изначальному оптимизму иудаизма (добро срабатывает; добродетель, нравственность и праведность засчитываются; Бога можно видеть во всех мелочах жизни, значит, большинство граней повседневной жизни требует регулирования для обеспечения порядка и религиозного духа) Павел придерживался в основном пессимистической точки зрения. Нельзя, утверждал он, полностью следовать иудейскому закону. Мы несовершенны. Мы не можем выполнять каждое правило ежеминутно. Само наличие закона показывает, насколько люди действительно грешны. В отличие от Павла Иисус четко указывал, что закон следует смиренно исполнять. По мнению Павла, вера в Иисуса устранила необходимость закона.

Совокупный грех человечества настолько велик, что одному-единственному человеку пришлось заплатить за него. Павел рассматривал Распятие Иисуса как цену греховности человека. В самом деле, в попытке дать литературное объяснение его теологии А.Н. Уилсон и другие авторы назвали новую религию Павла «крестианством».

Павел был убежден, что после Воскресения неувядаемая надежда осветила темный мир. Благодаря любви и всепрощению Иисуса грех был забыт, и милосердие Божье открыло вечное царство даже самому ничтожному рабу. Кроткий и сильный, богатый и бедный, девушка и юноша могут общаться с Богом только через Иисуса.

Павел вырос в состоятельной, свободной от национальных предрассудков, эллинизированной семье. Он говорил и писал на греческом языке и был римским гражданином. Поначалу религиозный иудей, ревностный защитник своей веры и явный гонитель христиан, во время путешествия в Дамаск он внезапно перешел в веру в Иисуса как в Мессию или Христа. Его обращение в христианство в мгновенной вспышке слепящего света остается спорным. Недавние исследования еврейской христианской церкви показали, что Павел резко выступал против иерусалимской церкви (которую возглавлял двоюродный брат Иисуса — Иаков), считая ее одной из сект, хотя и следующей по «Пути», но чрезмерно одержимой традиционным иудейским обрядом, верившей в Иисуса как в великого пророка и закрытой для обращенных язычников.

Этот фарисей первого века был величайшим публицистом и толкователем истории человечества. Мы знаем его по им же написанным сочинениям. В дополнение к произведениям историка Иосифа Флавия Послания Павла являются единственным дошедшим до нас письменным памятником, оставленным фарисеем первого столетия. Подобно многим фарисеям того времени (вопреки предубеждениям фарисеи были людьми набожными, они основали талмудический иудаизм) Павел был человеком благочестивым и религиозным. Но он был полностью охвачен идеей Иисуса.

Разумеется, христианская религия — это плод усилий и идей двух человек — Иисуса и Павла. Но именно Павел соединил свое эллинское воспитание и иудаизм диаспоры (значительно более либеральный в личных обычаях, не связанный с отправлением религиозных обрядов в иерусалимском храме) с мессианским решением, чтобы создать новую теологию, новую религию и собрать достаточное для обеспечения ее выживания число последователей. Павел первым понял, что вера в Иисуса из Назарета имеет мировое значение. Изменения, внесенные учением Иисуса, требовали разрыва с иудейской практикой (конфликт Павла с иерусалимской церковью Иакова мог способствовать этому расколу). Иисус жил в чисто иудейской стране, проповедуя и стараясь повлиять только на иудеев. Павел же вербовал приверженцев большей частью в языческой империи. Большинство иудеев не стали бы признавать какого бы то ни было человека богом, а в языческом мире людей (особенного царского происхождения) объявляли богами. Вот почему неиудеям легче было общаться с Богом через посредство идеально добродетельного человека.

Идея Павла о милосердии была, возможно, его самым убедительным уроком. Бог, утверждал Павел, прощал всех, исходя из бесконечной и божественной любви к человеку, независимо от его нравственности или прегрешений. Для попранных, живших без какой-либо надежды в условиях римского угнетения масс подобная идея в сочетании с вечной жизнью в царстве Божьем оказывалась неотразимой. Павел — первый христианский богослов, названный многими историками создателем религии, указал в своей динамичной прозе путь превращения древней монотеистической религии в общемировую практику. Он не только изменил библейский закон и историю, но и предложил людям альтернативную концепцию и цель. С точки зрения Павла, евреи не были единственным народом, особо избранным милостью Божьей.

Труды Павла оказали глубокое влияние на его современников при основании раннего христианства, а также на поколения, представленные такими деятелями, как Августин, Лютер и Кальвин. Когда христианские богословы искали ответы на основные вопросы, они часто обращались за вдохновением к Посланиям Павла.

Совершенно очевидно также, что без принятия язычниками христианской веры (основанной на иудейских добродетелях и обычаях) мировая история стала бы радикально иной. Без Павла не состоялся бы переход к поддержанному государством христианству, не было бы церкви с центром в Риме (на месте казни Петра и Павла), греческая культура не была бы окрашена иудейско-христианской моралью, не было бы ни крестовых походов, ни европейских войн католиков с протестантами, одним словом, не было бы христианской религии.

КАРЛ МАРКС
(1818—1883)

В конце 1980-х гг. коммунисты перестали править Восточной Европой и Россией. Даже Китай и Вьетнам, когда-то крайние выразители марксизма, восприняли капиталистические методы. Несмотря на отказ большей части мира от его учения, Карл Генрих Маркс — немецкий еврей и потомок по отцовской и материнской линиям нескольких поколений раввинов — остается самым влиятельным политическим философом в еврейской и даже всемирной истории.

Маркс родился в Трире — небольшом городке на Рейне. Его отец Генрих был преуспевающим адвокатом, а его дядя — городским раввином. Стараясь улучшить свое положение отказом от еврейского

наследия и игнорируя возражения родственника-раввина, Генрих вместе с семьей, в том числе с шестилетним Карлом, перешел в лютеранство. Вот почему Карл посещал светскую гимназию.

Маркс учился в университетах Бонна, Берлина и Иены (в последнем не столько учили, сколько торговали учеными степенями). Его особенно привлекало философское учение Гегеля. Маркс сначала собирался стать поэтом, потом философом и, наконец, журналистом. Он познакомился с другим молодым еврейским мыслителем Мозесом Гессом, основателем «Рейнской газеты». Гесс изначально использовал свое издание для критики реакционной политики прусского правительства. Маркс перехватил у Гесса инициативу, стал редактором и обрушился с нападками на местное правительство. Через пятнадцать месяцев за критику союза Берлина и Москвы он был лишен немецкого гражданства и выслан во Францию.

Маркс, только что женившийся на двадцатидевятилетней Женни, урожденной фон Вестфален (брак с ней он заключил после семи лет ухаживаний, после смерти ее отца, возражавшего против этого брака, и с трудом полученного согласия овдовевшей матери), устроился в Париже, где жили и работали Бальзак, Шопен и Санд, и познакомился с другим немецким экспатриантом, Генрихом Гейне. В тот же период он встречался с русским анархистом Михаилом Бакуниным и французским радикалом Пьером Жозефом Прудоном.

Самым же удачным стало знакомство Маркса с Фридрихом Энгельсом — впечатлительным сыном состоятельного немецкого текстильного фабриканта. Энгельс представлял собой любопытную смесь капиталиста и революционера. На Маркса произвели впечатление работы Энгельса об английском рабочем классе и его способность изъясняться ясно и просто. На протяжении последующих почти сорока лет Энгельс обеспечивал своему другу щедрое содержание (подчас в ущерб самому себе). Если не считать редких газетных публикаций, Маркс никогда не зарабатывал себе на жизнь, предпочитая тратить свое время на исследования и написание статей и манифестов (которые охотно редактировал Энгельс). До сих пор в марксистской литературе часто бывает трудно отличить идеи Маркса от стилистической обработки Энгельса.

Высланный из Парижа в Брюссель и живший на деньги Энгельса, Маркс написал в 1847 г. свой первый крупный труд — «Нищета философии». Годом позже Маркс и Энгельс опубликовали свой самый важный совместный труд «Манифест Коммунистической партии». Всего через несколько дней после этой публикации (и без какой-либо связи с ее радикальными идеями) против политической тирании во Франции и Германии восстали рабочие. Получилось так, словно Маркс и Энгельс предсказали их мятеж. Но революционеры выступали скорее за прогрессивную либеральную политику, нежели за классовую борьбу по Марксу. В те бурные годы Маркс предсказывал (почти в сорока случаях), что эра классовой борьбы взлелеет восстание. По большей части он ошибался насчет ближайшего будущего, но, к горькому сожалению, оказался прав относительно следующего столетия.

В значительно большей степени, нежели его друг — лирический

поэт Гейне, Маркс выработал неистовую ненависть к себе как к еврею. Его злобный нрав (в результате то ли жизни в бедности, то ли развития собственной сложной личности), отвращение к еврейской культуре, искажение истории его народа и неистовый аналитический ум в совокупности породили одну из самых влиятельных экономических и политических систем всех времен. (Как ни странно, хорошо известный антисемитизм Маркса не мешал молодым евреям следующих поколений забывать о наследии своего народа и следовать примеру Маркса.) Маркс считал, что его идеи выстраданы историей и пустили глубокие корни. Ему было необходимо, чтобы люди восприняли его толкование истории и действовали соответственно. Для него собственные идеи стали новым Евангелием: марксизм как Тора и Талмуд, изложенный единственным пророком.

Призрак бродит по Европе — призрак коммунизма.
Пролетариям нечего терять, кроме своих цепей.
Пролетарии всех стран, соединяйтесь!

Увлеченный революцией 1848 г., Маркс вернулся в Германию. Начал издавать и распространять «Новую Рейнскую газету». Вскоре его арестовали и отдали под суд за подстрекательство к мятежу, но он был оправдан благодаря собственному красноречию. Потерпев поражение в суде, власти нашли новый и более эффективный способ заставить замолчать Маркса. Его навсегда изгнали из родной страны как подрывного отщепенца.

Поскольку Франция и Бельгия отказали ему в убежище, Маркс с семьей перебрался в Англию. Остаток жизни Маркс прожил в нищете в лондонских трущобах. Несколько его детей умерли в раннем возрасте. Маркс занимался только своими исследованиями и сочинениями, проводил долгие часы в Британском музее, подбирая статистические данные для оправдания своих философских установок. Семья влачила жалкое существование на скромную помощь Энгельса, гонорары за статьи для издававшейся Чарлзом Дана «Нью-Йорк трибюн» и остатки наследства от матери Женни.

Главный его труд «Капитал» — своеобразный суровый приговор экономике современного ему общества. Написанный им том стал первым из нескольких томов, завершенных Энгельсом на основе объемистых записей Маркса уже после его смерти.

Единственной попыткой Маркса действовать в духе своих убеждений было его участие в Первом Интернационале в 1860-х гг. Он был введен в совет этого объединения рабочих. Он попытался захватить в свои руки руководство Интернационалом, а когда это ему не удалось, постарался разрушить организацию.

В 1870 г. Пруссия жестоко разгромила Францию. Маркс поддержал левых революционеров Парижской коммуны, безуспешно попытавшихся в период политического вакуума захватить власть во Франции. В своем безумии руководители коммуны казнили архиепископа Парижа и других известных руководителей. Верные властям части устроили бойню, залив кровью средневековые улочки старого Парижа.

В последние годы жизни Маркса считали (в большинстве своем молодые последователи-мечтатели) «серым кардиналом» коммунизма. Его похоронили на лондонском кладбище «Хайгейт», где его могила стала чуть ли не святыней для последователей.

Труды Маркса являются составной частью человеческого познания. Марксизм породил знаменитые «измы» Ленина, Троцкого и Мао. Отчасти в ответ на его левацкие убеждения последовали фатальные удары фашистов и нацистов.

Марксистская концепция эксплуатации трудящихся хозяевами была лишь частью экономической жизни. Идеи о «прибавочной стоимости» или о достающемся хозяевам излишке, получаемом от эксплуатации трудящихся, не объясняют до конца, как это сказывается на производительности, как контролируется качество или как создается богатство. Маркс, похоже, пренебрегал тем фактом, что люди тоже чего-то стоят. Духовный, культурный и интеллектуальный капитал также имеет значение. Напряженное внимание Маркса к причинам и функциям систем не привело его к признанию приводящего все в движение взаимодействия людей.

ТЕОДОР ГЕРЦЛЬ
(1860—1904)

Он был пижоном, денди с бульвара. Говорили, что он обожал слушать оперы Вагнера, модно одеваться, сплетничать в кафе и фланировать по проспекту. Он был таким, каким и должен был быть джентльмен конца века, — щеголял аккуратно подстриженной бородой, пописывал модные пьески, унылую рекламу для туристов и фельетоны, наслаждался праздными радостями молодого человека в Вене мирного времени. Будучи в начале 1890-х гг. парижским корреспондентом ведущей венской газеты, он изменился под влиянием антисемитского «дела Дрейфуса». Десятилетие с лишним творческой и коммерческой писанины завершилось в 1896 г. лихорадочной работой над памфлетом, в котором он провозгласил необходимость создания еврейского государства. Хотя до него и другие авторы призывали к возвращению на Сион, именно утопическая статья Герцля и его политическое рвение при основании сионистского движения привели пятьдесят лет спустя к созданию государства Израиль. Его усердие обусловило сердечную недостаточность и внезапную смерть в возрасте сорока четырех лет. Мужа и отца лишились больная молодая жена и трое маленьких детей.

Герцля отождествляют с Веной, но на самом деле он родился и вырос в Будапеште. Венгерская столица находилась на окраине Австрийской империи, но на протяжении XIX в. приграничный городок превратился в большой город. Отец Герцля вначале заработал и потом потерял большую часть своего состояния в бизнесе, чем отвратил Теодора от торговли и пробудил его интерес к литературе. Его мать, любившая язык, культуру и литературу Германии, оказала на него такое влияние, которое определило на всю жизнь его мировоззрение и чаяния.

После смерти его девятнадцатилетней сестры от брюшного тифа Герцль с родителями переехал в Вену. По их настоянию он начал изучать право в университете. Скоро он стал большим венцем, чем сами венцы. Вена того времени была плодородной почвой для молодых евреев, поселившихся и работавших в городе. Недалеко от Герцлей жили великий новеллист Артур Шницлер и Густав Малер, будущий дирижер и один из наиболее выдающихся композиторов столетия. Хотя Герцль (подобно Фрейду, Шницлеру и Малеру) поначалу занимал активные прогерманские позиции, они начали меняться в результате его знакомства с антисемитами в университетских клубах и с евреями, недовольными принадлежностью к своей нации и искавшими убежища в немецкой культуре. Под внешним лоском венской конгениальности бурлили зловещие силы. Они вырвались на поверхность во

время избрания Карла Лугера мэром Вены. Этот харизматический антисемит вдохновил юного маляра Гитлера, чье нищенское существование в Вене несколько лет спустя сформирует его жажду власти и ненависть к евреям. (Зигмунд Фрейд признавал власть таких темных сил в подсознании человека, а его открытия привели к созданию современной психоаналитической терапии.)

Недолго и не особенно удачно проработав юристом, Герцль при поддержке отца занялся литературой. Постепенно его краткие и меланхолические путевые заметки и пьесы вошли в моду. После одного крупного успеха в самом знаменитом венском театре Герцль осмелился жениться на весьма состоятельной молодой еврейке. Вскоре он узнал, что его жена переживала во время его ухаживаний глубочайший психоз. Несмотря на рождение трех детей, которых он очень любил (один из них погибнет в нацистском концлагере), из-за болезни жены и собственного темперамента он был несчастлив в браке.

Самая известная в то время венская газета «Neue Freie Presse» наняла Герцля сначала в качестве внештатного автора путевых заметок, а позже и зарубежного корреспондента. Разойдясь и затем снова сойдясь с женой и семьей, в 1891 г. Герцль приступил к выполнению своей работы в Париже. То было прекрасное время Тулуз-Лотрека, Дебюсси, Бодлера и Сары Бернар. Поначалу Герцль был очарован французской столицей. Однако вскоре это очарование стало проходить под влиянием антисемитских проявлений, кульминацией которых стал международный скандал — дело Дрейфуса.

Известный антисемит Эдуард Дрюмон обвинил одного известного политика в том, что им манипулировали евреи. Последовало несколько дуэлей между антисемитами и евреями военными — так «проверялся» патриотизм (или связь с ненавистными немцами!) офицеров. Герцль писал подробные репортажи о суде над Дрюмоном и о массовых похоронах еврея капитана Меира, погибшего на дуэли, спровоцированной французским шовинизмом.

Драматург Герцль начал разрабатывать грандиозные планы спасения мирового еврейства от этих неразумных сил. Сначала он собирался вызвать на дуэль какого-нибудь известного антисемита вроде Лугера. Затем решил, что лучше он войдет в великий союз с Папой ради обращения всех проживавших в христианских странах евреев в христианство.

В 1894 г. действительность в виде дела Дрейфуса несколько отрезвила Герцля. Он даже присутствовал на плацу, когда Дрейфуса лишили звания и сабли во время позорной сцены несправедливого разжалования.

Дело Дрейфуса подтолкнуло Герцля искать помощи у барона Мориса де Гирша — одного из самых богатых в мире евреев, поддерживавшего поселение евреев в Новом свете. В неудачном интервью с ним нервничавший Герцль не сумел четко изложить свои еще не до конца сформулированные планы по спасению европейских евреев путем исхода в новый Сион. Позже обозреватели отмечали, что неудача Герцля с Гиршем была большой трагедией, ибо у богача были и желание, и средства для осуществления планов, позже четко изложенных Герцлем.

Герцль не был обескуражен неудачей и продолжил разработку схемы исхода. Когда он поделился ею с коллегами, их охватили смятение, тревога и опасения за его душевное здоровье. Смягчив книжный характер своего первоначального замысла, Герцль переработал его в ставший позже знаменитым памфлет «Еврейское государство. Попытка современного решения еврейского вопроса». Евреи должны потребовать, чтобы им предоставили достаточно земли для поселения целого народа. Не важно, где будет находиться Сион. Еврейский народ согласится на выделенную ему землю, если она будет отвечать определенным разумным условиям. Государство будет современным и прогрессивным, воплотит все лучшие и новейшие идеи цивилизованного общества. Герцль не считал, что иврит должен стать государственным языком. Первые еврейские поселенцы будут общаться на всех известных им языках, пока из наиболее практичного из них не возникнет национальный диалект.

Первоначально памфлет был издан мелким венским книготорговцем тиражом всего в пятьсот экземпляров. За несколько месяцев он привлек внимание по всему свету и вызвал полемику, масло в которую подлили яростные нападки со стороны политиков и прессы антисемитской направленности.

С помощью коммерсанта Давида Вольфсона, ставшего после его смерти руководителем сионистского движения, Герцль приступил к созданию сионистской политической организации, развертыванию пропаганды (став автором, редактором и издателем сионистского еженедельника) и политической деятельности (встречаясь по-донкихотски неудачно с такими крупными политическими лидерами, как великий визирь Турции и кайзер Вильгельм). Барон де Гирш умер, когда движение только начало набирать силу.

Последние годы жизни Герцль посвятил своему делу. В Германии он создал еженедельную газету — официальный орган движения. Его умение заворожить слушателей видениями Сиона завоевало сердца множества последователей, несмотря на сопротивление ряда раввинов и их паствы. Дабы показать миру серьезность тем, обсуждавшихся на каждом ежегодном сионистском конгрессе, Герцль настаивал на том, чтобы делегаты являлись во фраках и вечерних платьях. Не добившись от турецкого правителя пожалования Палестины в качестве еврейской автономии, Герцль приступил к осаде британских властей. В 1903 г. Великобритания предоставила ему право на создание еврейского поселения в Уганде. Герцль был готов согласиться на Африку в качестве новой родины, но столкнулся с сильнейшей оппозицией на сионистском конгрессе. Конфликт по этому вопросу стремительно разросся, и в 1904 г. Герцль умер от сердечного приступа недалеко от Вены.

На его похороны в Вену приехали тысячи и тысячи сторонников со всей Европы. Венцы были потрясены душевной отзывчивостью евреев на его смерть, ибо помнили его лишь как литератора с причудливыми националистическими идеалами.

В разных уголках Европы значение наследия Герцля прочувствовали и старые раввины, и юные евреи. Глубокое горе испытали — каждый по-своему — проживавшие в то время в небольшом польском городке Хаим Вейцман, позже подготовивший Декларацию Бальфура и ставший первым президентом государства Израиль, и Давид Бен-Гурион, будущий первый израильский премьер-министр. Вдохновленные мечтами Герцля, они были готовы стать первопроходцами на земле Палестины. В 1897 г. Герцль предсказывал основание еврейского государства, и его предсказание исполнилось всего через пятьдесят лет.

Сионизм Герцля способствовал некоторым образом параллельному подъему арабского национализма, который также искал родину в истории и мифах. Герцль предвидел конфликт с арабами, но утверждал, что евреи и арабы вместе могут построить более величественное общество, исходя из лучших качеств обоих народов. Влияние Герцля все еще сказывается на мировой истории.

В 1949 г. его останки были перенесены на холм чуть к западу от Иерусалима. На горе Герцля он покоится вместе с Давидом Вольфсоном. Поблизости расположены большое военное кладбище, где захоронены павшие герои трагических войн Израиля, и Мемориал Холокоста. Как и Моисеем, Герцлем двигали мечты о Сионе.

МАРИЯ

(род. ок. 20 до н.э.)

Известны немногие подробности ее жизни. И известны они по евангельским колоритным в своем большинстве описаниям, авторы которых жили через столетие с лишним после ее смерти. Мы знаем о ней, разумеется, благодаря великой жизни и смерти ее сына. И все же Мария — дочь родителей-галилеян с еврейским именем Мириам — стала самой влиятельной женщиной и матерью в истории человечества.

В искусстве ранней церкви ее изображали царицей при Иисусе-императоре. Неграмотная в своей массе паства молодой церкви нуждалась в зрительном образе, который помогал бы ей молиться и понимать библейские истории. Византийская церковь старалась освободить верующих от языческих оков.

В V—VI вв. иерархи христианской религии очистили культ от греческих и египетских богов, сохранив самые привлекательные черты этих символов. «Культу Марии» был отведен в качестве праздника Успение Богородицы день 13 августа, прежде считавшийся днем Исиды и Артемиды — языческих богинь плодородия и охоты.

В последующие столетия простые люди приписывали Марии дух материнства. Почитание Пресвятой Девы повлияло на развитие христианства и мировой культуры в целом. После ужасов Средневековья люди нуждались в более гуманной атмосфере для своих молитв. В XII—XIII вв. почитание Марии (названное «культом Девы Марии») сделало ее самой любимой фигурой в истории. Требовательный Бог уже больше не сбрасывал погибшие души в ад. Пресвятая Дева спасала своих детей, давала им тепло, здоровье и надежду. Она проявляла жалость и материнское сострадание.

Для многих христиан Средневековья Мария стала почти частью Святой Троицы. Хотя богословы отрицали какую-либо роль Марии в Троице. Являясь защитницей и посредницей перед Богом, она превратила церковь в более заботливое учреждение.

Отцы церкви, начиная с Августина и кончая папами недавних времен, особо заботились об определении ее места в религиозной иерархии. В Евангелии утверждалось, что Иисус был «рожден женщиной». Одни объясняли это древнееврейским оборотом, означавшим, что Иисус был человеческим существом, реальным человеком. Без матери его деятельность среди людей была бы слишком сверхъестественной. Другие отрицали непорочные роды, заверяя, что делают это во имя человечества. Как мог Иисус быть человеком, если не был рожден, как все остальные? Вопрос о гарантии Воплощения остается спорным. Подобно вере в Иисуса как в божество это в основном — вопрос веры.

Хотя текстовые варианты Евангелия от Матфея включают и строчку: «Иосиф родил Иисуса», больше всего места в христианских писаниях, посвященных Марии, отводится ее непорочности. Католицизм практически единодушно учит, что Мария зачала Иисуса, не потеряв девственности.

Ее нетронутая девственность была связана с выдвинутой Святым Павлом концепцией первородного греха. Все люди от рождения грешны, говорил Павел. Более поздняя церковь (вплоть до XIX в., согласно официальному догмату) объявила ее непорочной. В момент зачатия она была освобождена от греха.

Богословы IV в. установили, что Мария была theotokos — «родительницей Бога». К тому времени церковь объявила Иисуса божеством, логически последовало название Богоматери. Ее святое предназначение вдохновило иконописцев восточной православной церкви. Другие видели в ней символ искупления грехов человеческих через природу. Миннезингеры и трубадуры Средневековья восхваляли ее идеальное благородство. Благодаря ей родилось рыцарство. В XV—XVI вв. художники итальянского Возрождения увидели в ней образец идеальной красоты. В католических церквях проникновенно исполнялась полная благодати «Аве Мария». Привлекательность христианского искусства в значительной степени объяснялась физической красотой женщины, олицетворенной образом Марии.

Мария стала церковным символом семьи и центральной роли матери. Христианские представления об апокалипсисе и ужасе (несомненно внушенные скорее кошмарами жизни в Средние века, нежели религией) сменились мечтами о милосердии и сострадании.

В новое время символ Марии, олицетворения сердечности и милосердия, был изменен рядом философов, психоаналитиков, феминисток и эстрадников. После того как она стала богиней женского движения, породила синдром мужского шовинизма и была использована итальянской католичкой — звездой рока для самой прибыльной (и подпорченной) карьеры в шоу-бизнесе, миф Марии, даже извращенный, сохраняет свое удивительное воздействие.

БАРУХ ДЕ СПИНОЗА
(1632—1677)

Во времена Рембрандта жил в Амстердаме скромный и вежливый юноша, изучавший талмудистский закон и Священное Писание. В возрасте же двадцати четырех лет он бросил такой вызов своим соплеменникам, что его подвергли жестокому наказанию, отлучили от веры и изгнали из общины.

Барух де Спиноза был сыном преуспевающих иммигрантов из Португалии, бежавших от религиозного и политического преследования инквизиции в надежную и свободную Голландию. Эти португальские евреи скрывали на родине свою религию, приняли католичество, но втайне исповедовали иудаизм. Спиноза стал очевидцем

конфликта между недавно прибывшими «обращенными» и иудеями-талмудистами, столетиями жившими в Амстердаме. Но помимо всего это свободное общество давало возможность получить светское образование. Юный Барух изучал не только классическую литературу и философию, но и латынь и — самое ужасное — Новый Завет, который преподавал ему бывший священник-иезуит.

Еще молодым студентом Барух стал членом кружка радикальных философов и одновременно изучал шлифовку оптических линз. Он отличался слегка меланхолическим, но удивительно ровным характером — никогда не спешил отвечать в приступе гнева.

Не совсем ясно, как у него возник спор с еврейской общиной. Как бы то ни было, его обвинили в том, что он отрицал существование ангелов, Божью направленность Библии и бессмертие души. До наших дней дошел текст официального документа об отлучении. Его злобный характер свидетельствует со всей очевидностью, что Спинозу обрекали на вечные муки. Его изгнали из общины, и ему даже пригрозили смертью. По иронии судьбы португальские и испанские беженцы, устроившие свое вполне надежное буржуазное существование в Амстердаме, обзавелись собственной инквизицией.

Барух («блаженный» на древнееврейском) сменил свое имя на латинский эквивалент — Бенедикт и после непродолжительного путешествия осел в Гааге. Помимо небольшой государственной пенсии и предоставленного его другом ежегодного пособия Спиноза жил за счет своего ремесла — шлифовки линз. Он неизменно отвергал все остальные предложения помощи, в том числе и должность профессора в престижном университете Гейдельберга. Он предпочел суровую и аскетическую жизнь и прямо-таки монашескую рясу бедного работяги. Спиноза умер в одиночестве в возрасте сорока четырех лет от болезни легких, вызванной постоянным вдыханием токсической пыли от шлифовки стекла.

Несмотря на жизнь в неизвестности, Спиноза признан одной из ключевых фигур в истории философии. Несмотря на его отлучение, многие философы справедливо называли его одурманенным Богом. Несмотря не отрицание им изначально божественного происхождения Библии, Спиноза широко признан как первый критик Библии Нового времени. И, несмотря на его почитание разума, его труд выявил пагубную неразумность многих из последовавших за ним крупных философов и писателей.

Философия Спинозы нашла свое отражение в теологическом и политическом исследовании «Богословско-политический трактат» (единственной книге, изданной при его жизни) и в «Этике». Он определенно находился под влиянием рационалистического учения Маймонида, но его труд отмечен также антирационализмом еврейских мистиков или оккультистов. Такое сочетание разумности и «неразумности» вывело его философские исследования далеко за рамки еврейской традиции.

Спиноза верил в разрешение споров с помощью разума, но не имел веры — подобно Маймониду — в пришествие Мессии благодаря строгому соблюдению закона Божьего. Спиноза скорее призывал отбросить религиозные писания как бесполезные и искусственные. Только с помощью чистого разума можно обуздать человеческие страсти. И Спиноза искал рецепт для излечения того, что он воспринимал как болезнь чувств. Грех — порождение не зла, а невежества. Страдание не изолированный факт, а часть бесконечно большего и безразличного целого. Если только человек признает себя частью неизменной природы и Бога (Спиноза отождествлял природу и Бога), то исчезнут ненависть и жалость, беспокойство и огорчение, гнев и лживость.

Бог не только все (пантеизм), Бог присутствует в каждом модусе жизни. Ничто не оставлено на волю случая. Нет абсолютной свободы человеческой воли. Если только мы поймем это, то будем освобождены. Следуя Спинозе, Альберт Эйнштейн якобы сказал, что «Бог не играет в кости».

В «Этике» Спиноза использовал Евклидову геометрию как основное доказательство неизбежности своей философии. Не только Бог предопределил все, но и использование Спинозой геометрических прогрессий представило его философию как непреложную и абсолютную.

Подход Спинозы к анализу Библии революционизировал точку зрению людей на религиозную традицию. Его рациональное рассмотрение библейских эпизодов в их историческом контексте поставило под удар подчас суеверные и сложные комментарии талмудических догматов. Безжалостные замечания Спинозы во времена французского Просвещения в XVIII в. позволили Вольтеру со товарищи высмеять христианство и то, что они считали карикатурой на него, — иудаизм. Показав, что Библия не является точным отражением истории, он своим методом подорвал навсегда основы организованной религии и вызвал долгосрочные и смертельные последствия для еврейской общины.

Современная философия отвергает многое из учения Спинозы, хоть и продолжает испытывать трепет перед ним. Каждое новое поколение находит в его наследии что-то от самого себя. Немецкие романтики начала XIX в. приписывали собственное видение мира Спинозе. Великий поэт Гете считал наследие Спинозы существенно важным для понимания космоса. В XX в. выдающийся английский философ Бертран Рассел нашел слабое место в идеях Спинозы, предпочитая ту, свойственную его времени научную точку зрения, что факты полностью раскрываются с помощью наблюдения, а не рассуждения. И все же Рассел любил Спинозу с нехарактерным для него пылом и призывал изучать его философию, чтобы бежать от безумия современной жизни с тем, чтобы никогда нас снова не парализовала горечь отчаяния.

ДАВИД
(ум. 1000 до н.э.)
(По Библии: ум. 1020 до н.э.)

Пастух, наемный воин, разбойник, лирический певец, ритуальный танцор, многоженец, победитель Голиафа, прелюбодей, завоеватель,

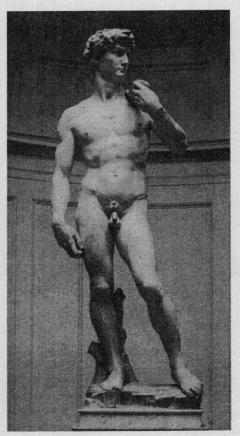

строитель империи, отец, царь. Давид был определенно величайшим из трех дюжин с лишним мужчин и женщин, правивших древними царствами — Израилем и Иудеей. Почитаемый христианами как предтеча Иисуса из Назарета и высоко ценимый исламом как образец добродетелей, проявленных позже пророком, Давид при всех своих человеческих слабостях является в глазах евреев одним из самых почитаемых людей. Его имя могло быть образовано из термина «davidum», означающего «военачальник».

Еврейская история до Давида представляется спутанным клубком мелких межплеменных стычек. Его царствование объединило евреев и получило международный отклик. По примеру Давида обетование Бога с еврейским народом, с каждой живой душой на Земле вошло в повседневную жизнь с помощью гуманного способа правления, конституционной монархии или — по выражению преосвященного Пола Джонсона — «теократической демократии».

Давид не был монархом восточного типа, не навязывал абсолютистского диктата своим подданным. Воля народа ограничивала в большой степени его поступки. Будучи глубоко религиозным человеком, он отвергал тиранию и искал способ обеспечения торжества справедливости. Его концепции свободы и ответственности имели важные исторические последствия, в дальнейшей истории послужив моделями конституционного правления в Америке и Европе восемнадцатого и девятнадцатого веков.

На протяжении столетий вновь и вновь изучалось и обсуждалось становление личности Давида. Он был более популярным, чем его предшественник — помраченный рассудком воитель Саул, и более способный, чем его любимый друг и сын Саула Ионафан. Сам образцовый полководец, Давид не сумел удержать под контролем собственную семью. Три его сына трагически погибли, открыто выступив против установленного порядка.

Любовная связь Давида с замужней женщиной Вирсавией имела катастрофические последствия. Увидев ее купающейся в бассейне на террасе, Давид влюбился в нее, зазвал в свой дворец, соблазнил ее, и она забеременела от него. В попытке скрыть акт прелюбодеяния Давид приказал ее мужу Урию вернуться из похода и побыть с Вирсавией. Урия же не стал спать с женой и тем самым не дал узаконить ее беременность. Давид пошел на новое ухищрение, приказав отправить ее мужа на передовую, т.е. на верную смерть. Когда пророк Натан выдвинул против него обвинение, царь Давид покаялся, просил прощения и проявил смирение перед Богом (кто-то может сказать, что поступки Давида были наказуемы смертью, но цари явно могли жить по иным правилам, оставляя при этом поэтические образцы для раздумий грядущих поколений). Вирсавия позже родила Соломона, достойного преемника Давида.

Ради укрепления своей власти Давид преобразовал состоявшее из враждующих племен общество в государство с централизованным общенациональным правительством. Подобно многим удачливым историческим правителям Давид был весьма искусным полководцем, научившимся у филистимлян пользоваться их новым железным оружием. Во время возникшего после смерти Саула вакуума власти Давид покорил разбойничавших филистимлян и других местных разбойников, захватывая и перераспределяя их земли между племенами в обмен на их верность единому государству.

Одним смелым рейдом Давид овладел Иерусалимом (проникнув

в него через подземный водовод) и сделал его столицей своего объединенного царства. Иерусалим находился на перекрестке между Израилем на севере и Иудеей на юге и имел доступ к древним торговым путям.

Дабы показать свою покорность Богу и облачить свое царство в религиозные доспехи, Давид перевез в Иерусалим Ковчег Завета и задумал построить большой храм. Иерусалим стал «Городом Давида», местом нахождения второго храма Ирода, распятия Христа, местом римских массовых кровопролитий, вторжений крестоносцев, турок и англичан (среди многих прочих) и нынешнего кнессета Израиля. Иерусалим остается и сегодня центром и средоточием западной религии и политики.

Евреи нашего времени считают, что золотой век царствования Давида определил их национальную самобытность. Шестиконечная звезда Давида, которую носит еврейский народ и которая украшает израильский флаг, символизирует их дом — вечный Сион. Обитатели крошечного государства Израиль давно считают себя нацией «давидов», сплоченных в стойкую армию, готовую в любую минуту победить «голиафов» Ближнего Востока. Евреи хранят память об эре Давида, служащей идеалом для современных израильтян.

На протяжении долгих столетий до Иисуса евреи верили в то, что Мессия, или Помазанник Божий будет прямым потомком Давида. И в самом деле Иисуса при жизни неоднократно называли «сыном Давида», а авторы Евангелия постарались отобразить его генеалогию. Подобно Давиду Иисус, как сказано, родился в Вифлееме. Давид, как предтеча Иисуса, стал образцом для первых европейских королей. Карл Великий получил прозвище «новый Давид». Открытые отношения Давида с пророком Натаном (перед которым Давид отвечал за свои грехи) были использованы как прецедент в Средние века и во времена Возрождения многими европейскими христианскими королями, желавшими узаконить свое правление священным миропомазанием церкви. Для скульптура итальянского Возрождения Донателло Давид был Аполлоном. Только в огромной мраморной статуе Микеланджело можем мы ощутить уникальную харизму, силу духа, отвагу и человечность Давида. Автор Псалмов Давид прославил свой народ и свое доброе имя через поэзию просвещенного правления.

АННА ФРАНК
(1929—1945)

Вряд ли возможно представить себе смерть шести с лишним миллионов человек. Подумайте о городе, в котором вы живете. Если только это не Москва, Нью-Йорк или Токио, численность его жителей, скорее всего, окажется значительно меньше шести миллионов. Даже в иных странах или регионах может оказаться меньше жителей. И все равно вы не сможете вообразить так много людей, так много жизней и так много смертей. Это окажется вне вашего разумения.

И все же вы знаете Анну Франк. Она знакома вам по известным театральным постановкам и фильмам. Вы помните прятавшихся на чердаке потайной пристройки в Амстердаме и получавших помощь от друзей-христиан ее семью и ее друзей, выданных нацистам и погибших в концлагерях. Вы помните ее детские надежды и страхи, ее любовь подростка, ее гнев и неуважение по отношению к некоторым взрослым людям, ее умение писать. Вы наверняка чтите ее память.

Для большинства людей (еще до удивительного свидетельства Стивена Спилберга — фильма «Список Шиндлера») дневник Анны Франк — единственный способ понять личную трагедию жертв Холокоста.

Она начала вести дневник 12 июня 1942 г. Первые записи принадлежат перу легкомысленной юной девушки, весело перечислявшей подарки, полученные на день рождения. Вскоре она указывает истинную причину своих записей: у нее нет ни одной действительно близкой подруги и она хочет, чтобы дневник стал такой подругой, которую она будет называть Китти. Она кратко описывает, как ее отец Отто в тридцать шесть лет женился на ее двадцатипятилетней матери Эдит и как в 1926 г. во Франкфурте родилась ее старшая сестра Марго, а еще через три года появилась и сама Анна. В 1933 г. семья бежала от нацистского преследования в Голландию. После немецкого вторжения в 1940 г. и в этой стране были ужесточены законы против евреев, жестко ограничившие все виды их деятельности. Несмотря на окружающий ее ужас, Анна поверяет своему дневнику сплетни о подружках-одноклассницах, пишет об оценках за контрольные работы, о хороших и плохих учениках.

Солнечным днем Анна сидела на веранде, листая без особого интереса книжку. Позвонили в дверь, и ее жизнь внезапно изменилась. Эсэсовцы выписали ордер на арест ее отца, и семье пришлось бежать. Мать предупреждает семью Ван Пельсов. Ван Пельс работал вместе с ее отцом. Друзья Отто — христиане Мип и ее новый муж Ян Хис приехали забрать некоторые вещи. Вскоре семья приезжает в офис Отто и поднимается по лестнице к простой серой двери. За нею несколько комнат, о существовании которых трудно догадаться, — это и была «потайная пристройка». Через несколько дней к Франкам присоединились супруги Ван Пельсы с пятнадцатилетним сыном Петером. Последний приносит с собой свою кошку Муши. Франки и Ван Пельсы устраиваются на новом месте, слыша, как по соседним улицам ревут грузовики, увозящие евреев в неизвестном направлении.

Анна подробно описывает жизнь в тайном убежище. Она и господин Ван Пельс огорчают друг друга (он предпочитает Марго). Петер наводит скуку, и Анна считает его дураком. Погода прекрасная. Ван Пельсы ссорятся, пока Франки стараются жить в мире. Никто не смеет двигаться в течение дня: кто-то внизу может услышать и заподозрить что-то. Отто начинает читать Анне по ночам Гете и Шиллера. В разгар величайшего тевтонского варварства одно поколение передает другому великую немецкую культуру. Анна не отходит от отца.

Они все слушают военные новости по радио. Мип и другие друзья — добрые самаритяне — рассказывали им страшные истории о преследованиях евреев. Поскольку «одинаково опасно для восьмерых, что для семерых», они решили приютить еще одного «квартиранта» — дантиста Фридриха Пфеффера. Анна вынуждена делить свою комнатенку с тихим дантистом, который плохо понимает ее и вроде бы ничего не помнит. Несмотря на появление нового и эксцентричного соседа, Анна считает себя «нехорошей» только потому, что спит в безопасности, пока ее одноклассники обречены на зловещую участь.

Однажды ночью в здание проникают грабители. Анна аккуратно описывает поведение всех товарищей по убежищу. Она позволяет себе литературную вольность и начинает называть себя в дневнике Анной Робин. Ван Пельсы становятся Ван Даанами, доктор Пфеффер — доктором Дусселем, а кот получает имя Бош (так французы называют немцев). Анна экспериментирует с языком и диалогом. С наступлением 1943 г. она отмечает вклад Петера в их общее незавидное положение. Его родители страшно ссорятся, споря касательно продажи мехового манто госпожи Ван Пельс и их безденежья. Анна слагает оду своей авторучке, случайно сгоревшей в печке. Она глубоко раскаивается в тех неприятностях, которые, возможно, причинила своей школьной подружке. Где она сейчас? Анна молится, чтобы девочка пережила войну.

Анна смотрится в зеркало. Ее лицо изменилось, ее рот стал мягче. Только бы Петер заметил это! Политика и новости о готовящемся вторжении союзников подаются вместе с ее тоской по весне. В 1944 г. возникают вопросы о половой жизни (почему родители не объясняют это более понятно своим детям?) и ожидание первого поцелуя. И вновь в здание проникают грабители, а полиция доходит до поворачивающегося шкафа, скрывающего дверь в пристройку. Прячущимся евреям везет — их не находят.

Анна говорит непосредственно с Богом. Почему с евреями обращаются иначе, чем с другими людьми? Она все же верит в силу своего народа, в то, что он выживет, несмотря на ненависть. Она тоже не будет ничтожеством, а будет работать на благо мира, на благо человечества. Вскоре записи в дневнике обрываются.

Через месяц после высадки союзников в Нормандии полиция нашла потайную пристройку. Все ее обитатели вместе с двумя из их друзей-христиан были отправлены в концлагеря. Почти весь август 1944 г. Франки, Ван Пельсы и доктор Пфеффер провели вместе в одном пересыльном лагере для евреев. В тот период Анна и Петер не отходили друг от друга. В ночь с 5 на 6 сентября они были доставлены в лагерь смерти Аушвиц. Мужчин и женщин сразу разделили. Ван Пельс был немедленно отправлен в газовую камеру. Пфеффера перевели в другой концлагерь, где он вскоре и умер. После наступления 1945 г. мать Анны умерла в Биркенау — женском концлагере по соседству с Аушвицем. С приближением Красной армии большие группы заключенных отправляли эшелонами смерти в Чехословакию и Германию. Госпожа Ван Пельс умерла в одном из таких эшелонов где-то в апреле—мае. Петер умер в концлагере Маутхаузен всего за три дня до освобождения его узников американской армией. Марго и Анна томились в жестоких условиях в лагере Берген-Бельсен, пока не умерли от брюшного тифа в конце февраля или начале марта. Известно, что Анна умерла через несколько дней после Марго.

Отто Франк был единственным обитателем потайной пристройки, пережившим войну. Он находился в Аушвице до его освобождения русскими 27 января 1945 г. После войны Отто вернулся в свой бизнес и посвятил свою жизнь памяти младшей дочери, опубликовав ее дневник, который был найден в тайнике Анны. Он умер в 1980 г. в Швейцарии, зная, что дневник Анны был переведен на десятки языков и прочитан миллионами. Дневник входит в круг обязательного чтения в начальных школах по всему свету.

Он имеет большое значение не только как героическая история, но и потому, что так хорошо написан. Сердечность Анны, выразительность ее языка, ее умение кратко и доходчиво рассказать о своих самых сокровенных чувствах и мыслях выделяют ее блестящий талант. Привычная для юных девушек форма личного дневника не умаляет ее свершения.

Она задает нам важные вопросы. Какие чувства вызывает она у нас? Острую боль, гнев, сожаление, глубокую утрату, восхищение, изумление, удивление по поводу ее подростковых фантазий, нежность в отношении ее любви? Мы всегда будем с уважением относиться к отваге, с которой она писала в постоянном страхе быть обнаруженной. Где был весь остальной мир, когда кто-то задувал самые яркие свечи человечества? Мы никогда не должны забывать ее предостережение о том, что самые красивые и добрые могут быть уничтожены страшным грехом ненависти, если не противопоставить ему самые мощные силы. Пример Анны должен побудить нас никогда больше не забывать о том, что какой-либо народ всегда может быть выбран для уничтожения и что с помощью равнодушной современной технологии слишком легко убить несчетное число людей.

В 1994 г. Анне Франк исполнилось бы шестьдесят пять лет.

ПРОРОКИ

(Библейские времена)

В своем большинстве они были мужчинами, воспринимавшими человечество только через призму его взаимоотношений с Богом. Для них история была рассказом о любви человека к Богу. Познание желания Бога — предварительное условие познания собственного желания.

Пророки в библейские времена присутствовали повсюду.

После патриархов, «матриархов» и Моисея Священное Писание заполняют такие имена, как: Иешуа, Дебора, Самуил, Натан, Илия, Исаия, Иеремия, Иезекииль, Осия, Иоиль, Амос, Авдий, Михей, Наум, Аввакум, Софония, Аггей, Захария и Малахия. Эти необычные люди заметно отличались от праведных провидцев буддизма или индуизма, а также от христианских святых, пытавшихся очищать свои жизни в святости и сострадании.

Пророки были яростными, надоедливыми, вопрошающими, бесконечно спорящими, беспокоившимися о положении человека, разъяренными человеческими недостатками и глупостями, считавшими отвратительным человеческое невежество в вопросах благочестия. Во время крупных кризисов и беспорядков они возникали как бы из ниоткуда и требовали, чтобы люди вели себя как избранники Божьи, подавая пример человечеству. Их идея о еврейской богоизбранности была позже присвоена христианами и мусульманами для собственных нужд и представляет собой одну из центральных организующих сил цивилизации.

Пророки также помогли создать религию как веру идей, а не только как ритуал. Когда люди начали задумываться о нравственности, о помощи бедным, о том, как делать добро, соблюдать законы, а не об убийстве птиц и овец в проводившихся первосвященниками ритуалах жертвоприношения, иудаизм смог пережить разрушение великого Храма и рассеяние по чужим землям. Настояние пророков на улучшении поведения человека до праведности превратило иудаизм в религию, которую можно было исповедывать повсеместно.

Первосвященники стали раввинами или учителями, молитвы вытеснили ритуалы, один большой Храм был заменен бесчисленными синагогами, и все это служило образцом для христианского и мусульманского благочестия в церкви и мечети. Иеремия предсказал разрушение Иерусалима Вавилоном и тем самым заработал презрение собственного народа. Несмотря на вавилонское пленение, он уверял, что обет Божий с Израилем, как и обещано было Аврааму, останется ненарушенным и вечным.

Такие пророки, как Иеремия, сохранили иудаизм. Когда идея достаточно проста и единственно правильна, то ее можно держаться даже перед лицом ужасного страдания. Отделенный от нравствен-

ности ритуал ложен, ибо плодит ложное поклонение. Пророки определили иудаизм как религию гуманной мысли, мира и справедливости. Духовный голос иудейской мысли должен быть услышан всеми народами. Наихудшие периоды в западной истории наступали, когда человечество оказывалось глухим к особой миссии иудаизма.

По мнению Авраама Иешуи Хешеля, пророки выразили «понимание понимания». Они действовали на многих уровнях. Они говорили об этом мире и о видениях запредельного. В попытке примирить человека с Богом в периоды процветания пророки гневно выступали против светской власти, крича во весь голос о полной ее бесполезности. Только с верой в единого Бога и закон Божий преодолеет человек свою привычку молиться многим богам и вести войны. Великий Исаия сказал:

> И перекуют мечи свои на орала,
> И копья свои — на серпы:
> Не поднимет народ на народ меча,
> И не будут более учиться воевать.

(Ис. 2, 4)

ИУДА ИСКАРИОТ

(ок. 4 до н.э. — ок. 30 н.э.)

Одно его имя вызывает ненависть. Оно является синонимом предательства, обмана, алчности. Задумайтесь над последовательностью: Иудин козел (козел-вожак, ведущий стадо на убой), поцелуй Иуды, предатель, Иуда Темный, иудаизм, иудей...

Ряд исследователей, в том числе преосвященный Хайем Маккоби (в книге «Иуда Искариот и миф о еврейском грехе»), считали, что Иуды Предателя не было вовсе. Святой Павел не упоминает Иуду

в своих Посланиях. Его образ, возможно, был создан Церковью Павла в Антиохии для пропагандистских целей. В частности, после разрушения войсками Тита иерусалимского Храма в 70 г. н.э. Церковь Павла стремилась размежеваться с повстанцами Иудеи и евреями христианами, которыми руководил брат Иисуса Иаков. Евангелие было написано во время и после Иудейской войны. Римские центурионы были представлены более привлекательно, чем иудейские массы. Позаимствовав образцы эллинского антисемитизма, авторы Евангелия заняли проримскую позицию, отрицали, что Иисус восстал против Рима, и утверждали, что он был противником иудаизма. По мнению антисемитов, отрицание иудеями божественности Иисуса подтверждало их вину за его распятие.

Обоснование ненависти христиан к евреям было заложено в Евангелии от Иоанна. В отличие от более ранних синоптических Евангелий от Марка, Матфея и Луки Иоанн называет Иисуса божественным. Иуда выставлен главным образом порочным, алчным и вселяющим ужас. Такую божественную фигуру, как Иисус, ко кресту должен был привести некто почти такой же божественный: Черный Христос, Антихрист, Иуда с рыжей шевелюрой, в желтом одеянии, развращенный казначей апостолов, постоянно имевший при себе ящик с деньгами, готовый (после торга) продать своего Учителя за тридцать сребреников. Те, кто верил Иоанну, считали Иуду союзником павшего архангела Сатаны. Подлая ложь о нечестивой троице — Иуда-Сатана-евреи была навязана сознанию христиан в первые годы существования Церкви Павла.

Многие языческие религии, предшествовавшие христианству, включали общую тему божественной фигуры, принесенной в жертву ближайшим другом или братом. Сначала официальные церковные соборы, а позже приходские священники и представляющие Страсти Господни мистерии учили христиан, что Иуда своим предательским поцелуем выдал Иисуса иудейским властям. Церковь настаивает на том, что последние оказали политический нажим на римлян с тем, чтобы они распяли Иисуса. Измена того, кого Иисус считал близким человеком, превратила евреев во врагов всех людей на все времена.

С нараставшей жестокостью христиане называли евреев иудиным племенем, порочным по сути своей народом, отличающимся негативной духовностью и непотребной меркантильностью. В религиозных произведениях (Святого Джерома, Мартина Лютера), фольклоре (миф Иуды), драме (мистериях о Страстях Господних, пасхальных пьесах и моралите, в шекспировских образах Шейлока и Яго) и литературе (Феджин у Диккенса) Иуда становится символом демонического еврея. Евреев называют вонючими (еврейское зловоние), гротескными по своему облику и развратными (с вульгарно увеличенными половыми органами и предрасположенностью к насилию над женщинами), бездомными (Вечный жид), садистами-вампирами (ритуальное убийство детей ради получения их крови), козлами отпущения (с торчащими на лбах рогами), предателями (Альфред Дрейфус), ростовщиками, сатанистами (носят остроконечные шапочки) и нечистыми.

Само имя Иуда Искариот имеет множество значений. «Искариот» схоже с латинским словом «*sicarius*», означающим «человек с кинжалом». Иуда отождествляется с убийцей, с тем, кто вонзает нож в спину противника. Он мог быть мятежником подобно другому апостолу — Симону Зилоту. Иуда — единственное среди имен всех апостолов, которое напоминает название еврейского народа. Церковь выпячивала все эти моменты (особенно имя Иуда), чтобы обнажить то, что она считала в основе своей иудиной природой евреев.

Какой бы ни была связь между его именем и его народом, его роль предателя, продавшего своего ближайшего друга, наперсника и учителя, остается убедительным и опасным символом. Современные движения левых (коммунистов и националистов Третьего мира) и правых (нацистов и скинхедов), не имеющие явных связей с церковью, максимально использовали и узаконили образ еврея как предателя родины. Нацисты и другие крайне правые считали всех евреев коммунистами (пример: Троцкий!), а коммунисты — капиталистами (пример: Ротшильд!). В послехристианскую эру тоталитарных режимов были отброшены этические нормы, основанные на догмах Нового Завета. В подобной обстановке евреи не представляли никакой ценности. В религиозном вакууме продолжала процветать история Иуды.

Маккоби утверждал, что антисемитизм, опирающийся на миф об Иуде, исчезнет только тогда, когда предложенная Святым Павлом концепция искупления грехов человеческих будет отвергнута в пользу догматов, которые Иисус проповедовал *при жизни*. Таким образом, пока смерть Иисуса считается центральным событием христианства, психологическая нужда в предателе — еврее Иуде не отпадет даже в возможный пост-христианский век ассимиляции и атеизма.

ГУСТАВ МАЛЕР
(1860—1911)

Когда мой любимый учитель по классу дирижирования Карл Бамбергер в девятилетнем возрасте вернулся однажды из школы (в Вене), он застал мать плачущей на кухне. На столе перед ней лежала газета с аршинным заголовком **«Умер Малер!»**. Когда Карл (ему уже было за восемьдесят) пересказал мне этот эпизод, Рональд Рейган был президентом США, а Зубин Мета дирижировал Нью-Йоркским филармоническим оркестром.

Из всех представленных в настоящей книге лиц наибольшее влияние на меня и бесчисленное множество других музыкантов и слушателей оказал Густав Малер — несомненно один из самых великих и оригинальных композиторов в истории музыки, лидер бурного движения венских и, в частности, еврейских творческих работников в двадцатилетие, предшествовавшее Первой мировой войне.

Об огромном воздействии Малера на Арнольда Шёнберга будет рассказано в соответствующей главе. Кроме Шёнберга, он заметно повлиял на творчество композиторов Альбана Берга, Антона фон Веберна, Курта Вейля, Дмитрия Шостаковича, Бенджамина Бриттена и Леонарда Бернстайна и дирижеров Бруно Вальтера, Виллема Менгельберга и Отто Клемперера. Хотя ряд музыковедов утверждают, что музыка двадцатого века принадлежит ученикам Шёнберга и Стравинского, именно Малер вместе с весьма отличным от него современником — французским импрессионистом Клодом Дебюсси выпустили на волю фурий хаоса, диссонанса, неоклассицизма, символизма и кричащего национализма, которые с тех пор господствовали в музыкальном творчестве.

Малер сочинил девять симфоний (десятую он не успел закончить), большие оркестровые песенные циклы («Песни странствующего подмастерья», «Волшебный рог мальчика» и «Песнь о земле»), одну кантату и множество отдельных песен. Он был также известнейшим дирижером и музыкальным директором своего времени, работал в оперных театрах Будапешта, Гамбурга, Вены и Нью-Йорка, руководил Венским и Нью-Йоркским филармоническими оркестрами.

Малер — это музыкальный эквивалент Зигмунда Фрейда. В исполнении его симфоний большие и сложные оркестровые составы часто выражали самые интимные личные мысли. Это была музыка интроверта, исполнявшаяся в весьма публичной, почти обнаженной манере. Сознавая значение своего музыкального наследия, Малер использовал для начала классическую форму, а затем развивал, облагораживал и расширял музыкальные образы для удовлетворения своих очень личных и экспрессивных желаний. В отличие от Дебюсси, прибегавшего к впечатлениям, повторам и символам для выражения психологических состояний, подход Малера отличался большей непосредственностью. С болью открывая и исследуя свои глубочайшие потребности и желания в выражениях почти удушливого лиризма и дикого возбуждения, Малер выработал почти терапевтический стиль сочинения. Демоны оказывались разоблаченными и чаще всего после продолжительной и изнурительной борьбы были побеждены героем Густавом.

Малер был скромного происхождения. Его отец, хозяин маленькой пивной, отличался бешеным темпераментом. Пять его братьев и сестер умерли в раннем детстве от дифтерии, еще один брат — в возрасте двенадцати лет от сердечной недостаточности; старший брат Отто, талантливый музыкант, завидовавший большому успеху Густава, застрелился, а его старшая сестра Леопольдина умерла от опухоли мозга после короткого и несчастливого замужества. Брат Алоис вел себя как безумец, воображая себя то другом кронпринца, то драгуном, ветераном кампаний за границей. Жена Малера Альма Шиндлер позже скажет, что его братья и сестры вели себя в том стиле, который можно описать только как «густаво-малерский». Музыка Малера часто обретала фантастический характер, обнаруживая причудливые оркестровые эффекты на службе того, что подчас походило на свихнувшееся подсознание.

Выросший в Богемии, ныне являющейся частью Чешской Республики, Малер часто слышал марши в исполнении оркестра местного полка, инструментовка которых сыграет стратегическую роль в стиле и содержании его симфоний. Он также был под влиянием богемских народных песен и еврейской литургии (его отец был активным прихожанином местной синагоги).

Малер не был вундеркиндом подобно многим великим композиторам. Все же он проявлял острый интерес к камерной музыке, немецкой романтической поэзии и драме. В Венской консерватории он жил в одной комнате с Хуго Вольфом — будущим композитором-песенником (позднее сошел с ума и умер в психиатрической лечебнице на сорок третьем году жизни) и стал учеником австрийского симфониста Антона Брукнера (который называл его в лицо «мой маленький жид»).

Малер работал рядовым дирижером, часто менял место работы и набирал все большую известность, в результате чего в 1897 г. был назначен директором Венской оперы. Антисемитское венское общество не могло позволить еврею возглавить ведущий европейский театр. Ради этого поста Малер отрекся от иудаизма и перешел в римско-католическую церковь. Это решение мучило его всю оставшуюся жизнь.

Годы, проведенные Малером в Вене, совпали с подъемом влиятельного движения художников Сецессион, во главе которого, среди прочих, стояли художники Густав Климт и Карл Молл, архитектор Отто Вагнер и художник сцены Альфред Роллер. Малер и Роллер руководили рядом постановок опер Моцарта, которые восстановили репутацию этого композитора как величайшего музыкального драматурга, а не легкого для исполнения классика, каковым в то время его считали многие. Малер показал Моцарта (как Мендельсон «заново открыл» Баха) равным Шекспиру в разгадывании тайн любви, неверности, эротики, силы и души (через пятьдесят лет Леонард Бернстайн сделает то же самое для репутации Малера, доказав, что как симфонист он равен Моцарту, Гайдну, Бетховену и Брамсу). Малер также разработал революционную концепцию постоянной труппы певцов. Он работал с ведущими композиторами того времени, организуя первые исполнения сочинений Леонкавалло, Пуччини и Рихарда Штрауса.

Венские политики от музыки отличались вероломством во времена Малера (и остаются таковыми до сих пор) и в 1907 г. вынудили его уйти после десяти лет блестящей новаторской работы. Его пригласили сначала «Метрополитен-опера» и затем Нью-Йоркский филармонический оркестр. В Нью-Йорке он провел четыре неудачных сезона, проиграв в конце концов в музыкальной силовой борьбе молодому музыкальному дарованию по имени Артуро Тосканини.

Малер умер в Вене в 1911 г. от сердечной недостаточности, вызванной стрептококковой инфекцией.

Кроме важного вклада в музыкальное исполнительское мастерство (подобно Тосканини Малер поднял планку исполнения до высокого уровня профессионализма), его музыка побуждала слушателя, музыканта и композитора глубже проникнуть в собственные эмоции, мысли и подсознание ради откровения. До недавнего времени слушатели не до конца понимали сочинения Малера. После смерти Малера его симфонии исполнялись все реже, в основном его бывшим помощником дирижером Бруно Вальтером. Нацисты запретили его сочинения (и убили в Аушвице его племянницу). Время Малера пришло только после Второй мировой войны, когда его произведения стали исполнять в новаторском духе Яша Горенштейн и Бернстайн.

Однажды Бернстайн заметил, что музыка Малера предчувствовала и предсказывала Холокост. Такое мелодраматическое заявление не лишено смысла, но нельзя не отметить, что Малер всегда избегал искусственной музыкальной экспрессии. Он ничем не прикрывался. Его музыка сохраняет эмоциональные проблемы его времени, когда благодаря главным образом еврейской творческой интеллигенции австрийское общество достигло вершины цивилизованной жизни, прежде чем национал-социалисты развернули механизированную бойню. Нам стали понятны самые сокровенные чувства и мысли Малера, более понятны, чем чувства и мысли любого другого композитора. Нас побуждают плыть в водовороте чувств, безрассудно проносясь мимо опасностей к убежищу неземной жизни.

МАЙМОНИД
(1135—1204)

От Моисея до Моисея не было подобного Моисею.

Так гласит народная эпитафия величайшему еврейскому философу всех времен, раввину Моше бен Маймону, известному набожным иудеям по псевдониму «Рамбам» и всему миру под греческим именем «Маймонид». Родился он в Кордове, Испании; похоронен в Святой земле. Маймонид пережил суматоху крестовых походов, неизбежные в море опасности, был придворным врачом энергичного правителя Салах-ад-дина, бросал вызов раввинскому руководству и развивал средневековую медицину.

В конце XIX в. в кладовке синагоги в пригороде Каира Фостате были обнаружены спрятанные там сотни тысяч документов Средневековья, прекрасно сохранившихся в идеально сухом климате Египта. По ним, в большинстве написанным самим Маймонидом, мы можем воссоздать значительную часть его жизни.

Маймонид прожил безбедную жизнь, пользуясь сначала состоянием семьи, а затем, в последние годы жизни, своими познаниями в медицине. Завоевать интеллектуальный и политический авторитет в то время мог только человек высокородный, богатый и высокообразованный. Многие из предков Маймонида были известными раввинами. Его младший брат Давид — удачливый международный коммерсант, обеспечивал достойное содержание семьи. Маймонида отличали энциклопедические знания и превосходное знание и понимание закона Божьего. В юношеские и молодые годы он написал несколько важных религиозных трактатов. В действительности всю свою жизнь он считал необходимым систематизировать, объяснять и направлять верующих к рациональному пониманию бесконечного.

Больше всех остальных древних философов Маймонид восхищался Аристотелем. Древнегреческий философ писал труды о логике как средстве познания мира. Прекрасно разбираясь в иудейском законе и традиции, Маймонид применил логику Аристотеля к религиозному мышлению. Рамбам убедился, что человек может использовать воображение, чтобы вырвать ум и дух из тисков мысли и в конечном итоге подняться к божественному пророчеству. После смерти Маймонида его философия оказала влияние на таких крупных христианских мыслителей, как Фома Аквинский, Альберт Великий и Готфрид Вильгельм Лейбниц (которые также толковали и синтезировали Аристотелеву логику для религиозных целей), Барух де Спиноза. По иронии судьбы, несмотря на то что большинство евреев любили его как своего величайшего философа, Маймонид оказал на их жизнь меньше влияния, чем, скажем, французский комментатор Раши или хасидизм и мистические течения.

Маймонид олицетворял один из первых расцветов человеческой мысли после долгой засухи Средневековья. В его время арабский мир протянулся от Вавилонии через Северную Африку до Испании. Христианская Европа не давала евреям необходимого мира, чтобы исповедовать и развивать свою религию. С другой стороны, мусульманское правление (когда в нем не преобладали экстремисты) было терпимее, позволяя неверным евреям оставаться евреями. Маймонид бежал из Испании от преследования Альмохадов, поставивших евреев перед невозможным выбором: обращение в ислам или смерть. После двух опасных путешествий в Марокко и Палестину Маймонид поселился в Фостате. Его брат Давид поддерживал ученого Моше, развернув успешный торговый бизнес. Поражает торговая активность еврейских коммерсантов, простиравшаяся до Малайзии и Суматры. В конце двенадцатого века Салах-ад-дин освободил Иерусалим от мародерствовавших крестоносцев и проявил сдержанность, которой отнюдь не отличались христиане. Когда в 1099 г. крестоносцы освободили Священный город от тех, кого считали безбожниками, христианские воины собрали всех жителей-евреев на площади и хладнокровно убили.

Когда Маймониду было уже за сорок, его брат Давид пропал без вести в море во время дальней торговой экспедиции. Маймонид был потрясен и так никогда и не оправился от смерти брата. Всю оставшуюся жизнь Рамбам оплакивал разлуку со своим испанским домом в Кордове, называвшимся «Невестой Андалузии», и смерть Давида. Свои юные годы Маймонид провел в спокойной медитации, сочиняя замечательные труды по иудейскому закону, систематизируя и анализируя божественные наказы. И все же последние годы своей жизни он был невероятно активен. Ради содержания своей семьи Маймонид занялся врачебной практикой, опираясь на свое умение хранить в памяти научные знания и глубоко проникаться чувствами других людей.

Смерть брата, повышенная общественная ответственность и растущая полемика о значении божественного закона побудили Рамбама написать на утонченном арабском языке «Путеводитель колеблющихся». Он не был рассчитан на широкого читателя. Маймонид утверждал, что простое понимание иудейского закона без знания метафизики или того, что сегодня мы называем философией, не приблизит человека к Богу. Только тогда, когда человек овладеет этим высшим знанием, наступит время Мессии. Маймонид руководствовался популярным пророчеством о том, что в начале тринадцатого века напасти Средневековья уступят место эре Мессии. Дабы подготовиться к этому критическому моменту, человек должен иметь веру, а вера достижима только через размышление. Знать важнее, нежели делать. Логика может подвести нас, поскольку мы неспособны довести предпосылку до ее бесконечного решения, а человеку лучше действовать в знакомой ему области.

Маймонида очень беспокоило то обстоятельство, что иудейская традиция не имела единой системы обучения ее законам и не интересовалась по-настоящему классической философией. Поэтому он искал способ, как пропустить иудейское мышление через логику Аристотеля, чтобы доказать, что душа человека точно соответствует сумме его знаний. Наше мышление — не случайное явление, скорее оно отражает наше существование. Сумма наших знаний — сущность нашего бытия. Наше совокупное знание, наш врожденный разум приближают нас к божественному совершенству, к общности с Богом. Вера достижима только через мысль.

Приближение Маймонида к политической власти в качестве лидера и судьи, а также самого выдающегося врача того времени означало для него бесконечные дни и ночи на службе своей общины и своего суверена. В последние годы жизни он получил международную известность. Маймонид отклонил предложение «европейского монарха» (считается, что речь шла о короле Англии Ричарде Львиное Сердце) оставить Египет и вернуться к европейскому двору. Рамбам предпочел остаться в Африке, чтобы вести свой народ к физическому и духовному здоровью.

Несмотря на его внимание к общественному благу, возвышение Маймонида к политической власти и смешивание им классической логики и иудейского закона разгневали многих известных раввинов. Он стал их мишенью. Его источники ставились под сомнение, а его внимание к мысли осмеивалось. Даже его могила была осквернена теми, кто считал обязательным буквальное толкование религиозного закона.

НИЛЬС БОР
(1885—1962)

> Я думаю, что без Бора мы и сегодня
> знали бы очень мало о теории атома.
>
> *Альберт Эйнштейн*

Нильс Хенрик Давид Бор, сын отца-христианина и матери-еврейки, был после Альберта Эйнштейна самым влиятельным физиком двадцатого века. Во всем мире его считают отцом современной квантовой теории. В 1922 г. он удостоился Нобелевской премии «за ряд исследований структуры атомов и излучаемой ими радиации».

Бор основал Институт теоретической физики в Копенгагене (ныне известный как Институт Бора) и служил путеводной звездой

для трех поколений физиков. Его теории поверхностного натяжения жидкостей (обусловившая позже создание жидкостно-капельной модели ядра), спектров, затухания энергии альфа-частиц, периодической системы, принципа дополнительности, квантовой электродинамики, измерения электромагнитных полей, составного ядра в ядерных реакциях, деления ядра и сверхпроводимости служат основой современной ядерной науки.

Его самая известная и яркая теория состава атомов и молекул, изложенная в эссе «Трилогия», хотя в большой мере и отвергается сегодня, остается наиболее узнаваемым символом физики. Известный по всему свету по десяткам почтовых марок и другим памятным изданиям, атом Бора подобен солнечной системе с электронами на орбите вокруг центрального ядра. Атом Бора символизировал также использование атомной энергии странами, объединенными в мире.

Во время Второй мировой войны, однако, Бор использовал свои знания об атоме для создания самого разрушительного оружия, изобретенного человеком. Тогда он работал в Лос-Аламосе над проектом «Манхэттен», сделав решающий вклад в создание оружия массового поражения еще до Хиросимы. Опасаясь ненадлежащего использования ядерной энергии в ошибочных политических целях, в 1950 г. Бор обратился к ООН с открытым письмом, ставшим манифестом его идеалов. Великие державы, разумеется, проигнорировали его обращение и развязали гонку вооружений, которая длилась более сорока лет.

Философ мирного существования и почти богоподобной атомной энергии, Бор родился в либеральной и интеллигентной семье в Копенгагене. Его отец был видным физиологом, университетским профессором. Своей мягкостью и заботливостью Нильс был обязан, как говорили, своей матери-еврейке — Элен Адлер. Он и его брат Харальд (впоследствии известный математик) в молодости были звездами футбола, настоящими спортивными героями Дании (в 1908 г. Харальд играл за датскую олимпийскую команду).

После учебы в университете Копенгагена и работы по поверхностному натяжению жидкостей и электронной теории металлов Бор отправился в Англию. Исследования в Кавендишской лаборатории Кембриджского университета под руководством Дж. Дж. Томсона разочаровали его. И все же поездка стоила того, ибо при посещении университета Манчестера он познакомился с великим физиком, профессором Эрнестом Резерфордом. До своей смерти в 1937 г. Резерфорд был практически вторым отцом для Нильса.

Идеи Резерфорда о структуре атомов и его открытие ядра послужили фундаментом, на котором Бор построил свою теорию атома (изложенную в «Трилогии»). Модель Резерфорда позволила, по словам Бора, сформулировать теорию, согласно которой «атомы состоят из положительно заряженного ядра и окружающих его электронов, удерживаемых силой притяжения ядра; совокупный отрицательный заряд электронов равен положительному заряду ядра». Резерфорд также предположил, что ядро является «основной частью массы атома» с «крайне малыми линейными размерами в сравнении с линейными размерами целого атома».

Атом Бора в значительной степени улучшил модель Резерфорда. В своей первоначальной форме атом, по Бору, состоит из электронов, вращающихся по круговым орбитам вокруг ядра в центре. Позже Бор постулировал, что электроны вращаются по эллиптическим орбитам с ограниченным пробегом. Каждый пробег производит определенную энергию. Когда электроны меняют орбиту, возникает свет.

Теория атомной структуры Бора раскрыла совершенно новые подходы к традиционным физическим исследованиям. Так, его идеи, весьма элегантно преподнесенные в таких статьях, как «Трилогия», были использованы для определения точных измерений цветов или спектров, излучаемых атомом водорода. Его концептуальная модель показала, как формируются атомные частицы и почему они имеют определенную величину.

Бор сделал из основанного им в 1920 г. Института теоретической физики форум выдающихся молодых физиков, призванных глубже изучать выдвинутые им теории. Институт воспитал так называемую копенгагенскую школу физиков. С Бором работали такие подававшие надежды (в том числе и ставшие позже лауреатами Нобелевской премии) молодые физики, как Вернер Гейзенбергер и Вольфганг Паули. Хотя одни из них в будущем превзойдут его, а другие прояснят теории, разработку которых по каким-либо причинам не завершил Бор, он оставался их нравственным учителем, источником вдохновения в течение десятилетий и человеком, который часто синтезировал их находки в нечто более значительное, чем они себе воображали. Многочисленные диалоги Бора с Эйнштейном стимулировали целое поколение молодых ученых своей глубиной и — по определению Ч.П. Сноу — «благородными чувствами».

Бор сопротивлялся нацистской оккупации Дании, пока не вынужден был бежать в Швецию, чтобы не работать над созданием немецкой атомной бомбы. Он непосредственно повлиял на решение шведского короля принять пять тысяч датских евреев (почти все еврейское население Дании), которым угрожала верная смерть в 1943 г. от рук нацистов и которые бежали в нейтральную и безопасную Швецию. С большим риском Бор позже вылетел в Великобританию в бомбовом отсеке бомбардировщика. Далее началась его работа в Америке над проектом «Манхэттен».

После победоносного окончания войны Бор вернулся в Данию и посвятил оставшуюся жизнь безуспешным попыткам заставить мировые державы не уклоняться от ответственности за обуздание и контроль над ядерной энергией.

Самой долговременной теорией Бора является, пожалуй, его принцип дополнительности. Он установил, что физическая система может содержать отличающиеся и противостоящие условия, все из которых тем не менее необходимы при формулировании ее описания. Принцип дополнительности был использован для объяснения внешне не связанных образов жизни — от восточной религиозной философии до марксистско-ленинской догмы.

Талантливый сын Нильса Бора Оге также был удостоен (в 1975 г.) Нобелевской премии по физике.

МОЗЕС МЕНДЕЛЬСОН
(1729—1786)

Мозес, сын переписчика Торы Менделя, родился в 1729 г. в немецком городе Дессау. В Германии того времени евреи не имели фамилий и следовали библейской традиции называть детей собственным именем и именем отца. Только позже немецкие власти потребуют, чтобы евреи стали более светскими и завели фамилии (часто выбиравшиеся для каждого еврея черствым немецким чиновником).

Мозес страдал искривлением позвоночника, говорил тихим голосом и вообще был довольно застенчивым. Он рос в типично городском окружении, изучал традиционный иудейский закон и бухгалтерию, научился торговать шелком. В 1749 г. немецкий драматург и поэт

Готхольд Лессинг написал одноактную пьесу «Евреи», в которой они описывались не как ужасные кровопийцы, а как разумные и добрые человеческие существа. В отличие от французских коллег (таких, как Вольтер), многие деятели немецкого Просвещения стремились «спасти» еврейское население от средневековых ограничений. Эти умеренные немецкие мыслители пытались понять религиозный дух человека и добиться примирения христианской и иудейской культур.

Мендельсон познакомился с Лессингом, который ввел его в литературные круги. Ради доказательства своего проникновения в философию Мозес принял участие в литературном конкурсе, выступив (и победив!) против великого философа Иммануила Канта. Лессинг побудил Мендельсона продолжать писать на философские темы и помог скромному торговцу издать его труды.

В своем раннем труде «Федон» Мендельсон исследовал философию Платона и бессмертность души, прибегнув к классической (а не древнееврейской) образности для пояснения своих доводов. Следуя революционному примеру Лессинга не писать на более модном французском языке или латыни, Мендельсон выбрал повседневный немецкий в качестве языка своего трактата. Он хотел, чтобы его труды читали немцы.

Этот современник Баала Шем Това и Виленского Гаона (см. соответствующие главы) стремился с помощью философии вывести еврейское общество из гетто в современный светский мир (Лессинг дал своему другу — «сыну Менделя» фамилию «Мендельсон»). Еврейское Просвещение — Гаскала — было следствием привязанности многих евреев той эпохи к немецкой культуре. «Немцы — первые, евреи — вторые» — таков был девиз тех, кто ошибочно рассматривал ослабление средневековых ограничений передвижения и одежды как смягчение тевтонской ненависти. Это фатальное заблуждение продолжалось на протяжении 150 лет эстетического и экономического триумфа и завершилось крематориями Третьего рейха.

Великая цель Мендельсона состояла в примирении светской жизни и религиозной мысли. Посещение синагоги должно быть добровольным, а не принудительным, говорил Мозес. Кончилось политическое господство раввинов. Их право на отлучение уже не признавалось законным. Государство же — как в Америке Джефферсона — должно позволять своим гражданам свободно выбирать свой храм богослужения. Разум должен победить ненависть и гонения.

Иудеи должны оставаться иудеями дома и в своих храмах, но и быть лояльными гражданами своего государства и активными участниками общественной жизни. Когда Бог объявил Свой закон Моисею на горе Синай, Он сделал это для того, чтобы внушить только Своему народу систему внутренних правил, касавшихся евреев и никого больше. Иудеи не имели задания улучшить человечество.

Мендельсон призывал изучать иврит и отказаться от идиша, который он считал вульгарным сленгом гетто. Он перевел Ветхий Завет на немецкий язык. Были раскуплены миллионы экземпляров, хотя раввины-традиционалисты запрещали их приобретение.

Он был знаком со многими крупными правителями и мыслителями. Во время известной встречи с Фридрихом Великим Мендельсон критиковал монарха за то, что он писал на французском языке (смелый поступок во времена санкционированного правительством преследования евреев). Протестантский богослов Иоган Лаватер публично вопрошал: «Если Мендельсон считает, что иудеи и христиане должны пойти навстречу друг другу, тогда почему он не обратится в христианство?» Мозес ушел в рационалистическую защиту иудаизма.

Во время Американской революции он озаботился защитой гражданских прав евреев. Когда он решил посетить свой родной город Дессау, от него потребовали заплатить за въезд в город поголовную пошлину, установленную для скота... и евреев. Вся жизнь в борьбе, достигшая своей кульминации в конфликте с Лаватером и в случае с поголовной пошлиной, убедила Мендельсона в преимуществе американской модели отделения церкви от государства.

Светские взгляды Мендельсона удачно сочетались с уважением к обычным религиозным отправлениям. В традиции Маймонида он искал здравый смысл во всех человеческих проявлениях. По Мендельсону, христианство Непорочного зачатия и Воскресения было значительно менее рациональным, нежели управляемый обычаями иудаизм. Резкое изменение веры всегда должна сопровождать аргументированная мысль.

Влияние Мендельсона на развитие образа жизни евреев сохраняет свое важнейшее значение. Его философия постоянно отрывала евреев Восточной Европы от местечковой культуры, благодаря которой они держались вместе на протяжении долгих лет жизни в диаспоре. Он надеялся на слияние иудеев и христиан в разумном и свободном обществе. Тем не менее Мендельсон отвергал обращение и взывал к веротерпимости и взаимному уважению. Евреи должны оставаться евреями, а христиане — христианами. У них так много общего. Великие светочи немецкой литературы Гете и Шиллер позже признавали себя обязанными Мендельсону за то, что он поднял значение немецкого языка и создал рационалистическую универсальную философию.

Его усилия привели к появлению школ с современным обучением для юных немецких евреев. Образцом для них послужила основанная в 1781 г. в Берлине Еврейская свободная школа. Иосиф II Австрийский не имел ненависти в отличие от своей матери Марии Терезии к евреям и издал указы, предоставившие гражданские права его подданным евреям.

Мозес не мог предвидеть плоды своей освободительной философии. Все его дети (в том числе и внук — композитор Феликс Мендельсон), за исключением одного, стали протестантами. Почти десять процентов немецких евреев в конце XVIII в. обратились в христианство (некоторые из их потомков стали нацистами). Во многих случаях атеизм приводил к полной ассимиляции (этот вопрос до сих пор волнует евреев в Европе и Америке).

Последователи Виленского Гаона и Баала Шем Това злобно отреагировали на Гаскала Мендельсона. Брожения того времени породили ортодоксальное, консервативное и реформаторское движения, расколовшие целые поколения в соблюдении священных иудейских обрядов.

Жизнь и творчество Мендельсона подняли вызывающие беспокойство вопросы и одновременно предложили пути их решения. Евреи до сих пор сталкиваются с проблемой примирения современной жизни и религиозной традиции. После Холокоста евреи реагируют на экуменические жесты христиан с теплом, но и с сомнением и некоторой подозрительностью. С другой стороны, именно Мендельсон положил начало озабоченности евреев гражданскими правами. По Мендельсону, иудаизм направляет поведение человека с помощью разумных правил общежития, этого маяка надежды и вызова миру.

ПАУЛЬ ЭРЛИХ
(1854—1915)

Пауль Эрлих был самым известным, преуспевающим и влиятельным медиком-ученым своего поколения. Исследования Эрлиха привели к появлению важных отраслей медицины — иммунологии, химиотерапии и гематологии (изучения крови и кроветворных органов). Хотя он удостоился в 1908 г. Нобелевской премии за работу по иммунитету, самым известным вкладом Эрлиха в науку стал созданный им синтетический препарат сальварсан для лечения сифилиса, общеизвестный как «чудодейственное средство».

Центральная Европа конца XIX в. была плодородной почвой для творчески мысливших личностей. В то время в странах, говоривших на немецком языке, родилось непропорционально большее число выдающихся ученых и музыкантов, нежели в остальных регионах мира. Последствия миграции, развития культуры, индустриализации, усовершенствования образования, политических движений, религиозных свобод и национализма породили оригинальных мыслителей, чье творчество оставило след на нашей нынешней жизни. Юность Эрлиха походила во многих отношениях на молодые годы Малера и Фрейда.

Родившийся в небольшом городке в Силезии (ныне регион Польши), Эрлих был единственным сыном эксцентричного винокура и хозяина постоялого двора и привлекательной умной матери. Он унаследовал добрые черты родителей. Уже повзрослев, неизменно вызывал большие симпатии, был известен своим причудливым настроением и живостью, пересыпал свою речь латинскими пословицами в доказательство своих мыслей, был образцом немецкого профессора.

Полученное им в немецкой гимназии начальное образование было типичным для той эпохи. Ему нравились математика и классическая латынь, но его обременяла зубрежка немецких сложных слов. Его научная любознательность полностью пробудилась в возрасте восемнадцати лет, когда он познакомился с естественными науками, в частности, с химией.

В последовавшем изучении медицины его очаровало применение красителей в исследовании клеток и тканей. Именно в годы учебы в ведущих университетах Эрлих прибрел знания и навыки, которые потребовались ему для удивительных химических экспериментов в зрелом возрасте.

После окончания университета в 1878 г. Эрлих переехал в Берлин, где занялся медициной в известной больнице. Его исследования вскоре привели к прорывам в методах выявления лейкемии и анемии. Медицинское образование в сочетании с уникальными способностями к химии быстро привели к открытию, что химические связи управляют биологическими функциями. Эта простая аксиома легла в основу многих из невероятно широких исследований Эрлиха.

Самые необычные открытия Эрлиха в последующие пятнадцать лет — вплоть до 1900 г.: деление органов тела на классы согласно их реакции на кислород, применение красителей для ослабления боли и диагностики острых инфекций, выработка иммунитета у мышей и их потомства (так называемые эксперименты «нянченья») путем инъекции самке мыши малых доз антигенов и последующего кормления и иммунизации помета, исследование действия ядов на бактерии и применение серотерапии при таких сильных инфекциях, как дифтерия и столбняк.

Число открытий Эрлиха уже на рубеже веков оказалось бы достаточным для определения его ценного вклада в развитие медицины. Однако и в последние годы жизни он проявил еще большее научное мастерство. Хотя в большинстве своем эти годы были потрачены на безуспешное исследование рака, международную славу Эрлиху принесло его предсказание появления химических препаратов, которые будут находить и уничтожать паразитарные болезни человеческого организма. В 1910 г. он объявил научному миру о создании синтетического препарата сальварсан — чудодейственного средства, освобождающего организм от спирохеты, вызывающей сифилис.

Еще до открытия сальварсана Эрлих был уважаемым врачом, лауреатом Нобелевской премии за работу по иммунитету и директором престижных научно-исследовательских институтов. Полемика вокруг предложенного им лечения сифилиса бушевала вплоть до его смерти пятью годами позже, на второй год Первой мировой войны. Спрос на сальварсан не удовлетворялся. Эрлих лично проверял испытания и технологию производства нового препарата. Его известность спровоцировала злобные обвинения в мошенничестве, рискованных опытах и спекуляции. Хотя немецкий рейхстаг признал его невиновным, все эти ложные обвинения и развязанная война сильно беспокоили Эрлиха и стали причиной его болезни, удара и смерти в возрасте шестидесяти одного года.

РАШИ
(1040—1105)

> Что же до мудреца, то только его
> тело погибает в этом мире.
>
> *Раши о Псалме 49*

Комментарии раби Шломо бен Ицхака, хорошо известного под псевдонимом Раши, к вавилонскому Талмуду и Библии поставили его в центр иудейской раввинской мысли. Очень мало известно о жизни Раши. О нем ходит множество легенд — удивительных историй, призванных подчеркнуть его значимость, но в действительности в них нет необходимости (они разве что служат для развлечения). Раши помнят в первую очередь по его великолепным и грандиозным сочинениям. Все, что мы знаем о нем, добыто из его живых мыслей и четкой ориентации. Именно комментарии Раши открыли для бесчисленных читателей окно в подчас темные и в большинстве своем трудные для понимания тексты Талмуда, написанные в основном на древнем арамейском языке. Руководство Раши, изложенное в прозрачной и понятной прозе, превращало даже самого последнего дровосека из затерянной деревушки в хозяина мира и учителя закона Божьего.

Он родился и умер в провинции Шампань на северо-востоке Франции, прожив большую часть жизни в городе Труа. Его дядя по материнской линии был уважаемым раввином, учившимся вместе с Гершомом из Майнца (прозванном Светочем диаспоры) — ведущим талмудистом X в. и предшественником Раши. Он учился некоторое время в Вормсе и Майнце у раввина Исаака бен Иуды, которого называли Французом и которого Раши считал своим учителем. Его учеба в разных талмудистских школах свидетельствовала о его стремлении усвоить различные традиции и затем соединить их в новом мировоззрении.

Раши подчеркивал, что истинно образованный человек должен содержать себя «работой рук», и в доказательство работал сам на семейном винограднике. Если не возделывать и не орошать землю, она останется бесплодной, так и ум. Быть раввином — это большая честь.

Когда ему было около тридцати, Раши основал в Труа школу, которая стала центром изучения Талмуда в провинции и катализатором в оживлении иудейской учености (особенно после опустошения и бойни, устроенных крестоносцами в 1096 г. в Центральной Европе). Своим блестящим учением и замечательным примером Раши внес большой вклад в оздоровление еврейской культуры и морали в разгар религиозных гонений. Его «Ответы» на вопросы по праву послужили образцом для нескольких поколений студентов. Стимулированное Раши оживление гуманитарных наук во многих отношениях сравнимо с подъемом христианских литературных движений во главе с Пьером Абеляром и Бернаром Клервоским.

Комментарии Раши к Талмуду и Библии — это заметки на полях, обычно краткое обсуждение отдельных или коротких фраз из священных текстов. Раши был прекрасным комментатором, но не мыслителем-исполином подобно Филону или Маймониду и не собирался сочинять компендиум всей философии и логики или при-

мирить свои выводы с естествознанием. Раши ставил перед собой простые цели. Он хотел разъяснить иудейский закон в ясных и понятных выражениях. «Писать, как Раши» стало означать писать вразумительно, что похоже на современный компьютерный жаргонный термин WYSIWYG («Что видишь, то и получаешь»).

Раши был мастером филологии и лексикографии. Он установил правильный текст Талмуда, а затем и множества запутанных и противоречивых свитков. Его комментарии к Библии, более субъективные, чем комментарии к Талмуду, стали на несколько столетий культовыми бестселлерами, доступными широкому читателю. С другой стороны, комментарии к Талмуду были академическими текстами, понятными как заинтересованному студенту, так и высокообразованному раввину. Чем больше знал человек, тем более содержательными оказывались они для него. Ясные описания Раши виделись в более четком фокусе с расширением знаний.

Творчество Раши оказывало заметное влияние на талмудистскую мысль на протяжении почти девяти столетий. Сколько еще писателей (за исключением, возможно, великих греческих философов) оказывали так долго подобное воздействие? После смерти Раши мужья его дочерей и затем его внуки создали что-то вроде династии, заработав почетные псевдонимы Рашбам, Рабейну Там и Рибам, добавив новые заметки на полях к его комментариям и еще больше обогатив Талмуд.

Узаконенный предрассудок церкви держал этого великого мыслителя вне поля своего зрения, вне главного направления интеллектуального развития мира. Копии Талмуда сжигались в кострах ненависти. И все же вплоть до эпохи Просвещения и освобождения в XVIII в. в маленьких еврейских местечках по всей диаспоре гении и простаки усиленно трудились, скрываясь от костров инквизиции, тихо и терпеливо изучая Талмуд, ведомые удивительными комментариями Раши.

БЕНДЖАМИН ДИЗРАЭЛИ
(1804—1881)

Подобно богатому банкиру Сидонии из его романов «Конингсби» и «Танкред» Бенджамин Дизраэли, граф Биконсфилд, первый еврей — премьер-министр Англии, был сильной смесью идеализма и страстного разума. Один из величайших представителей парламентской системы, Дизраэли обладал язвительным остроумием и беглостью речи, в чем не имел себе равных в истории демократии. Об этом очаровательном и одновременно приводившем в ярость человеке было написано больше книг, чем о каком-либо другом британском политике до Уинстона Чер-

чилля. В то время, как его великий либеральный оппонент Уильям Гладстон остается для нас навсегда увязшим в нравах эпохи королевы Виктории, Дизраэли представляется неподвластным времени — современным и античным человеком, который чувствовал бы себя одинаково уютно в спорах с Периклом или с Маргарет Тэтчер.

Гладстон правил Англией с перерывами более двенадцати лет, приняв участие в четырех правительствах. Его главный противник Дизраэли пребывал у власти в Великобритании всего чуть больше шести лет. Однако его вклад в британскую и мировую историю был таким же, если не большим, чем вклад Гладстона. И влияние Дизраэли несомненно сохранялось дольше.

Сменив на его посту лорда Дерби, Дизраэли стал премьер-министром в 1868 г., но мало что успел сделать за столь короткое время. Второй же срок его пребывания у власти в 1874—1880 гг. оказался решающими годами для Британской империи. Отважный — кто-то мог бы даже сказать «безрассудный» — авантюрист Дизраэли распространил британское владычество на Суэцкий канал и Индию. Он добился принятия законодательства, реформировавшего Англию, и выработал основополагающие принципы Консервативной партии (тори). В 1878 г. на Берлинском конгрессе Дизраэли выступил как миротворец, расстроив колониальные планы России на Балканах и сохранив там присутствие Великобритании. С помощью своих популярных романов он разъяснил широкому кругу читателей свои политические позиции. Дизраэли придерживался странных расовых идей, подчеркивая свое «чистое» ближневосточное происхождение, каким-то образом превосходящее происхождение «грубых» англосаксов. Он пытался примирить свою еврейскую подноготную с обращением в христианство, уверяя, что последнее является завершенным иудаизмом. Такое заявление никого не удовлетворило и разгневало многих, но было для него больше, нежели простое рассуждение. Известный в молодости денди, прозванный Дурным своими друзьями (хуже того, многими врагами), Бенджамин Дизраэли был самым противоречивым политиком в британской истории (опять же до Черчилля) и крупным цивилизатором.

Сын Исаака Д'Израэли — историка, эссеиста и поклонника Мозеса Мендельсона — был по происхождению итальянским евреем. Отреагировав на глупый спор с сефардской синагогой, Исаак крестил своих детей по обряду англиканской церкви, когда Бенджамину было тринадцать лет, и воспитал их христианами. Если бы не обращение в христианство, Дизраэли никогда бы не стал (в 1847 г.) членом парламента и позже премьер-министром. Так, Лайонел де Ротшильд (послуживший, по мнению многих, для Дизраэли прообразом художественного персонажа Сидонии), избранный в парламент в 1847 г., не допускался в палату до 1858 г. за отказ произнести установленную клятву: «По истинной вере христианина».

Первоначальные предприятия Дизраэли завершились крахом (необдуманные инвестиции в южноамериканские горнорудные акции и в ежедневную газету). В 1826 г. он начал писать под псевдонимом серию сатирических романов о современной ему политической сцене. Книги нашли широкого читателя, но были жестоко раскритикованы, когда была установлена личность автора. В то время он пережил что-то вроде нервного срыва.

Вместе с женихом сестры Уильямом Мередитом в 1830 г. Дизраэли покидает Великобританию, отправившись в «большой тур» по Средиземноморью. Шестнадцатимесячное путешествие оставило неизгладимое впечатление. Особенно ему понравился Иерусалим. Он начал понимать связь между своим еврейским наследием и христианской ассимиляцией. В самом деле, та поездка на Ближний Восток вдохновила его на создание образа героя его романа «Альрой» (1833 г.). Оказавшись в экзотической среде двенадцатого века, Давид Альрой предпринимает неудачную попытку восстановить еврейское правление на Святой земле. Позже, в романе «Танкред» первоначальный сионизм Дизраэли проявится в часто цитировавшейся потом фразе: «Раса, упорствующая в праздновании сбора винограда, хотя и собирать-то нечего, отвоюет свои виноградники».

Когда Мередит умер в Каире от оспы, Дизраэли прервал свой затянувшийся отпуск и вернулся в Англию. Благодаря своей растущей литературной славе и репутации фата с живым умом, он проложил себе дорогу в светское общество и в спальни экстравагантных высокородных леди. В 1831 г. он решил заняться политикой и стал в реальной жизни героем того же эпического пошиба, что и персонажи его художественных произведений. Изначально воспринимавшийся как радикал с сомнительной подноготной (иными словами, как еврей) и с аморальными сексуальными привычками Дизраэли терпел неоднократные поражения.

Учась на своих провалах, он связал себя с Консервативной партией и в 1837 г. был избран в парламент. В 1839 г. он укрепил свое положение женитьбой на уважаемой и богатой вдове (на двенадцать лет старше его) бывшего члена парламента. Кратковременная поддержка со стороны лидера тори сэра Роберта Пила, как и его развивавшийся талант оратора, умевшего настоящими каскадами блестящих аргументов рвать в клочья своих политических противников, добавили ему популярности. Когда Пил не назначил его членом своего кабинета, Дизраэли парировал удар, основав группу молодых тори, твердо решивших, что необходимо реформировать правительство. Движение «Молодая Англия» стремилось превратить партию из ханжеской компании аристократов, озабоченных лишь сохранением статус-кво, в более представительную организацию британского народа. Несмотря на эскапистские и довольно романтические представления его группы, Дизраэли попытался объединить простых людей вокруг короны под руководством вдохновленных религиозными чувствами аристократических лидеров. Несмотря на всю эту ностальгическую бессмыслицу, Дизраэли расширил политическую базу своей партии и на самом деле привел тори в Новое время.

Когда в 1852 г. лорд Дерби стал премьер-министром, Дизраэли возглавил палату общин и был назначен министром финансов. Он возвращался к власти во втором (1858 г.) и третьем (1866 г.) правительствах Дерби, сменив лидера партии на посту премьер-министра в 1868 г. Во время кратковременного исполнения обязанностей главы правительства в 1868 г. Дизраэли укрепил и без того большую дружбу с королевой Викторией. Королева невзлюбила неразговорчивого Гладстона и чуть ли не влюбилась в очаровательного мистера Дизраэли, доставлявшего ей удовольствие во время каждой аудиенции.

По иронии судьбы Дизраэли потерпел поражение в 1868 г. главным образом из-за энергично поддержанного и проведенного им через парламент закона о реформе избирательной системы, предоставившей право голоса трудящимся классам. В 1874 г. Консервативная партия все же одержала чистую победу. Премьер-министр Дизраэли предпринял тогда целую серию исторических нововведений в правительстве. По удачной инициативе своего министра внутренних дел Кросса Дизраэли провел через парламент законы о расчистке трущоб, об улучшении здравоохранения и условий труда и о регулировании продажи продуктов питания и лекарств. Многие из этих законов опережали его время на пятьдесят лет, обеспечив Англии самое прогрессивное правительство той эпохи и сделав его образцом для остальных демократий.

Величайшей заботой премьер-министра Дизраэли было сохранение британского могущества в Европе. Он рассматривал внешнюю политику в качестве своего первейшего долга и критиковал реакцию Гладстона на кризисы в континентальной Европе за излишний пацифизм. По настоянию Дизраэли Ротшильды предоставили Англии в 1875 г. капитал на приобретение акций Суэцкого канала у хедива Египта. Эти акции получили название «Ключ от Индии» и подтвердили британскую оккупацию Египта и контроль над жизненно важным путем в Южную Азию.

Для большего утверждения британского владычества правительство Дизраэли объявило королеву Викторию императрицей Индии. Ее благодарность Дизраэли вылилась в дарование ему звания пэра, превратив сефардского еврея в первого графа Биконсфилд.

С 1876 по 1878 г. британское правительство было озабочено политикой мировых держав. Англия и Россия стали соперниками, игравшими развивавшимися средиземноморскими странами, как пешками в мировой партии в шахматы. Дизраэли добился своего, вынудив Россию, истощенную войной с Турцией, пойти на международное посредничество в выработке условий мира. На Берлинском конгрессе в 1878 г. Дизраэли познакомился с канцлером Бисмарком, чьи слова «Старый еврей, вот это человек!» запомнились ему больше всего. Под угрозой применения военной силы Великобритания добилась сохранения Османской империи (ставшей через сорок лет врагом Англии) и надежной защиты пути в Индию от российской гегемонии.

Далее внимание внешней политики тори сосредоточилось на малых войнах в Афганистане и Южной Африке. С точки зрения сегодняшнего дня те колониальные действия в странах Третьего мира носили одновременно цивилизаторский и репрессивный характер, когда уникальные культуры подчинялись мрачному единообразию Британского содружества. После указанных неудач за рубежом и многих неприятностей на родине, после возвращения Гладстона к власти в 1880 г. Дизраэли перешел из палаты общин в палату лордов и возглавил ее в последний год своей жизни (написав свой последний, великолепный почти автобиографический роман «Эндимион»).

ФРАНЦ КАФКА

(1883—1924)

По выражению английского поэта У. Одена, Кафка был «автором, наиболее приблизившимся к такому же отношению с нашим веком, которое имели Данте, Шекспир и Гете со своим временем». Родившийся и выросший в Праге, проработавший большую часть

жизни на земле, ставшей впоследствии Чехословакией, еврей Кафка говорил и писал только на немецком — языке своих угнетателей. Он оказался, быть может, чувствительнее любого другого писателя в истории к той особой изолированности, которую нынче называют отчужденностью.

Тщательно выстроенные литературные произведения Кафки обладают прозрачностью и двусмысленностью снов. Его сочинения легко читать, но трудно понять. В «кафкианском мире» истории рассказываются только от имени героя. Читатель никогда не находит успокоения в отрешенности писателя. Мы воспринимаем происходящее в повествовании не со стороны, что было бы безопаснее, а изнутри. Подобная перспектива придает рассказам Кафки

пугающую реальность. Великий писатель не бросает нас в поток сознания не понимающими, где мы находимся, но уверенными в том, что стремительное движение вокруг нас происходит здесь и сейчас, что оно реально. Кафка скорее настаивает на том, что мы знаем, где находимся, потом ослепляет нас, затем скрывает от нас истину на языке, который намекает, вынуждает нас гадать, заманивает нас в ловушку, пленяет нас без надежды на освобождение.

Подобно своему соотечественнику, немецкоязычному богемцу, композитору Густаву Малеру Кафка был предвестником ужасных событий XX в. Написанные перед Первой мировой войной «Штрафная колония» и «Процесс» стали поразительными предсказаниями появления Гитлера и Сталина, показательных процессов, тоталитаризма, промывания мозгов, «окончательного решения». Любимая сестра Кафки Отла на самом деле погибла в концлагере.

Дабы утаить наиболее глубоко прочувствованные истины, Кафка часто погружается в мазохистские фантазии. Заключенного в штрафной колонии наказывают тем, что на его теле буквально отпечатывают нарушенный им закон. Метафора становится метаморфозой, когда однажды утром Грегор Самса очнулся от «тревожных снов» превратившимся в массивное насекомое. Грегор стал своим наихудшим кошмаром.

Фантастические истории Кафки как бы воссоздают мысль прежде, чем она выражена словами. Человек-жук, неспособный перевернуться в постели; безликие судьи, осуждающие обреченных; нависающие над головой мрачные замки; метафоры, представленные в ярких видениях, трудно понимаемых, но легко чувствуемых, и страх.

Франц был старшим из трех братьев и трех сестер. Два брата умерли в младенчестве. Его отец Герман содержал семью торговлей мануфактурой, процветавшей благодаря помощи со стороны родителей его жены Юлии — пивоваров из Праги.

Герман был грубоватым, физически внушительным мужчиной. Юлия почти не обращала внимания на маленького Франца, помогая мужу в торговле. Ее родственники, удачливые бизнесмены, были потомками раввинов и ученых, людьми мудрыми, но помешанными на религии. Франц Кафка был их естественным последователем. Его чувствительная натура художника всегда отличалась глубоко укоренившимися комплексами неполноценности и неадекватности. Он чувствовал, что его слабое телосложение и неумение добиться заметного коммерческого успеха делали его недостойным внушительного облика отца. Когда Франц подрос, мать вознаградила его за прежнюю беспризорность удушающим и подавляющим вниманием, но слишком поздно для Франца. Он был не в силах оставить своих родителей, пока ему не исполнилось тридцать один год, он также не мог покинуть позже свою «маленькую Прагу» вплоть практически до своей смерти через десять лет (он вернулся домой перед самой смертью).

Франц покорно посещал занятия на юридическом факультете, но так и не стал юристом, а довольствовался работой администратора в компании по страхованию трудящихся. Эта унизительная работа оставляла свободным послеобеденное время для того, что он называл ночной работой, — писательства. Такая двойная жизнь бюрократа и художника вызывала у него напряженные переживания, приводившие к мыслям о самоубийстве и самым мрачным видениям.

От смерти Кафку спасали дружба с талантливыми молодыми мужчинами и женщинами, в том числе с Максом Бродом (который станет его литературным душеприказчиком и его лучшим биографом) и любовные связи. Он вел дневник, писал бесчисленные письма друзьям и возлюбленным, наслаждался спектаклями приезжих еврейских театральных трупп и изучал с неутолимой любознательностью древнееврейскую и еврейскую историю. Три помолвки закончились ничем из-за боязни разделить с кем-либо свою жизнь или из-за одного неодобрительного взгляда отца. В 1917 г. его здоровье подверглось разрушительному воздействию туберкулеза, ставшего причиной его смерти в возрасте сорока одного года.

На смертном одре Кафка завещал Броду уничтожить все свои сочинения, корреспонденцию и дневники. При жизни Кафки было опубликовано всего несколько его книг. Он оставался неизвестным. Он мог посчитать, что для человечества было бы лучше, если он таковым и останется. Если бы не отказ Брода от уничтожения сочинений Кафки, мы так бы не увидели современный мир сквозь его особые линзы.

Приход Гитлера к власти в 1930-х гг. снизил интерес немецкой литературы к шедеврам Кафки. После войны благодаря, главным образом, настойчивости Брода большинство книг и писем Кафки было издано, переведено на многие языки и нашло широкого читателя. Французские экзистенциалисты Жан Поль Сартр и Альбер Камю увидели в Кафке богатый источник вдохновения. Великий писатель на идише и лауреат Нобелевской премии Исаак Башевис Зингер считал, что Кафка оказал большое влияние на литературу своим откровением и ужасом.

Созданный воображением Франца Кафки холодный ночной мир одиночества и непостижимого является одновременно пересказом современной ему истории и его собственной биографии. По Кафке, космос можно найти в самом ничтожном, в насекомом — символе человечества, обнаженного до своей самой ужасной сущности.

ДАВИД БЕН-ГУРИОН
(1886—1973)

Он родился в польском городе Плонске как Давид Грин, но избрал для себя фамилию одного из последних защитников древнего Иерусалима от римской армии. Бен-Гурион, или Сын Львенка, был главным основателем еврейского государства Израиль в 1948 г. после почти двух тысячелетий рассеяния. Бен-Гурион, известный многим как «Б-Г», превратил мечту Теодора Герцля о возрожденном еврейском Сионе в реальность.

Мир помнит его как символ воли своего народа бороться за выживание, за орошение песков пустыни и превращение ее в цветущую плодородную землю, как человека, цитировавшего Библию в доказательство своих доводов и всегда говорившего с поразительным авторитетом. Его откровенная жена Пола говорила, что его следует называть Бен-Гурионом, а не премьер-министром, поскольку любой может стать премьер-министром, но только он может быть Бен-Гурионом.

Давид, сын адвоката без патента, потерял мать во время одиннадцатых родов, когда ему едва исполнилось десять лет. Он получил простейшее образование и учился в основном самоучкой, постоянно читая и изучая с полдюжины языков. Интерес к иностранным языкам он сохранил на всю жизнь. В последние годы жизни он читал Септуагинт — эллинскую версию Ветхого Завета и уроки Будды, для чего самостоятельно изучил древнегреческий язык и санскрит.

Собственные интеллектуальные поиски и восхищение юридической работой отца привели его к участию в социалистической и сионистской деятельности. Когда ему исполнилось двадцать, грянули погромы в еврейских местечках. Отвергнув кровавую бойню и бесполезную жизнь евреев в Восточной Европе и последовав примеру Герцля, Давид эмигрировал в Палестину. В 1906 г. там проживали только шестьдесят тысяч евреев под турецким владычеством. Разочарованный безразличием палестинских евреев к самоопределению, активист Бен-Гурион вступил в сионистское движение в Палестине в стремлении сделать еврейский Сион реальностью.

В своих статьях для сионистской прессы под псевдонимом Бен-Гурион он призывал (еще в 1907 г.) к созданию независимой еврейской страны. И эту цель он преследовал на протяжении следующих сорока лет. Он посетил Турцию в попытке убедить правителей Османской империи в необходимости сотрудничества в создании лояльного еврейского государства. Турки выслали его как человека, занимавшегося подрывной деятельностью. Бен-Гурион бежал в Нью-Йорк (где познакомился и женился на своей Поле, учившейся в Бруклине на медицинскую сестру). Предвидя, что после поражения турок в Первой мировой войне Палестина отойдет под контроль Англии, он помог сформировать два еврейских батальона в рамках английской армии.

Хаим Вейцман, блестящий лидер Всемирной сионистской организации, был главным архитектором, стоявшим за «Декларацией Бальфура» 1917 г. о создании еврейского государства. Интеллектуал Вейцман не обладал личной напористостью и харизмой, необходимыми для сплочения разрозненного еврейского населения. Вернувшись после войны в Палестину, переданную под контроль Великобритании, Бен-Гурион стал сионистским голосом трудящихся. Основал рабочую партию Гистадрут, стал ее генеральным секретарем и превратил свою партию в мощную силу профсоюзного движения. Позже, уже в 1930-е гг., основал политическую партию МАПАИ и стал председателем Еврейского агентства для Израиля.

Перед самым началом Второй мировой войны и почти полного уничтожения нацистами европейских евреев британцы опубликовали официальный документ по своей палестинской политике. Эта позорная и бесчестная «Белая книга» была призвана заполучить поддержку арабов в начинавшемся конфликте с Германией. Именно в то время, когда гитлеровцы приступили к систематическому уничтожению более шести миллионов евреев, британская политика обеспечивала еврейское меньшинство в Палестине путем серьезного ограничения иммиграции и земельной собственности евреев.

Бен-Гурион призывал к одновременной борьбе с Гитлером и с указанной британской «Белой книгой». Его движение столкнулось также с угрозой гражданской войны, исходившей от «Движения Жаботинского», возглавлявшегося молодым и скрытным иммигрантом из Польши Менахемом Бегином. После войны Бен-Гурион постарался собрать выживших в Холокосте евреев на Ближнем Востоке. Он объявил израильскую землю единственным пристанищем для европейских евреев. Перестроил нелегальные Еврейские силы обороны под командованием молодых генералов Даяна, Ядина и Аллона и пригласил евреев из числа американских и европейских ветеранов союзнических армий для обслуживания избыточной военной техники, приобретенной за счет собранных пожертвований.

Когда возглавляемая Бегином террористическая группировка «Иргун» попыталась во время установленного ООН перемирия тайно ввезти в Палестину оружие на борту судна «Альталена», Бен-Гурион оказал ему сопротивление. Еврей боролся с евреем в битве, ставшей для Бен-Гуриона испытанием его воли, навязыванием своего авторитета и демонстрацией законного правления в Израиле Великобритании и миру в целом.

С объявлением независимости 14 мая 1948 г. Бен-Гурион становится фактическим премьером и министром обороны осажденной страны. Арабские армии со всех сторон нападали на Израиль в стремлении искоренить еврейское государство. С помощью молодых офицеров и добровольцев Бегин организовал разгром неэффективных арабских вооруженных сил. Впервые с того времени, когда более чем за два тысячелетия до этого Иуда Маккавей разбил сирийцев, еврейская армия сумела защитить свою родину.

За исключением кратковременной отставки в начале 1950-х гг., проведенной в любимом кибуце в пустыне Негев, Бен-Гурион правил своей страной в качестве премьер-министра вплоть до 1963 г. Все то время он неизменно вдохновлял, уговаривал и вызывал споры.

Бен-Гурион указывал, что пределы расчлененного Израиля могут вместить столько евреев со всего света, сколько пожелают переехать в него (постоянно утверждая при этом, что жизненно важными для этого были единый Иерусалим и контроль над Голанскими высотами). Он категорически заявлял, что еврей не может считаться истинным сионистом, если не живет в Израиле. Такая позиция вызвала большое недовольство в Америке, оттолкнула от него многих из бывших сторонников. Он также предвидел открытие израильских границ для миллионов притеснявшихся советских евреев, которые могли начать новую жизнь в демократическом государстве, где социализм действительно заработал. По Бен-Гуриону, иудаизм рассматривался не просто как религия, но и как боевой клич национализма.

Хотя Советский Союз был одной из первых стран, поддержавших независимость Израиля в ООН, в 1951 г. Бен-Гурион предпринял шаги по формированию союза своей страны с США. Его радовала общность ценностей двух стран. На протяжении десятилетий партнерство США и Израиля сталкивалось с определенными трудностями, но оставалось главным звеном в братстве демократических стран.

На нападения арабов на израильские поселения Бен-Гурион отвечал стремительным возмездием, и такая практика с тех пор стала официальной израильской политикой. Когда египетский президент Насер национализировал Суэцкий канал, Бен-Гурион отдал приказ израильской армии вторгнуться (при поддержке Франции и Англии) на Синайский полуостров. Синайскому кризису 1956 г. положила конец угроза вмешательства США, с которой выступил президент Эйзенхауэр, пожелавший отстоять моральный капитал Америки в свете советского вторжения в Венгрию. Война привела к установлению контроля ООН над сектором Газа и доступу Израиля к заливу Акаба, открывшего международную навигацию без помех со стороны Египта.

Когда израильский аналог ЦРУ — Моссад по приказу Бен-Гуриона похитил скрывавшегося в Аргентине бывшего нацистского офицера Адольфа Эйхмана для предания суду в Израиле, по всему миру прокатилась волна протестов. Когда же стала очевидной справедливость суда над Эйхманом ввиду его активного участия в Холокосте, протесты моментально стихли. Бен-Гурион дал ясно понять, что убийство евреев уже никогда не останется безнаказанным.

Свои последние годы он провел в кибуце, появляясь на официальных мероприятиях, демонстрируя свою крупную голову с неуправляемой седой шевелюрой, служа символом рождения и славного будущего своей страны.

ГИЛЛЕЛ
(ок. 70 до н.э. — 10 н.э.)

> Люби ближнего твоего, как самого
> себя. Я Господь.
>
> *Лев. 19, 18*

Язычник попросил мудреца Гиллела объяснить ему иудаизм как можно проще. Если бы Гиллелу это удалось, безбожник обещал обратиться в иудаизм и стать твердым верующим. Гиллел ответил: «Что ненавистно тебе, того не делай соседу твоему. В этом вся Тора. Остальное — комментарий. А теперь иди и учи его».

Марк повествует, что учитель Иешуа, известный своим последователям на протяжении многих столетий как Иисус, проповедовал около 29 г. н.э.: «Вторая подобная ей: возлюби ближнего твоего, как самого себя. Иной большей сих заповеди нет» (Мк. 12, 31).

Кое-кто считает, что Гиллел был учителем Иисуса.

В Гиллеле Старшем, или Вавилонянине, многие раввины видят самого идеального еврея, сравнимого по характеру с Конфуцием или Линкольном. Подобно им он вырос в жуткой нищете. Говорил он пословицами. Доходчиво излагая великие истины, Гиллел сжато выражал многовековую еврейскую ученость в афоризмах, легко усваивавшихся людьми. Многие из его коротких поговорок удивительно похожи на высказывания Иисуса.

О жизни Гиллела мало что известно. Он скорее знаком нам по своим словам и своему достоинству влиятельного учителя. Ему приписывают создание классического иудаизма, основанного не столько на храмовом ритуале, сколько на библейских догматах и нравственных заповедях. Его сосредоточенность на приобретении знаний, его поиск понимания сути иудейского закона и создание компактной, переносной религии (мысль можно захватить с собой куда угодно) позволили его народу сохранить единство в грядущей диаспоре и создать великую сокровищницу иудейского закона — Талмуд. Этическое восприятие им «tikkun olam» (совершенствования мира через нравственные ценности) заложило основу постбиблейского иудаизма и зарождения христианства.

Гиллел страстно стремился к знаниям. Он оставил свой дом в Вавилоне, отважившись учиться в Иудее. В одной популярной легенде рассказывается, что в одну снежную субботу у него не оказалось денег, чтобы заплатить за вход в иерусалимскую религиозную школу. Не желая пропустить хоть один день учебы, он забрался на крышу и слушал через световой люк. Учителя обратили внимание на то, что в классе было необычно темно. Посмотрев наверх, они заметили покрытую снегом фигуру, загораживавшую солнце. Нарушив запрет на работу в субботу, ученики полезли на крышу, чтобы спасти уже замерзавшего Гиллела. Затем учителя и ученики помыли, обсушили и одели его. Любой человек, так жаждущий знаний, посчитали они, заслуживает внимания даже за счет неповиновения закону. Так был заложен прецедент.

Побывав дома в Вавилоне, Гиллел вернулся в Иерусалим и стал председателем Синедриона — высшего суда древней Иудеи, возглавлявшегося раввинами. Он обнаружил, что члены Синедриона того времени не знали должным образом иудейского закона. Устное предание теряло свое значение в результате римской оккупации и порочной тирании царя Ирода.

Гиллел назначил своим заместителем по Синедриону серьезного, твердого, высокомерного и педантичного Шмая. На протяжении столетий их последователей будут называть «Школой Гиллела» и «Школой Шмая». Один — оптимист, другой — пессимист; один был доволен самим бытием, другой уверен в том, что небытие окажется значительно лучше. Гиллел никогда не сердился, Шмай постоянно казался взбешенным. Гиллел шел на компромисс в любом вопросе, Шмай никогда не отказывался от раз занятой позиции. Хотя и рассказывали, что Бог — когда Его об этом спросили — предпочел точку зрения Гиллела на жизнь, мнения обоих послужили основой талмудистской мысли и полемики, сформировав тем самым мышление еврейского народа.

И Гиллел, и Шмай были фарисеями, предвестниками современного еврейства. Многие христиане считали фарисеев времен Иисуса косными и искалеченными слепым повиновением закону. И все же Иисус исповедовал фарисейский иудаизм и ясно дал понять, что пришел не для того, чтобы упразднить закон. Его внушение, что многие дотошно следуют иудейскому закону, соответствует учениям Гиллела и Шмая.

ДЖОН ФОН НЕЙМАН
(1903—1957)

Венгерский еврей Джон фон Нейман был, пожалуй, последним представителем исчезающей ныне породы математиков, одинаково уютно чувствовавших себя в чистой и прикладной математике (как и в других областях науки и искусства). Принадлежа к замечательному поколению венгерских ученых, математиков и художников, включавшему Лео Силарда, Фрица Рейнера, Денниса Габора, Юджина Орманди, Эдварда Теллера, Джорджа Селла и Юджина Вигнера, фон Нейман был, пожалуй, самым блестящим и восприимчи-

вым из них. Ему приписывают обогащение или даже создание целых областей математических исследований, в том числе математической логики и теории множеств, ложных групп, теории мер, колец операторов (называемых ныне «алгеброй фон Неймана»), теории игр (в особенности его знаменитой теоремы о минимаксе) и концепций автоматов. Теория игр не только вдохновила в 1940-е гг. Абрахама Уолда на теорию статистических решений, но и широко применялась в 1950-е при принятии экономических, военных и политических решений в США. Наибольшее же воздействие фон Нейман оказал на разработку новых методов программирования и механических устройств, служащих основой для вычислительных машин. Фон Неймана с полным правом называли «отцом компьютера».

Отец фон Неймана был преуспевающим банкиром, который приобрел благородную приставку «фон» у венгерского правительства. Джон, урожденный Янош, старший из трех братьев, так необычно проявил в очень раннем возрасте удивительные способности к математике, что учителя начальной школы приглашали университетских профессоров давать ему уроки. Джон демонстрировал почти Моцартово умение синтезировать в корне отличные концепции с поразительной точностью и молниеносной быстротой. К девятнадцати годам он уже преподавал специальный курс математики в Берлине (где одновременно посещал лекции Альберта Эйнштейна). Джон также навестил в Гёттингене великого математика Давида Гильберта, личность и творчество которого стали для фон Неймана, пожалуй, величайшим источником вдохновения.

После изучения машиностроения в Цюрихе и преподавания в Берлине и Гамбурге, в тридцатилетнем возрасте фон Нейман стал самым молодым исследователем Института специальных исследований в Принстоне, штат Нью-Джерси. Во время Второй мировой войны принимал участие в Лос-Аламосе в тайной разработке атомной бомбы. После войны служил в Комиссии атомной энергии. Умер он в 1957 г. от рака.

По праву пользовавшиеся огромным влиянием, многие знаменитые современники фон Неймана удивлялись его способности переводить с необычайной быстротой сложные данные на аксиоматический язык. Почти каждая область математики и физики того времени несет на себе отпечаток его оригинальных идей.

Разочарованный компьютерами, имевшимися в распоряжении разработчиков атомной бомбы по проекту «Манхэттен» в Лос-Аламосе, фон Нейман изучил работу машин и разработал новые методы вычисления. Он придумал особые коды, запускавшие систему соединений для получения ответов на множество вопросов. Это устройство и разработанное им программирование служат образцами, на которых основаны современные вычислительные машины.

В отличие от Силарда и Бора, искавших пути контроля над распространением ядерного оружия, ярый антикоммунист фон Нейман внес свой вклад в оправдание американской гонки вооружений во времена администрации Эйзенхауэра. Даже противясь наскокам сенатора Джозефа Маккарти (напоминавшим ему фашистские преследования) на Роберта Оппенгеймера и других ученых, фон Нейман в последние годы жизни усиленно помогал оборонному ведомству, применяя свою теорию игр и поразительные математические способности в разработке более смертоносных схем военной стратегии.

СИМОН БАР-КОХБА

(ум. 135 н.э.)

> Вижу Его, но ныне еще нет; зрю Его, но не близко.
>
> Восходит звезда от Иакова и восстает жезл от Израиля, и разит князей Моава и сокрушает всех сынов Сифовых.
>
> *Чис. 24, 17*

Симон Бар-Кохба, или Симон Сын Звезды, возглавил последнее восстание евреев против римлян — безмерно кровопролитный мятеж, который привел к окончательному уничтожению древнеиудейской цивилизации. Бар-Кохба остается загадкой, вызывающей большие споры. Мнения расходятся. Одни считают его великим борцом за свободу наподобие Иуды Маккавея, другие — безответственным тираном, не менее жестоко поступавшим с собственным народом, чем с его угнетателями. Римский историк Дион Кассий является главным источником наших знаний о том периоде. Согласно Диону, в войне погибли 580 тысяч евреев. После Великого мятежа 70 г. н.э. и вплоть до резни Хмельницкого в семнадцатом веке и холокоста восстание Бар-Кохбы оценивается как самое катастрофическое событие в еврейской истории.

После взятия Иерусалима в 70 г. н.э. Титом, сыном императора Веспасиана, земля Иудеи стала военным лагерем. Во время восстания римляне понесли огромные потери. Повстанцы истребляли их целыми легионами. Императоры, сменившие Веспасиана, не хотели нового неуправляемого конфликта с евреями. Военное положение и преследования обеспечивали твердую власть римлян. В тот период официально одобренные труды известного римского историка Тацита положили начало поддержанному государством антисемитизму.

Поначалу сочувствовавший еврейским религиозным ценностям император Адриан во время своего пребывания на Востоке в 128—

132 гг. н.э. инициировал политику унификации отличных друг от друга культур империи. Наиболее спорная из его идей состояла в строительстве римского храма со статуей Юпитера на руинах второго иерусалимского храма. Пока Адриан находился на востоке со своими двумя легионами, евреи боялись нанести ответный удар, но начали тайно перевооружаться под началом человека, который вскоре станет известен как Бар-Кохба. Неясно, однако, собирались ли римляне полностью искоренить иудаизм. Многие евреи Галилеи не поддержали мятежа и после окончания войны получили разрешение исповедовать и развивать свою религию.

Особая сила восстания проистекала не только от харизматического Бар-Кохбы, но и от поддержки со стороны самого известного раввина того периода — Акибы (ок. 60—135). Раввин Акиба был, возможно, величайшим ученым в истории иудаизма. В отличие от многих выдающихся еврейских ученых он вырос в нищете. Начинал пастухом и не получил никакого образования до сорока лет. Ко времени начала восстания в 132 г. н.э. он стал ведущим знатоком Торы и имел десятки последователей.

Армия Бар-Кохбы нанесла удар сразу же после возвращения Адриана в Рим. Она захватила Иерусалим, вынудив размещенный в нем римский легион отступить в Кесарию. Акиба якобы присоединился к восстанию и провозгласил Бар-Кохбу Мессией. Уже составлялись планы восстановления Храма. Были возобновлены жертвоприношения согласно древней традиции. Чеканились собственные монеты (их можно видеть и сегодня), был освящен новый календарь. Бар-Кохба правил с помощью указов (многие из них были найдены столетия спустя в пустыне близ Кумрана). Из Египта к центру Иудеи продвигался римский легион. Войска Бар-Кохбы полностью истребили римлян.

Император собрал двенадцать легионов с таких окраин империи, как Англия, чтобы подавить мятеж. Римские войска не рвались к столице страны. В жестокой войне на истощение каждый укрепленный район захватывался по отдельности. Общепринятая стратегия была приспособлена к ведению партизанской войне. Римляне были вынуждены охотиться за каждым повстанцем. В последней крепости Бар-Кохбы Бетаре его армия была разгромлена, а он сам убит. Раввин Акиба был схвачен и замучен до смерти (с него живого железными скребницами содрали кожу). Предание гласит, что он умер, улыбаясь от сознания, что всеми силами своей души любит Бога. Религиозная академия в Иавнеи была разрушена, а большинство семинаристов погибли в борьбе. В целом, повествует Дион, были разрушены пятьдесят крепостей и 985 городов или поселений. Вся Иудея стала выжженной землей.

Евреи останутся без родного очага на протяжении 1800 лет. За восемнадцать столетий они оставались меньшинством, куда бы ни направились, не имея армии, которая могла бы защитить их, и путеводителем им служили только собственные воззрения и религиозная культура.

Разрушение древней Иудеи подстегнет деятельность первых еврейских христиан. Перед восстанием они мирно сосуществовали с другими евреями, как еще одна секта. Многие евреи христиане рассматривали неудавшееся восстание Бар-Кохбы как провал традиционного иудаизма и подтверждение праведности собственной веры. Вот почему они стали агрессивнее вербовать новообращенных.

Иудеям Галилеи позволяли и дальше исповедовать их веру, хотя и они подвергались определенным преследованиям. Менее чем через столетие после падения Бетара в Галилее под руководством раввина Иуды Принца был составлен систематизированный сборник толкований закона Моисеева — «Мишна». Следующие четыре столетия ученые будут толковать «Мишну». Их толкования станут известны как Талмуд, который послужит после восстания Бар-Кохбы предписанием закона для народа, рассеянного на столетия.

МАРСЕЛЬ ПРУСТ
(1871—1922)

Марсель Пруст, сын еврейки и католика, был — наравне с Джеймсом Джойсом и Францем Кафкой — одним из трех самых влиятельных романистов первой половины XX века. Его шедевр «В поисках утраченного времени» («Память о прошлых вещах») представляет собой цикл из семи романов, лишенных привычного сюжета и традиционной структуры. Пруст был своеобразным затворником, который в молодые годы бездельничал в модных гостиных, уделяя почти ритуальное внимание светским сплетням. Уединившись последние тринадцать лет жизни в комнате с покрытыми пробкой стенами, он писал (постоянно исправляя) в странных узких записных книжках объемистый опус из семи частей, соединяя свой опыт жизни в высшем обществе с вымышленной вселенной необычайной энергетики и красоты.

Хотя Пруст написал и другие романы до «Памяти», его помнят прежде всего по уникальной направленности названного шедевра. Повествование ведется Рассказчиком, а не всемогущим и всевидящим автором. События и персонажи романов рассматриваются через призму того, что видит и чувствует вымышленное лицо, необязательно ассоциируемое с автором. Представляется, что Рассказчик имеет собственные побуждения поведать то, что помнит, собственные суждения, якобы расходящиеся с обычно вездесущими мнениями автора.

До Пруста такие великие романисты, как Бальзак, Диккенс, Толстой, Флобер, Достоевский и Золя, ведут повествование как летописцы (даже когда история рассказывается таким персонажем, как Пип в «Больших ожиданиях»). Постоянно чувствуешь присутствие творца, автора, направляющего и ведущего историю. Иное дело — Пруст. Хотя и основанная на его опыте, приобретенном в салонах верхушки общества, «Память» является художественным произведением, а не автобиографией. Беллетристика же — как бы провозглашает Пруст — требует радикально новой перспективы.

Он также изменил структуру романов. До «Памяти» романы имели четкие сюжеты, обычно заканчивавшиеся смертью героя. Пруст писал бессюжетные романы, не имевшие ни кульминационных пунктов, ни неожиданных мелодраматических поворотов или случайных эпизодов. В кажущихся бесконечными и подчас неподвластных пониманию предложениях действительность представляется такой, какая она и есть. События неумолимо следуют одно за другим. Люди и места текут мимо. Время проходит и исчезает.

История его жизни проста. Его мать Жанна Вейль была дочерью состоятельного биржевого маклера. Отец Адриан родился у скромных лавочников-католиков, но стал уважаемым врачом и специалистом по муниципальной гигиене. Адриан Пруст стоял у истоков современных методов улучшения санитарного состояния европейских городов, препятствующих распространению хол, однако, предохранить сына от тяжелой астмы.

Несмотря на попытки вести нормальный образ жизни (Марсель добровольно поступил в военное училище и посещал занятия по праву и политологии), будущий романист предпочел наслаждения прекрасной эпохи, так называемых пиршественных лет в веселые 1890-е гг. Пользуясь наследством матери и общественным положением отца, Марсель проводил в праздности свою молодость в будуарах известных красавиц (обычно королевских кровей). Он надолго подружился с такими творческими личностями, как композитор Рейнальдо Ан, поэтесса Анна де Ноайль, писатель Анатоль Франс и язвительный беллетрист барон де Монтескьё. Все эти друзья (и некоторые из его графинь) обрели бессмертие в персонажах «Памяти». Родители всячески противились праздной жизни Марселя, приводя ему в пример приличную карьеру его брата — врача Робера (именно он позаботился о Марселе в его трудные последние годы и добился посмертного издания его сочинений).

Ему было за тридцать, и единственное, что он успел сделать в своей жизни, кроме бесчисленных часов, проведенных в аристократических салонах, это написать два плохоньких, подражательных и незавершенных романа. Преждевременная смерть его родителей пробудила Пруста от бездействия и обратила к целеустремленной жизни. Поняв, что и его жизнь не вечна, он заперся в своей квартире и начал писать отчет о том, что ему было известно лучше всего, — о светском обществе на рубеже веков. Добиваясь полной сосредоточенности и идеальной тишины, Пруст сделал свою спальню-кабинет звуконепроницаемой, обив ее стены пробкой. И он непрерывно писал тринадцать лет. Умер Пруст в 1922 г., редактируя седьмую книгу «Памяти».

Пруст писал примерно так, как винодел выращивает виноградную лозу. В его литературном садоводстве условный сюжет и раскрытие персонажей орошались мощными потоками жизни. Как и почему мужчины и женщины любят друг друга, живут счастливо либо теряют себя в ревности или ненависти — все эти вопросы переплетаются в цветистой, почти зеленой прозе. Маленький бисквит, опущенный в мятный чай и испускающий ароматы юности рассказчика, — таков самый известный образ вычурной и символической прозы Пруста.

Он опрокинул свойственные девятнадцатому веку представления о действительности и времени. Прежние писатели воспринимали время, отслеживая последовательность узнаваемых событий. У Пруста «реальное» время было вытеснено изучением реальности, разворачивающейся внутри его персонажей. Пруст тщательно препарирует развитие внутреннего «я» людей во времени, а не только их внешние проявления, обнажающиеся в мелодраме.

В великолепном приливном движении впечатлений и жестов «Память» заканчивается решением Рассказчика написать роман, чтобы поведать все, что может вспомнить. Конец такой, каким было и начало. Круг замыкается на самом себе.

МЕИР РОТШИЛЬД
(1744—1812)

На Юденгасе (Еврейской улице) в гетто немецкого города Франкфурт-на-Майне номерным знакам домов предшествовали цветные знаки, обозначавшие фамилии семей и занятия. Фамилия «Ротшильд», или «Красный щит», была образована от такого знака.

Хотя и нет ни одного его портрета, Меир-Аншель Ротшильд влиял, как немногие, на прогресс всемирной истории на протяжении столетия после собственной смерти. С развитием его семьи как единого и мощного экономического и политического клана, он оформил будущее не только Ротшильдов, но и многих их соотечественников.

Меир устроил пятерых своих сыновей — Аншеля, Соломона, Натана, Калмана (позже ставшего Карлом) и Якова (позже Джеймса), едва преодолевших двадцатилетний рубеж, в пяти европейских столицах, основав первую международную банковскую и клиринговую систему, по сути, первую частную многонациональную компанию. Сыновья не обладали дипломатическими способностями и подобострастными манерами отца, но зато отличались врожденной хитростью, специальными техническими знаниями и сумасшедшей напористостью в работе. Создание ими банковских домов в Германском союзе, Австрийской империи, Великобритании, Италии и Франции обусловило огромное политическое влияние и совместное стремление семьи сохранить мир в Европе. Война препятствовала экономическому развитию и мешала им управлять подконтрольными сферами деятельности. Хотя их политическая власть пошла на убыль после Первой мировой войны в связи с возникновением новых банковских домов и конкуренции, Ротшильды помогли созданию политического капитала многих великих современников, в том числе Наполеона, герцога Веллингтона, Талейрана, Меттерниха, королевы Виктории, Дизраэли и Бисмарка (как и будущему развитию их стран).

Предки Меира были на протяжении нескольких поколений обыч-

ными уличными торговцами во франкфуртском гетто. Хотя в течение дня евреи и могли покидать стены гетто, их обязывали носить традиционные шляпы и одежды, отличавшие их религиозную принадлежность. Еврей вне гетто подвергался нападениям хулиганов антисемитов. Религиозное пятно было предпочтительнее избиения и ограбления, от которых еврей не мог защититься сам и от которых никто не мог предоставить ему защиту.

При поддержке родителей Меир учился на раввина в древнем городе Нюрнберге, но вынужден был прервать учебу из-за их скоропостижной смерти. С помощью родственников Меир получил место служащего в банковском доме Оппенгеймера в Ганновере. Он преуспевал в работе, и перед ним вроде бы открывалась удачная карьера, но он не чувствовал удовлетворения и оставил свое место, чтобы попытать счастья в родном гетто. Когда он вернулся во Франкфурт, его задержали на переправе через реку и потребовали уплатить установленную для евреев пошлину.

Он начал как торговец старинными монетами и фамильными ценностями. Его покупателями стали люди голубых кровей (единственные, кто мог себе позволить столь странное хобби). Обратив внимание на то, что соперничавшие немецкие королевства пользовались разной валютой, но не знали, как ее обменивать при торговле, Меир создал простенький банк, через который можно было обменивать валюту по разным курсам. Прибыль от обменных операций Меир использовал для развития своего нумизматического бизнеса, вкладывая деньги во все более ценные и античные монеты и расширяя богатую клиентуру.

В 1770 г. он женился на семнадцатилетней Гутели Шнаппер, которая родила ему пять сыновей и пять дочерей и дожила до девяноста шести лет, редко покидая свой дом в гетто. В старости Гутель пользовалась уважением — ее посещали аристократы и другие влиятельные люди.

Поддерживаемый семьей, Меир начал продавать монеты богатейшему европейскому аристократу — принцу Вильгельму Гессенскому. Изучавшие Американскую революцию помнят гессенских солдат, воевавших на стороне англичан, которые безуспешно пытались подчинить себе колонии. Эти гессенские наемники были подданными принца Вильгельма, который с большой прибылью для себя продавал их англичанам, как рабов. Принц Вильгельм и его казначей (ставший пассивным партнером Ротшильда по бизнесу) все больше полагались на уважаемого и талантливого Меира. Когда в 1785 г. Вильгельм унаследовал трон отца, Меир получил надежную синекуру при дворе Вильгельма в Касселе и возможность развивать свои международные контакты.

На протяжении двух следующих десятилетий Меир использовал свои связи при дворе Вильгельма, высокородных клиентов, низкие цены на свои монеты (в обмен на дружбу и долговые обязательства) и своих сыновей для создания финансового фундамента и политической сети могущества семьи Ротшильдов. Изобретательность Меира проявилась в то время, когда принц Вильгельм поставлял гессенских наемников англичанам. Меир узнал, что Вильгельм получал за солдат кредитные билеты английских банков. Одновременно Меир должен был уплатить за хлопчатобумажные ткани текстильным производителям из Манчестера. Почему бы не объединить оба предприятия и не получить еще большую прибыль? И Меир организовал прямую выплату манчестерским фабрикантам выданными Вильгельму британскими банкнотами и вместе с Вильгельмом положил в свой карман плату за дисконт. Мятеж в американских колониях был первой из многих войн, во время которых Ротшильды заработали огромные суммы.

Меир пристроил сына Соломона ко двору Вильгельма в качестве нового финансового советника монарха. Аншель стал маклером Вильгельма и договаривался о крупных займах под закладные с кредиторами королевских кровей по всему континенту. Натан отправился в Манчестер, чтобы совершенствовать торговлю текстилем, и каким-то образом ухитрился во время Французской революции, когда резко взлетели цены, отгрузить дешевые ткани на склад Меира во Франкфурте.

Так была создана международная семейная сеть, которая переживет революции, наполеоновские войны, контрреволюцию и промышленный век. Даже после того, как Наполеон сверг Вильгельма и выслал его из страны, Меир продолжал управлять его финансами. Сыновья Меира расселились по всей Европе и постоянно на шаг опережали тайных агентов Наполеона, собирая проценты по займам и продавая контрабанду и продовольствие на опустошенных войной рынках. Ротшильды поддерживали связь через весьма разветвленную систему курьеров, почтовых отправлений и даже почтовых голубей, пользуясь причудливым жаргоном из немецкого языка, идиша и иврита, сдобренным занятными псевдонимами.

Сыновья Ротшильда быстро выросли из торговцев хлопчатобумажными тканями и контрабандистов в международных банкиров. Начиная с 1810 г. они продавали только деньги. При этом использовали многие приемы и сети, созданные их отцом, для завоевания финансовых рынков Европы. Натан, например, раньше всех на Лондонской бирже узнал о поражении Наполеона при Ватерлоо и использовал эту информацию, сначала продавая английские облигации по высокой цене и затем вновь скупая их по очень низкой цене (когда пришли сообщения о великой победе и цены подскочили!).

Ко времени смерти Меира в 1812 г. его сыновья уже прочно обосновались каждый в своей европейской столице. Они помогут финансировать восстановление континента после войн, становление современных правительств во время стремительно развивавшейся индустриализации и строительство железных дорог по всей Европе. Сын Натана Лайонел станет после нескольких попыток первым не прошедшим ассимиляцию евреем, избранным в британский парламент, пройдя путь, проложенный Бенджамином Дизраэли и другими. Лайонел не собирался становиться членом парламента, если бы ему не дали возможности принести присягу на Ветхом Завете и в традиционной еврейской шляпе. В 1858 г. указанная церемония состоялась в полном согласии с еврейской традицией.

СОЛОМОН
(ок. 990—933 до н.э.)

Соломон правил «во всей своей славе» более сорока лет самым большим и мощным царством в истории Израиля. Будучи искусным дипломатом, достигавшим мира путем переговоров, Соломон часто женился, закрепляя тем самым союзы и избегая войн. За время его правления в результате взимания больших налогов и проведения энергичной торговой политики умножилась царская казна. Его мудрых советов искали другие правители, с почтением относившиеся к его притчам и к его армии, посаженной на колесницы. Не будучи, подобно своему отцу Давиду религиозным и набожным от рождения, Соломон был человеком мира, поглощенным светской властью и мирскими наслаждениями. Он возвел величественный Храм для Ковчега Завета и одновременно построил алтари для идолов своих иноплеменных цариц. Ему приписывают авторство ветхозаветных книг «Песнь песней», «Притчи Соломона» и «Книги Екклезиаста», отражавших литературное возрождение под защитой богатого и сильного режима.

Среди самых крупных фигур истории иудаизма Соломон был (в традиционном смысле) «наименее наполненным» Богом. Его государственная мудрость и влечение к поэзии были ближе к средневосточным и восточным ценностям, нежели к древнееврейским. Будучи не в состоянии или не желая следовать примеру более послушного поведения своего отца, Соломон использовал свою внешне бесконечную мудрость для утверждения абсолютного самодержавия. На протяжении всего Средневековья европейская аристократия называла Соломона безупречнейшим царем, абсолютным монархом на пике своей славы, умышленно забывая о негативных результатах его правления.

Он был самым многобрачным евреем в истории. В царском гареме насчитывались тысячи женщин. Браки с иностранными принцессами приносили мир. Благодаря женитьбе на дочери фараона был выкован прочный союз с Египтом. Его роман с царицей Савской способствовал еврейской торговле специями.

Неизвестно, Соломон ли написал «Песнь песней», но ее автор несомненно много знал об эротической любви. «Песнь песней» послужила образцом для средневековой французской и испанской любовной лирики. Свободные от официальных преследований поэты спокойно могли подражать библейскому источнику (хотя христиане и делали попытки запретить его).

Екклезиаст собрал высказывания опытного и измученного жизненными испытаниями старика. Это было первое литературное объявление о мировой скорби — за тысячелетия до изобретения немецкой романтической поэзией термина «Weltschmerz». По иронии судьбы Екклезиаст найдет позже свое самое, пожалуй, идеальное выражение в монологе «Мечта! Мечта!» в народной опере «Нюрнбергские мейстерзингеры», сочиненной Рихардом Вагнером.

Хотя Соломон правил много лет, он оставил в наследство раскол и хаос. Сразу после смерти царя его сын настолько восстановил против себя северные племена, что они отделились и создали отдельное царство Израиль со столицей Самария. Этот раскол продлился почти четыре столетия.

Нынешние иудеи и христиане помнят мудрого Соломона, чей здравый смысл наиболее ярко проявился в знаменитой притче о двух женщинах и ребенке. Обезумевшая после смерти своего ребенка мать украла дитя соседки. Обе матери просили царя присудить им живого ребенка. Когда Соломон пригрозил разрубить ребенка мечом пополам и отдать каждой матери половинку, настоящая мать стала умолять царя оставить ребенка в живых. Другая женщина требовала убить ребенка, чтобы он не достался ни одной из них. Соломон отдал ребенка настоящей матери. Иудейско-христианский образ Соломона — судьи, проявляющего божественную мудрость в деле двух страдалиц, оказал длительное влияние на развитие цивилизации и юриспруденции.

ГЕНРИХ ГЕЙНЕ
(1797—1856)

Названный при рождении Хаимом, взявший в первые годы зрелости имя Харри и в конце концов ассимилированный как Генрих, он был величайшим лирическим поэтом Романтизма и первым литературным модернистом в немецком языке. Люди, читающие на немецком языке, называют Генриха Гейне самым любимым поэтическим голосом и близким другом, отнюдь не таким холодным, как обитатель Олимпа Гете, а как бы соединившим в себе таланты Китса, Байрона и Шелли.

Англоязычной аудитории Гейне известен сегодня главным образом переложением его поэм на музыку такими знаменитыми композиторами, как Шуберт, Мендельсон, Шуман (в первую очередь), Лист и даже Вагнер. Будучи своего рода литературным Шопеном, немецкий изгнанник во Франции Гейне оказал влияние на целые поколения писателей и композиторов. Шедевры Гейне послужили непосредственным стимулом для создания опер Вагнера «Летучий голландец» и «Тангейзер», а также романов и поэзии Мэтью Арнолда, Джорджа Элиота, Лонгфелло, Теннисона, Шоу и Ницше.

Жизнь Гейне стала также трагическим отражением судьбы художника-еврея, творившего в христианском — большей частью — обществе. Подобно многим немецким евреям своего времени Гейне вдохновляли пример Мозеса Мендельсона и немецкое Просвещение. Завоевание Европы Наполеоном принесло евреям освобождение от феодальных ограничений жизни в гетто. После более чем тысячелетия упадка евреи получили первый шанс открыто улучшить свое благополучие. Когда Гейне менял свое имя (его деда звали Хаимом Бюкебургом; Хаим стал Хейманом, затем Хейнеманом и, наконец, Гейне), это было больше, нежели признание немецкого эквивалента. Юный Гейне считал иудаизм «большим несчастьем» и рассматривал свойственный ему ритуал как болезнь невежества. Гейне верил, что обращение в протестантство станет его «входным билетом» в большой мир. Позже в том же столетии еврей из Богемии, композитор и дирижер Густав Малер обратится в католицизм ради получения места директора Венской придворной оперы. Обращение принесло Гейне, по его же словам, скорее несчастье.

Несмотря на свое обращение, Гейне оставался до конца жизни одержимым еврейством. Он относился с горьким сарказмом к тем немецким евреям, которые стали святее большинства христиан. Гейне зло смеялся как над пейсатыми талмудистами, так и над новоявленными поклонниками Реформации, чьи богослужения требовали в качестве приправы исполнения органной музыки, чтобы быть общественно приемлемыми. И все же в последние годы жизни, когда спинная сухотка приковала его — по собственному его саркастическому выражению — к «матрацной могиле», Гейне называл себя «смертельно больным жидом» и написал свои самые еврейские стихи. Его ненависть к себе как к еврею была типичной для многих других евреев художников и мыслителей того периода, в том числе и особенно для его знакомого Карла Маркса.

Поэтические сочинения Гейне включали описания снов, песни, романсы, сонеты, лирические интермедии, хвалебные песни Северному морю, романтические истории, плачи, эпические поэмы и еврейские напевы (по примеру средневекового еврейского поэта Галеви). Ему приписывают создание новой литературной формы — фельетонов или кратких эссе, которые он регулярно печатал во французских и немецких газетах и журналах. Если его ранние поэмы были как бы кульминацией немецкого Романтизма (и он действительно сменил в 20-х гг. девятнадцатого столетия Байрона в качестве любимого публикой романтика), то его последние сочинения предвосхитили более поздние в том столетии эксперименты Верлена и символистов (многие из которых признавали его влияние).

Будучи консерватором во многих отношениях, Гейне стал символом свободы. Получая на протяжении большей части своей жизни содержание от богатого дядюшки — банкира и филантропа Соломона Гейне (а позже, что примечательно, от реакционного французского правительства), Гейне был своего рода профессиональным попрошайкой, жившим по большей части не по средствам от каждого подаяния. Поскольку, несмотря на его обращение, в Германии ему отказали в месте учителя, а публикация его произведений была приостановлена репрессивным местным правительством, в 1831 г. он покинул родину и оказался в либеральной атмосфере, установленной в Париже «гражданином королем» Луи Филиппом. Получив прозвище Немецкий Аполлон, Гейне стал частью невероятно богатой парижской культуры, которую олицетворяли Гюго, Санд, Делакруа, Бальзак, Берлиоз и Мейербер. Какое-то время он был связан с группой немцев экспатриантов, называвшейся «Молодая Германия». Позже Гейне нашел в полусоциалистическом учении Сен-Симона желанное отдохновение от мелкой буржуазии. Французы первыми признали особый талант Гейне. Немецкие восхваления последовали за любовью французов. Публика воспринимала Гейне как радикала, а его жизнь неизменно считалась символом освобождения.

Своими короткими четверостишиями Гейне ухитрялся моментально вызывать в воображении свои уникальные поэтические миры. Его сравнивали с Шопеном за одинаковое умение создавать всего несколькими звуками любые желаемые лирические образы. При всей своей лаконичности поэмы Гейне выявляют беспредельную экспрессивность.

Многие из его поэтических сочинений настолько широко известны в Германии и Австрии, что они стали частью фольклора. Даже нацисты не смогли отрицать его значение для немецкой культуры. Популярная поэма Гейне «Лорелея» была включена в нацистские поэтические сборники как «народная песня». И все же фашизму было чего бояться в глубоко эмоциональном и личном еврейском наследии Гейне. Гитлер даже приказал уничтожить могилу Гейне на Монмартре.

Поначалу увлеченный наполеоновской революцией, Гейне подобно Бетховену разглядел затем в «освободителе» тирана. Будучи романтиком в выборе пасторальных тем, Гейне все же был жестоким реалистом. Не довольствуясь — как многие из его современников — ностальгическими вздохами по более величественному общегерманскому прошлому, «гражданин мира» Гейне звал французов быть бдительными перед будущей тевтонской угрозой. Не менее обеспокоенный буйными мечтами Карла Маркса, Гейне предвидел приход коммунизма, более заинтересованного в жестокой власти, нежели в оказании помощи людям. В последние годы жизни Гейне посвятил себя иудаизму. Только когда христиане будут полностью освобождены еврейским Мессией, т.е. последуют его проповеди мира, доказывал Гейне, только тогда все человечество, а не одни лишь евреи, навсегда покончит со своими страданиями.

ЗЕЛЬМАН ВАКСМАН
(1888—1973)

Получившему в 1952 г. Нобелевскую премию по физиологии и медицине Зельману Абрахаму Ваксману обычно приписывают разработку антибиотиков как самого эффективного средства (наряду с пенициллином и сульфамидными препаратами) ликвидации бактериальных инфекций (и первого эффективного метода лечения туберкулеза). Длившееся всю жизнь влечение Ваксмана к изучению микроорганизмов привело его к выделению «мицинов» (стрептомицина, актиномицина и неомицина) — антибиотиков, весьма успешно применявшихся в клинических целях.

Свое удивительное открытие указанных антибиотиков (и некоторых других) Ваксман сделал в результате исследования почвенных организмов. Он выделил активные микроорганизмы, которые дают растворимые вещества, имеющие антибактериальные свойства. В самом деле, еще до того, как стала широко известна его работа по антибиотикам, Ваксман приобрел международную научную репутацию микробиолога по почвам.

Люди, оказавшие заметное влияние на мир,

часто могут проследить истоки своего творчества вплоть до своей юности. Молодые годы Ваксмана прошли в еврейском местечке близ Киева. В то время как в более развитых регионах наготове имелись антитоксины, маленькая сестра Ваксмана умерла от дифтерии. Такая неоправданная смерть не забывается.

Получив традиционное еврейское воспитание Ваксман еще молодым увлекся общественными делами. Будучи подростком, он вместе с друзьями основал школу для бедных еврейских детей, ухаживал за больными.

Подобно многим представителям своего поколения, Ваксман отправился на поиски счастья в Америку и в возрасте двадцати двух лет поселился в Нью-Джерси. Студентом и аспирантом университета Ратджерса он изучал сельское хозяйство и бактериологию. В двадцать семь лет он опубликовал первую работу по почвенным бактериям и низшим грибам. После краткого пребывания в Калифорнии Ваксман со своей молодой женой обосновался в городе Нью-Брансуик близ Ратджерса, где в 1920—1930-х гг. он стал профессором и изучал с ассистентами и студентами мир микроорганизмов в почве. В тот период он начал консультировать промышленников, оказывая помощь в производстве пищевых добавок и ферментов, получаемых из бактерий и грибов. Летом Ваксман работал в лаборатории в Вуд-Хоуле на полуострове Кейп-Код, занимаясь исследованием морской микробиологии.

Накануне надвигавшейся Второй мировой войны вооруженный глубокими знаниями о многих видах почвенных микробов, особенно об актиномицетах, Ваксман попытался вместе с коллегами в 1939 г. выделить продукты, которые разрушали бы бактерии и позволили бы контролировать инфекцию. В 1940-х гг. ограниченный в средствах Ваксман разработал простую технику определения многих антибиотиков. Позже при поддержке фармацевтического гиганта «Мерк и компания» и клиники «Майо» лаборатория Ваксмана установила эффективность этих чудодейственных препаратов. Ваксмана особенно тронуло их использование для лечения детских болезней, поскольку он всегда помнил о своей умершей сестренке.

Немало ученых, сделавших великие открытия, не дожили до претворения результатов своих исследований. К счастью, Ваксман успел насладиться похвалами со стороны политических и религиозных лидеров своего времени и дожил до торжественного дня в 1952 г., когда ему была присуждена Нобелевская премия. Гонорары, выплаченные «Мерком» за проданные антибиотики, позволили Ваксману создать собственный Институт микробиологии — мировой центр микробиологических исследований.

Его влияние распространилось по всему свету. Ваксмановские исследовательские институты работают в Азии и Европе. Антибиотики спасли неисчислимые миллионы жизней. Мировым приоритетом остается организация международных усилий по доставке этих важнейших веществ в самые отдаленные уголки и бедные страны. Ваксман внимательно следил за полезным применением микроорганизмов в производстве таких продуктов питания, как сыр, вино и уксус. Однако самое важное заключается в том, что в химической войне антибиотиков он реализовал свое неканоническое заявление: «Из земли придет твое спасение».

ДЖАКОМО МЕЙЕРБЕР
(1791—1864)

Рожденный Якобом Либманом Бером в Берлине в семье богатых банкиров и торговцев, Джакамо Мейербер славится прежде всего созданием Большой оперы. Его влияние, поначалу сказавшееся на операх Верди, Вагнера и Бизе, распространилось и на двадцатый век. Роскошные постановки Флоренца Цигфельда и Эндрю Ллойда Уэббера обязаны своей пышностью и блеском Мейерберу. Музыкальный стиль Мейербера стал антитезой стиля более молодого и мягкого коллеги Мендельсона, поскольку раздумью он предпочел напыщенные жесты, захватывающие эффекты, перезрелую мелодраму, нескончаемую сентиментальность и большую длительность. Ни один композитор до Рихарда Штрауса не был так популярен и не зарабатывал столько денег.

Попав (как и Мендельсон) еще в юные годы в питательную культурную среду, Мейербер учился играть на фортепьяно у великого Муцио Клементи, а композиции и теории — у Карла Фридриха Цельтера (учившего и Мендельсона) и у знаменитого теоретика аббата Фоглера в Дармштадте. В этом городе вместе с ним учился Карл Мария фон Вебер, автор «Вольного стрелка», позже признанного первой великой оперой немецкого романтизма. Фоглер устроил Мейербера придворным композитором. К двадцати пяти годам он приобрел также известность пианиста-виртуоза.

Антонио Сальери, знаменитый соперник (и предполагаемый убийца) Моцарта, пробудил в Мейербере интерес к изучению итальянской мелодичности. Мейербер сочинял удивительно удачные оперы на итальянские либретто, соперничая в этом с великим Россини. Но только после переезда в Париж и постановки опер «Роберт-Дьявол» и «Гугеноты» к Мейерберу пришла международная слава. Эти сочинения (вместе с последовавшими затем «Пророком» и «Африканкой») стали основой стиля большой героико-романтической оперы, сочетающей грандиозный спектакль и героические образы.

Большая опера явилась совместным изобретением Мейербера и его выдающегося либреттиста Эжена Скриба. Эта форма отвечала невысоким вкусам нового правящего класса — буржуазии, выросшей в торговле и промышленности развивавшейся Европы. До Мейербера больших опер было немного. В период Возрождения за шедеврами Монтеверди последовали барочные драмы Генделя, затем классический театр Моцарта и Бетховена и удивительно остроумные сочинения Россини. Изобретение Мейербером большой оперы изменило взгляд композиторов на сцену. Десять великих опер Вагнера и более двадцати опер Верди свидетельствуют о прямом влиянии Мейербера на их содержание и форму. Мейербер экспериментировал с оркестровым исполнением, и каждое новое его сочинение исполнялось все большим составом оркестра. Слушателю приходилось прилагать немало усилий, чтобы понять, впервые слушая оперу Мейербера, какой композитор является ее автором: ранний Вагнер или ранний Верди?

Заимствования Мейербером французских, немецких и итальянских музыкальных образцов отразились в его имени. Якоб стал Джакомо, Бер было слито с фамилией деда по материнской линии — Мейер, и это сочетание итальянского имени с новой немецкой фамилией носил композитор, писавший свои оперы главным образом на французском языке.

Интернационалист Мейербер включал в свои произведения и исторические события многих стран. Его выбор темы повлияет на исторически корректные сочинения Верди («Жанна д'Арк» и «Аида») и Вагнера («Риенци» и «Нюрнбергские мейстерзингеры»). Мейербер стал изобретателем и современной пресс-конференции, приглашая в свой прекрасный дом группы журналистов для пространных интервью.

Хотя Мейербер и не был плодовитым композитором, его оперы были самыми популярными в то время, затмевая Россини и других композиторов бельканто, особенно во Франции и Германии. И все же его творчество не отличается в конечном счете большим числом великих музыкальных произведений. Оно скорее является компиляцией французского, немецкого и итальянского стилей, соединенных в яркое и цветастое лоскутное одеяло. После огромного первоначального коммерческого успеха и оказания поразительного влияния на молодых композиторов оперы Мейербера канули в забытье, если не считать редкого возобновления отдельных постановок.

ИСААК ЛУРИЯ
(1534—1572)

Многим из того, что нам известно о каббалисте XVI в. Исааке бен-Соломоне Лурии, мы обязаны трудам Гершома (Герхарда) Шолема — друга детства философа Вальтера Беньямина, позже профессора еврейского мистицизма в Еврейском университете в Иерусалиме. Раскрывая таинства каббалистики в ряде книг и лекций, Шолем исследовал примечательные биографии и труды еврейских мистиков, мудрецов, еретиков и святых. Шолем оценивал Лурию как самого влиятельного каббалиста в еврейской истории. По мнению Шолема, каббалистика Лурии была последним великим раввинским движением, затронувшим евреев повсеместно.

Лурия был известен своим последователям по псевдониму Ха-Ари

(«священный лев»), производному от инициалов на древнееврейском «божественный раввин Исаак». Вне европейского, ближневосточного или испанского окружения он был известен своим последователям в Галилее как раввин Исаак Ашкенази.

В отличие от многих известных фигур в истории иудаизма Лурия оставил немного крупных сочинений. Любопытным образом схожий с Иисусом из Назарета Лурия известен главным образом по воспоминаниям своих учеников. Лурия был духовидцем; он говорил своим ученикам что общается с душами умерших праведников, и указывал их забытые могилы во время прогулок по городу Сафеду и окрестностям.

Очень мало известно о его молодости. Его отец эмигрировал в Иерусалим из Польши или Германии, женился на женщине из сефардской семьи и умер, когда Исаак был еще совсем молодым. Исаак был воспитан своей овдовевшей матерью в доме ее брата-крестьянина в Каире. В Египте Исаак учился закону Моисееву у выдающихся учителей, стал его знатоком и торговал перцем и зерном.

Когда ему было двадцать с чем-то лет, он бросил торговлю и свою молодую жену (дочь дяди), чтобы провести затворником семь лет на острове на Ниле, занимаясь самообразованием. Он погрузился в священную книгу каббалистики «Зогар» и в мистические сочинения своих современников, в том числе и влиятельного Моисея Кордоверо. В тот период Лурия написал свою единственную значительную работу — комментарий к одному разделу «Зогара». Малый объем работы, указывал Шолем, обнаруживает вселенную мистической зрелости Лурии.

После непродолжительной учебы у Моисея Кордоверо Лурия собрал группу учеников в своем новом доме в Сафеде. Во времена Лурии Галилея снова стала центром откровения. Лурия проповедовал, и его ученики записывали его проповеди. Самым известным из его учеников стал Хайим Виталь, сохранивший для грядущих поколений сокровищницу мыслей Лурии в книге «Древо жизни». Мысль Лурии могла быть понята только человеком, прошедшим через «врата» знания.

Мистицизм Лурии основывался на принципе, который он сам называл «цимцум» («уход»). По мнению Лурии, наша вселенная появилась, когда Бог уменьшил Себя: теория «большого взрыва» была объяснена в терминах каббалистики за долгие столетия до ученых XX в.

Когда Бог создал космос, вспыхнул божественный свет, который Бог перехватил для своих особых целей в создании небесных светил, вещей и живых существ в магических чашах или сосудах. Когда сосуды были разбиты, началась сумятица жизни.

Шолем отмечал, что мистическая философия Лурии была «пронизана мессианским напряжением». В отличие от Кордоверо, считавшего, что жизнь полна беспорядка, Лурия учил, что мы живем в «мире возмещения», или «тиккуне». Только благодаря восстановлению внутреннего и внешнего миров нашей вселенной с помощью молитвы и нравственного поведения (сделав идеальным и совершенным наше существование) мы будем спасены и подготовлены к неизбежному пришествию Мессии. Спасение каждого еврея необходимо для спасения всех.

Когда во время эпидемии Лурия умер в возрасте тридцати восьми лет, его последователи, прежде всего Виталь, распространили его рассуждения в форме, по определению Шолема, «биографий святого». Луриева каббала особенно укрепила культ сефардов, но и придала провидческий пыл претензиям лжемессий Шабтая Цви и Якоба Франка. Наиболее важным вкладом Лурии стала известная философская структура, приданная им иудаизму. Ибо под всеми талмудистскими рассуждениями, приверженностью букве закона и ритуалами проглядывают его видения света, вечно ищущие возвращения к началу творения.

ГРЕГОРИ ПИНКУС
(1903—1967)

Его имя не получило широкой известности. Тем не менее неизмеримо его влияние на нашу репродуктивную жизнь. В начале 1950-х гг. в Бостоне Грегори Гудвин Пинкус и его сотрудники разработали противозачаточную таблетку.

Таблетка стала фармацевтическим чудом. Она содержит почти на 100 процентов эффективный реагент. Таблетка изменила планирование семьи по всему свету. Озабоченные слишком быстрым ростом населения правительства узаконили ее использование. Грегори Пинкусу приписывают главную заслугу в изобретении этой таблетки.

Пинкус посвятил свою жизнь изучению размножения млекопитающих. После первой оригинальной работы «Яйца млекопитающих» он написал в соавторстве с коллегами еще более 350 научных трудов по гормонам, старению, метаболизму, генетике и бесплодию грызунов и оказался в центре исследований воспроизводства в XX в.

Пинкус родился в Нью-Джерси, учился в старейших университетах Новой Англии и участвовал вместе с известными специалистами в современных исследованиях по генетике, физиологии животных и репродуктивной биологии в Кембридже и Берлине. После работы по проблеме последствий стресса для американской армии во время Второй мировой войны он основал Вустерский фонд экспериментальной биологии. Фонд стал международным центром исследований размножения млекопитающих и стероидных гормонов. Пинкус также инициировал проведение крупных ежегодных конференций и издание интересных работ по гормонам.

После войны знаменитая первооткрывательница в области ограничения состава семьи Маргрет Сенгер вдохновила Пинкуса и его коллег на воспроизводство в лабораторных условиях синтетических соединений, которые при оральном принятии могли бы предотвратить беременность. Другие ученые одновременно изучали воздействие вновь созданных гормонов на размножение, но именно Пинкус согласовывал и приспосабливал эти исследования к людям. Употребляемая внутрь противозачаточная таблетка предотвращала беременность, препятствуя овуляции и оставляя женские органы размножения физически полноценными, но бездействующими, пока не возникала нужда в беременности.

Хотя окончательно не определены ее долгосрочные последствия, систематически употребляемая таблетка стала необычайно эффективным средством планирования рождаемости. В США, например, резко увеличилось использование противозачаточной таблетки. Многие женщины употребляют ее даже в конце детородного возраста. Пошли на убыль опасения вредных последствий. В сравнении с другими, гораздо менее эффективными методами предупреждения беременности таблетка стала (помимо стерилизации) самым желанным способом.

Некоторые наблюдатели за контролем над рождаемостью — например, Совет по народонаселению — называли употребление таких противозачаточных средств, как таблетка, столь же революционным, что и изменения в развитии сельского хозяйства в странах Третьего мира. Предупреждение беременности в развивающихся странах привело к уменьшению средней рождаемости с шести детей на каждую мать в 1965 г. до менее четырех (3,9) в наши дни. При правильном подходе такое существенное снижение рождаемости может привести к стабилизации демографического прироста в следующем веке и одновременно к положительным изменениям в обеспечении продовольствием, образовании и снижении смертности.

Таблеткой также объясняется в основном сексуальная революция конца 1960-х и начала 1970-х гг. Пока угроза СПИДа не охладила пыла свободного сексуального поведения, освобождение от страха перед нежеланной беременностью с помощью таблетки позволило множеству женщин заниматься добрачным и даже супружеским сексом, не сдерживая себя. Сексуальное освобождение бросило серьезные вызовы традиционным еврейским ценностям и этике.

Употребление противозачаточной таблетки для предупреждения беременности поставило также моральные вопросы, которые подвергли сомнению основные догматы организованной религии. Правоверные иудеи и христиане, соблюдающие римско-католические ритуалы, не только выступают против абортов, но и считают таблетку отвратительной с моральной точки зрения. Официальная установка Ватикана и правоверного еврейства на отказ от предупреждения беременности дала неожиданный результат, отвратив многих от религии.

Таблетка также дала женщинам — по мнению сторонников планирования рождаемости — благоприятную возможность управлять собственным телом. Эта свобода выбора будет иметь столь же длительное, что и сексуальная революция, воздействие на человечество, на отношения женщин и мужчин и на развитие культуры.

ЛЕВ ТРОЦКИЙ
(1879—1940)

Один из руководителей Русской революции, «истинный революционный вождь», правая рука Ленина и заклятый враг Сталина, Лев Троцкий (урожденный Лев Давидович Бронштейн) был одним из самых влиятельных и ненавистных политиков современной истории.

Основав газету «Правда»*, Троцкий обеспечил в значительной степени интеллектуальную базу мятежа, хотя сам он поздно пришел к большевизму. Он показал Ленину, как можно использовать выборные Советы для укрепления власти. Троцкий был одним из организаторов вооруженного переворота, благодаря которому было свергнуто Временное правительство Керенского и установлена власть коммунистов. Являлся народным комиссаром по военным и морским делам и председателем Реввоенсовета Республики. Троцкий фактически создал Красную армию и использовал ее для жестокого подавления массовых гражданских волнений, охвативших Россию после революции.

Когда отпала необходимость в его способностях руководить насильственной революцией и вести Гражданскую войну, Троцкий оказался не в состоянии стать «аппаратчиком» или бюрократом молодого советского государства. Будучи чрезмерно тщеславным и высокомерным, Троцкий не обладал ни политическим искусством Ленина, ни изворотливостью Сталина. В дни правления медленно угасавшего Ленина Троцкий откровенно скучал на всевозможных партийных собраниях, пока Сталин не спеша укреплял базу собственной власти. Недооценка Троцким Сталина и его гордый отказ от политической борьбы привели к падению и высылке из СССР в 1929 г.

В 1930-х гг. Сталин очистил партию почти от всех ее отцов-основателей, организовав показательные процессы и казни. В 1940 г. секретные агенты Сталина попытались убить Троцкого в ходе напа-

---

* Троцкий издавал газету под названием «Правда» в 1908—1912 гг. История ленинской «Правды» начинается с 5 мая 1912 г. (*Прим. ред.*)

дения на его укреплен-
ный, как крепость, дом в
Мехико с использовани-
ем пулеметов и гранат, но
неудачно. Вскоре агент
НКВД Рамон Меркадер,
вошедший в доверие
Троцкого, добился ауди-
енции у революционера и
проломил ему череп ле-
дорубом. На следующий
день Троцкого не стало.

Злая ирония заключа-
ется в том, что Троцкий
ненавидел в себе еврея.
Многие известные рево-
люционеры того времени
были евреями. Такие ре-
волюционные вожди, как
Роза Люксембург в Гер-
мании и Бела Кун в Вен-
грии, были «нееврейски-
ми» евреями. Они либо
отрицали свою принад-
лежность к древнему народу, либо из кожи вон лезли, лишь бы унизить своих собратьев. На одном из первых съездов российских мар-
ксистов Троцкий безжалостно разгромил БУНД — Всеобщий еврейский рабочий союз. Во время Гражданской войны в России он также
не обращал внимания на погромы, обрушившиеся на его народ.

Всю свою взрослую жизнь он готовил революцию. Сын богатого
крестьянина, Лев Давидович Бронштейн был сослан, когда ему едва
исполнилось двадцать лет, в Сибирь за подрывную деятельность
против царского режима. В Сибири он женился на революционер-
ке Александре Львовне Соколовой, стал отцом двух дочерей, Зина-
иды и Нины. В 1909 г. бежал в Англию (с благословения жены, но
без семьи), взял себе псевдонимом имя и фамилию своего тюрем-
щика — Лев Троцкий и стал личным пропагандистом Ленина. Ленин направил Троцкого обратно в Россию на подпольную работу.
Троцкий организовал рабочие советы и в 1905 г. — во время «гене-
ральной репетиции» переворота 1917 г. — возглавил неудачную попытку свержения правительства. Его осудили, заключили в тюрьму

и опять сослали в Сибирь, откуда он снова бежал и добрался до Америки. В 1917 г. вслед за Лениным он вернулся в Россию и вместе с ним возглавил Октябрьский переворот, в результате чего коммунисты захватили власть в России и правили более семидесяти лет.

Троцкистское понимание перманентной революции, разворачивающейся на международной арене, едва не стало реальностью. И Троцкий, и Ленин полагали, что их идея пролетарской революции перекинется в Германию, Францию и Англию и окрасит европейский флаг в красный цвет. Революция в России позднее послужила примером для восстаний в Китае, Вьетнаме, Корее и на Кубе. Аграрные в своем большинстве государства Третьего мира более склонны к восприятию коммунизма, нежели промышленно развитые страны.

Все 11 лет жизни в изгнании (1929—1940) Троцкий прилагал большие усилия по разоблачению сталинского террора. Разумеется, Троцкий не был либеральным демократом, а верил в полное верховенство коммунистической партии.

И, наконец, коротко о судьбе двух его сыновей от второго брака с Натальей Александровной Седовой (с ней он жил в гражданском браке с 1903 г.). Лев Седов был активным троцкистом, сопровождал отца в эмиграцию и умер в 1938 г. в Париже при загадочных обстоятельствах «от аппендицита». Напротив, Сергей Седов ушел из дома, так как ему была «противна политика» отца. Он работал инженером на Красноярском машиностроительном заводе. В 1937 г. обвинен в попытке отравить генераторным газом группу рабочих, арестован и расстрелян.

ДАВИД РИКАРДО
(1772—1823)

Значительная часть современной экономической и политической теории была впервые сформулирована в конце восемнадцатого и начале девятнадцатого веков такими британскими мыслителями, как Адам Смит, Томас Мальтус, Иеремия Бентам, Джеймс Милль и его сын Джон Стюарт Милль, а также еврей сефард Давид Рикардо. Вместе со Смитом Рикардо считают основателем «классической школы» политэкономии.

Родители Рикардо — голландские евреи иммигрировали в Англию в 1760 г. Абрахам Рикардо был известным брокером Лондонской биржи и правоверным

иудеем, который отправил своего сына Давида в Голландию изучать Талмуд. В четырнадцать лет Давид уже работал с отцом на бирже, проявив недюжинный талант к бизнесу. Примечательно, что Давид Рикардо был одним из немногих экономистов в истории, которые были не только теоретиками, но и удачливыми бизнесменами.

Несмотря на традиционное воспитание, в возрасте двадцати одного года Давид оставил иудаизм, перешел в унитарную церковь и женился на дочери квакера. Родители Рикардо отреклись от него (разлука продлилась восемь лет), и ему пришлось самому заботиться о себе. Он добился поддержки со стороны известного банковского дома, а вскоре и финансовой независимости.

Продолжая работать на бирже, Рикардо увлекся некоторыми интеллектуальными занятиями и остановился на экономической теории в 1799 г. после почти случайного ознакомления с «Богатством наций» Адама Смита. Первая брошюра Рикардо по экономической науке (опубликованная в 1810 г.) была названа «Высокая цена золотого слитка — доказательство обесценивания банкнот». Эта работа, какой бы путаной она ни показалась сегодня, вызвала в свое время споры, обусловившие создание в палате общин комитета по исследованию вопроса и подготовке поправок к законодательству. В статье давались также рекомендации касательно метода оценки валюты и роли центрального банка в регулировании денежных запасов (эти проблемы до сих пор преследуют Федеральный резервный банк США).

Рикардо завязал переписку с ведущими экономистами своего времени. Многие из своих самых важных теоретических идей он первоначально изложил в письмах Мальтусу, Бентаму и Миллю Старшему. В 1815 г. Рикардо опубликовал «Эссе о влиянии низкой цены на зерно на прибыли биржи». В нем впервые были заявлены основополагающие принципы экономической науки Рикардо. На точном языке теории он обозначил роль заработной платы в колебаниях цен (повышение зарплаты не увеличивает цены); указал, как увеличить прибыль (только путем уменьшения заработной платы) и каково значение производства продовольствия для общего обогащения общества. Годом позже Рикардо написал «Предложения по экономному и надежному денежному обращению» — еще одно свидетельство его заботы о стабилизации денежного запаса.

В 1817 г. увидело свет его главное сочинение «Принципы политической экономии и налогообложения». Развивая свои теории «Экономного и надежного денежного обращения», Рикардо заложил основу монетарной политики капиталистических стран более чем на столетие. Он разъяснял теории («регулирующие законы») производства, дохода и экономического контроля, описал, как и почему люди потребляют и инвестируют, используют и непроизводительно расходуют то, что имеют. С почти научной доскональностью Рикардо пытался объяснить механизмы международной торговли и ее воздействия на национальные экономики. Он предложил концептуальную методику, сохраняющую свое значение до сих пор, и первым определил экономическую науку как набор принципов, имеющих отношение к материальному богатству.

Интерес Рикардо к экономике привел его к участию в политике. В 1819 г. он стал вторым евреем по происхождению, избранным в парламент, в котором и оставался до своей смерти в 1823 г.

Многие из теорий Рикардо были отброшены за ненадобностью более поздними теоретиками. Тем не менее его влияние на Джона Стюарта Милля и Карла Маркса доказано документально. Узкий, квазинаучный подход Рикардо, почти не оставляющий места для общественного философствования, продолжает до сих пор завоевывать приверженцев.

АЛЬФРЕД ДРЕЙФУС
(1859—1935)

«Смерть Дрейфусу! Смерть евреям!»

Эти вопли ненависти повисли 5 января 1895 г. в ледяном воздухе над плацем парижского военного училища. Безупречно одетый капитан Альфред Дрейфус, гордо стоявший по стойке «смирно», был публично унижен толпами военнослужащих и гражданских лиц. Унтер-офицер срезал с формы Дрейфуса пуговицы и знаки различия, затем схватил его шпагу и переломил о колено. Дрейфуса провели по плацу под злобные крики и проклятия. Он прокричал: «Я невиновен!» — но толпа издевалась над ним. Дрейфуса увезли отбывать пожизненную каторгу на наводящем ужас Дьявольском острове.

Дело Дрейфуса, которое французы называли просто «Делом», получило широкую известность в конце XIX — начале XX в. Оно породило пагубное разрастание поддерживаемых государствами репрессивных кампаний, достигших своей кульминации при нацистской тирании. «Дело» покончило с мифом, будто общество с высокой культурой обладает иммунитетом от нерациональной ненависти, будто передовая цивилизация может остудить безумные предрассудки. Прекрасная эпоха 1890-х гг. в Париже, эпоха Ренуара, Тулуз-Лотрека, Дебюсси и Эйфеля была навсегда запятнана большой ложью, фанатизмом и страхом. Благодаря лишь доблестным, поистине героическим усилиям писателя Эмиля Золя, политика Жоржа Клемансо, подполковника Жоржа Пикара и других «дрейфусаров» вновь были подтверждены идеалы Французской революции, и Дрейфус был освобожден.

В самом Дрейфусе не было ничего примечательного. Родом из состоятельной эльзасской семьи, он был властным, честолюбивым и где-то даже пижонистым. Его сторонники считали его человеком неидейным. Если бы жертвой не был он сам, Дрейфус не поддержал бы обвиняемого. Такое дело ничуть не взволновало бы его. Примечательна скорее его история, нежели его личность.

Истоки дела Дрейфуса следует искать не в еврейских делах, а в многовековом антагонизме, разделявшем Францию и Германию, и в незначительном антисемитизме, бытовавшем в вооруженных силах. В начале 1870-х гг. Франция потерпела поражение в войне с Пруссией. Промышленно развитый регион Эльзас-Лотарингия был захвачен немцами и возвращен только после Первой мировой войны. Французские власти во всем подозревали немцев и считали необходимым постоянно шпионить за своим противником.

Обеспокоенный внезапной пропажей военных карт некий майор Анри из Информационного бюро французского Генерального штаба попросил горничную немецкого посольства передавать ему бумаги, выбрасываемые в мусор немецкими дипломатами. В этих бумагах упоминался «Негодяй Д.» в качестве источника информации о французских военных секретах. Высокопоставленные руководители французского правительства приказали схватить шпиона немедленно и любой ценой.

Пока Анри находился в отпуске, другой ревностный офицер Информационного бюро выкрал из оставленного без присмотра фойе немецкого посольства целый «каталог» французских военных секретов. Этот список с указанием артиллерийских частей и обещанием представить наставление по стрельбам получит дурную славу. Информационное бюро проверило почерки офицеров Генерального штаба в надежде найти составителя указанного списка. Вскоре было выдвинуто предположение, что «Негодяем Д» является Альфред Дрейфус — пижонистый артиллерийский офицер из Эльзаса и единственный еврей в Генеральном штабе. Образцы почерка из досье Дрейфуса сравнили со списком. Почерковед пришел к заключению, что список не был написан Дрейфусом, т.е. не обнаружил никакого сходства. Для доказательства того, что только еврей мог совершить столь гнусное предательство, сходство было сфабриковано. Статистик полицейского департамента Альфонс Бертийон подтвердил, что список был составлен Дрейфусом. Военный министр из карьеристских соображений жаждал разоблачить предателя и, получив от Бертийона желаемое подтверждение, приказал арестовать Дрейфуса.

Католические газеты, объединившиеся с антисемитским листком «La Libre Parole» (издавался неким Эдуаром Дрюмоном), обрушились с резкими нападками на «шпиона» Дрейфуса. Кое-кто из иерархов католической церкви увидел в этом деле шанс восстановить свой престиж, утраченный в ходе революции и последовавшей индустриализации страны.

Они не были в одиночестве. Майор Анри с помощью своего начальника-антисемита, полковника Сандера представил перечень государственных тайн, якобы переданных противнику. Судивший Дрейфуса военный трибунал под влиянием военного министра, уверявшего, что речь идет о безопасности государства, единодушно вынес обвинительный вердикт. Дрейфуса приговорили к пожизненной каторге — разрешенной законом высшей мере наказания. Лишенный военного звания самым унизительным образом, он был отправлен в настоящий ад.

Как только Дрейфус был заточен на Дьявольском острове, французская общественность забыла о нем. Франция обезопасила себя от предателей. Дрейфус кое-как перебивался на пустынном острове в компании с надсмотрщиками, которым было запрещено разговаривать с ним, и постепенно терял всякую надежду вкупе со здоровьем.

Через год после осуждения Дрейфуса подполковник Жорж Пикар был назначен на место Сандера, ушедшего в отставку в связи с неизлечимой болезнью. Дотошный Пикар принялся изучать неясные мотивы совершения Дрейфусом столь тяжкого преступления. Пикар проштудировал досье, представленное военным министром трибуналу, которое обусловило столь быстрое осуждение. Его поразило, насколько скудным и неубедительным было якобы неопровержимое доказательство. В то же время Пикару передали небольшую карточку, которую агент французской службы наружного наблюдения вытащил в кафе из кармана немецкого военного атташе. Карточка была адресована на имя майора Фердинана Вальсена Эстергази — офицера аристократического рода с сомнительной репутацией.

Примерно тогда же Эстергази подал рапорт на занятие поста в Генеральном штабе. Пикар сравнил этот рапорт со злополучным списком. Почерк оказался идентичным. Шпионом был Эстергази! Начальство Пикара не хотело и слышать об этом. Высокопоставленные чиновники французского правительства, в том числе военный министр, санкционировали дело, и оно было закрыто.

Семья Дрейфуса начала распространять в прессе слухи о его бегстве, стараясь привлечь хоть какой-то интерес к делу. Была надежда на пересмотр дела. Антисемиты в прессе и военных кругах предприняли ответные шаги. Газеты публиковали подстрекательские сообщения о заговоре международных еврейских профсоюзов с целью освободить Дрейфуса и нанести поражение Франции. Дрейфус был закован в кандалы. Когда его надзиратель выразил протест против подобного обращения с заключенным, его уволили и заменили садистом. Обвинения Пикара против Эстергази обеспокоили майора Анри, который с помощью фальшивомонетчика добавил «новое» доказательство в досье Дрейфуса. Пикар был отправлен в Африку, а его место занял Анри. Операция прикрытия продолжалась.

Семья Дрейфуса не сдавалась. После опубликования фотокопии злополучного списка в популярной газете, брат Дрейфуса Матьё распространил по всему Парижу брошюры с копиями списка. Почерк Эстергази был идентифицирован. С помощью известного французского сенатора Огюста Шерера-Кестнера правительство предприняло расследование возможного участия Эстергази. Следствие признало недостаточным доказательство Матьё. Эстергази, со своей стороны, не согласился с таким решением и потребовал судебного разбирательства в военном трибунале.

Разбирательство в военном трибунале превратилось в фарс. Несмотря на свидетельства Шерера-Кестнера и Пикара и на представление дискредитирующих доказательств, трибунал (отталкиваясь от распухшего досье майора Анри) реабилитировал Эстергази, которого его сторонники вынесли на руках из зала суда под приветственные крики: «Да здравствуют Эстергази и армия! Смерть евреям!»

Дело Эстергази тем не менее послужило мобилизации прогрессивных сил Франции. На помощь уважаемому сенатору Шереру-Кестнеру пришли журналист, ставший позже премьер-министром Франции, Жорж Клемансо и популярный романист Эмиль Золя. Последний немедленно ответил на оправдание Эстергази блестящей статьей «Я обвиняю!», которая до сих пор является свидетельством упрямой истины на службе юстиции. Золя обвинил Мерсье и других генералов в соучастии в тяжелом преступлении. Антисемиты ответили погромами в большинстве французских городов, самый страшный из них произошел в колониальном Алжире. Правительство обвинило Золя в клевете. Он бежал в Англию, чтобы избежать тюремного заключения. Пикар был арестован и осужден по сфабрикованным обвинениям.

В конце концов правда чудесным образом восторжествовала. В 1898 г. новый военный министр генерал Годфруа Кавеньяк тщательно допросил майора Анри касательно мнимых доказательств, обусловивших осуждение Дрейфуса и оправдание Эстергази. Анри признался во всем. Кавеньяк приказал арестовать Анри, и он в ту же ночь совершил в тюремной камере самоубийство, перерезав себе бритвой горло. Эстергази, сбривший свои знаменитые усы, бежал в Бельгию.

Несмотря на все это, французское правительство и многие французы продолжали верить, что армия не может творить зло. Дрейфуса вернули во Францию — белого как лунь, измученного малярией; его высокий от природы голос стал пронзительным и гулким. Его дело слушалось еще раз, и его снова осудили. Ему предложили помилование, на которое он согласился. Клемансо и другие пришли в ярость от его трусости. Дрейфус остался при своем мнении. Позже он дослужился до генерала, защищал Париж во время Первой мировой войны, командуя артиллерийской батареей, и умер в 1935 г. — за пять лет до оккупации Франции Гитлером. Хотя Клемансо и другие левые политики возглавили правительство после убедительной победы на выборах в 1906 г., антисемитизм стал частью политики французского государства, которая привела к прямому соучастию в Холокосте. Жестокие гонители Дрейфуса в годы режима Виши во время Второй мировой войны проводили свою кровавую линию в отношении французских евреев и евреев беженцев из других стран. Гестапо нашло готовых соучастников своих преступлений в новых эстергази, дрюмонах, анри, сандерах и многих других.

В тот промозглый январский день 1895 г. на плацу, где был унижен гордый, хоть и ограниченный эльзасский офицер, оказавшийся, на свою беду, евреем, присутствовал один репортер из Вены. Это событие изменило всю жизнь Теодора Герцля. Во избежание такого рода преследований евреи должны были заиметь свою собственную родину. Из дела Дрейфуса родился сионизм.

ЛЕО СИЛАРД
(1898—1964)

Хотя Лео Силард и не получил такой широкой известности, как Альберт Эйнштейн и Нильс Бор, он был одним из самых оригинальных и плодовитых ученых XX в. Вместе с Энрико Ферми участвовал в создании первого ядерного реактора деления и в фундаментальных трудах по современной кибернетике или теории информации. Именно Силард убедил Эйнштейна написать в 1940 г. президенту Франклину Рузвельту известное письмо, которое привело к осуществлению сверхсекретного проекта «Манхэттен» и уничтожению атомными бомбами 170 тысяч японцев в Хиросиме и Нага-

саки, завершившего Вторую мировую войну. Силард принимал также активное участие в биологических исследованиях, был озабочен — особенно в последние годы жизни — ролью науки в сохранении мира и выдвинул идею «мозгового центра», в рамках которого выдающиеся мыслители могли бы соединять общественные и научные идеи в нечто новое (впервые осуществлена в Институте Солка в Калифорнии).

Родился он в Будапеште. Его отец был преуспевающим инженером и архитектором, воспитавшим троих детей в богатстве. В детстве Силард не отличался здоровьем, и мать учила его дома. Позже он изучал электротехнику, но вынужден был прервать учебу во время Первой мировой войны, когда проходил службу в австро-венгерской армии. После войны продолжил учебу в Берлине, где увлекся физикой под руководством опытных преподавателей, и постепенно делал карьеру в престижных научно-исследовательских лабораториях.

В первые годы жизни в Берлине Силард стал частым гостем в доме Эйнштейна, очаровав его своей изобретательностью и практичностью, соединенными с прекрасной теоретической интуицией. Вскоре они получили в Великобритании, Германии и США ряд патентов на тепловой насос (охладитель), который позже будет использоваться для контроля за температурой ядерных реакторов.

С приходом Гитлера к власти в 1933 г. Силард бежит из Германии в Англию. В марте 1934 г. Силард подал в Адмиралтейство заявление на секретный патент. Он добился его засекречивания из опасения, что его использование может привести к мощнейшему взрыву. Это был патент на ядерный реактор деления.

Силарда озарила идея о цепной реакции. Читая газетную заметку о надежде одного ученого на высвобождение атомной энергии, Силард отметил для себя, что, если найти такой элемент, который при расщеплении нейтронами поглотит один нейтрон и высвободит два нейтрона, то такой элемент, будучи собранным в большой массе, может поддерживать ядерную цепную реакцию.

Англичане не оказали Силарду поддержки в его исследованиях. Переехав в США в 1938 г., Силард впервые узнал, что немец Отто Ган расщепил атом урана и, следовательно, открыл деление ядра. Подтверждая полученное им позже прозвище «серого кардинала физики», Силард берет на заметку, что немецкое открытие деления ядра приведет скорее всего к высвобождению ядерной энергии через взрывное устройство.

Под эгидой Колумбийского университета Силард приступил к экспериментам по выявлению числа нейтронов, высвобождаемых при делении ядра, и по выяснению того, как они высвобождаются. Совместные с Ферми исследования привели к проведению первой управляемой цепной реакции 2 декабря 1942 г. Этот эксперимент в сочетании с написанным Эйнштейном под нажимом Силарда письмом Рузвельту побудили правительство США развернуть секретный проект «Манхэттен», в результате осуществления которого была создана бомба, положившая конец войне.

Нильс Бор предсказывал, что создание человеком ядерной энергии нереально. Сверхчеловеческими усилиями Силард и другие физики-иммигранты доказали, что Бор ошибался. Усилия же немцев оказались безуспешными из-за эмиграции таких евреев, как Силард, в Америку. В 1945 г. американские военачальники предпочли не вторгаться в Японию и не нести неисчислимых потерь, а сбросить бомбу на гражданское население. Силард, снова вместе с Эйнштейном, искал способ убедить президента Гарри Трумэна продемонстрировать японцам первую атомную бомбу без массового убийства. Решение Трумэна пренебречь их уговорами положило конец войне, но оставило незаживающую рану в истории человечества.

Несмотря на горький опыт уничтожения Токио и Дрездена обычными зажигательными бомбами (более разрушительными, чем первые атомные), человечество теперь осознало последствия ядерного холокоста.

Невероятная разрушительная сила атомной бомбы является лишь одним из способов использования ядерной цепной реакции. Открытия Силарда позволили использовать деление ядра как альтернативный (и пока еще спорный) источник энергии. Его научные достижения и политическая активность перед войной помогли Америке быть начеку перед лицом немецкой ядерной угрозы и прекратить войну на Тихом океане. Послевоенные усилия Силарда по мирному применению ядерной энергии оказали заметное влияние на принятие конгрессом законодательства, установившего гражданские механизмы контроля.

Неудивительно, что послевоенные исследования Силарда были посвящены жизни. После длительного изучения вирусов и бактерий Силард опубликовал работу о процессе старения, которая и сегодня сохраняет свое значение. Получилось так, словно ужасы атомной энергии, высвобожденной с его помощью (под руководством и при непосредственном участии его наставника Эйнштейна), побудили его искать утешение в жизнетворных тайнах биологии.

МАРК РОТКО

(1903—1970)

• Через четырнадцать лет после трагической смерти Джэксона Поллока в страшной автокатастрофе в Ист-Хэмптоне на южной оконечности острова Лонг-Айленд его великий соперник Марк Ротко совершил самоубийство в Нью-Йорке, перерезав себе вены на кистях и спустив свою кровь в раковину. Ротко говорил друзьям, что в то время, как никто не мог доказать окончательно, была ли смерть Поллока самоубийством, всем все будет понятно, когда он, Марк Ротко, завершит свой жизненный путь.

После смерти Поллока его жена, художница Ли Краснер похоронила его под большой скалой на местном кладбище недалеко от места его гибели. Благодаря известности Поллока и сенсационности его смерти (в автокатастрофе погибла еще одна молодая женщина, а его любовница была выброшена из машины в кусты и спаслась) могила Поллока на кладбище «Зеленая речка» стала своеобразным местом сбора деятелей мира искусств — мертвых и живых. Как мрачно выразился один местный житель, «все умирают, чтобы попасть сюда». Останки поэта Франка О'Хары и художников Эда Рейнхардта (повесился) и Стюарта Дэвиса захоронены рядом с Поллоком как бы в окончательном сборнике «Кто есть кто среди послевоенных деятелей искусства».

Ротко же был похоронен его другом художником Теодоросом Стамосом на небольшом погосте на северном окончании Лонг-Айленда. Стамос построил эффектный дом на сваях рядом с утесами, выходящими на пролив Лонг-Айленд. Он сделал эффектный жест (кое-кто считает, что он был нацелен на Поллока) и выбрал не столь модный и спокойный городок на северной оконечности для последнего успокоения Ротко. Надгробный камень был скромнее большого валуна Поллока. Ротко успокоился в окружении чужаков, далеких от мира искусств.

Хотя многие считают Джэксона Поллока ведущим представителем нью-йоркской школы абстрактного экспрессионизма, Марк Ротко остается ее самым человечным и экспрессивным поборником. В жизни и смерти Ротко стоит в стороне от остальных абстрактных художников. Как Поллок освободил линию от ограничений известных форм, влив в свои полотна новооткрытые энергию и дух, так Ротко добился равного успеха в освобождении цвета от реалистических пределов. В 1950 и 1960-е гг. он выразил в серии новаторских полотен силу чистого цвета, призванного пробудить глубоко прочувствованные эмоции, торжественность и величавость. Освобождение им цвета от узнаваемых схем навечно повлияло на то, как создается и воспринимается искусство.

Работу художника лучше воспринимать, нежели писать о ней. Вообразите большое полотно с блоками цвета, плывущими навстречу друг другу горизонтальными дуэтами, трио и квартетами. Все это представляется таким простым и вместе с тем просто правильным, как если бы ты никогда прежде не видел подобного взаимодействия цветов.

Абстрактные экспрессионисты (Ротко терпеть не мог этот ярлык) ответили на почти социалистический реализм периода депрессии революционными подходами к живописи. Поллок шел впереди со своими удивительно энергичными изображениями пляшущих линий. Ротко отказался от своего изначально озабоченного общественными ценностями реалистического стиля и использовал первичность цвета в аморфных формах для выражения трагедии, экстаза или рока. С помощью захватывающих колористических образов Ротко смог отобразить уникальные для своего поколения религиозность, таинственность и неподвластность времени. Ни один другой художник того времени — ни Барнет Ньюмен, ни Рейнхардт, ни Вилем де Кунинг, ни Адольф Готтлиб, ни Франц Клайн — не добивался так последовательно, как Ротко, непосредственности чувства и мысли типичным для него трением цветов — радужных и меняющихся, трепещущих или сдержанных, но всегда живых (во всяком случае, до мрачных последних лет жизни).

Он родился Маркусом Ротковичем в Латвии, откуда также вел свое происхождение Аарон Копленд. Его отец был преуспевающим фармацевтом и записал своего младшего сына Маркуса в еврейскую начальную школу — хедер. Подобно многим евреям того времени опасавшийся призыва двух старших сыновей в русскую армию, отец увез в 1913 г. семью в Америку. По прибытии они изменили свою фамилию на «Ротковиц», двинулись на запад и обосновались в Портленде, штат Орегон. Воспитывавшийся овдовевшей матерью (отец внезапно умер вскоре по прибытии в Орегон) Ротко провел свои юные годы в бедности. Тем не менее в начале 1920-х гг. он отправился в Йельский университет, но не закончил учебы, а немного проработал актером (у него даже учился Кларк Гейбл) и переехал в Нью-Йорк, чтобы учиться живописи в Лиге искусства, возглавлявшейся в то время Максом Вебером. Вскоре он женился, похоже, только ради женитьбы, был очень несчастлив в браке и нанимался на низкооплачиваемые работы ради содержания семьи. В конце концов получил помощь от великого коллектива художников, созданного в рамках «Нового курса» президента Франклина Рузвельта, — «Администрации прогресса труда» (АПТ). Работая в годы депрессии на АПТ, он познакомился с Кунингом, Готлибом и Поллоком. В связи с надвигавшейся войной в Нью-Йорк прибыли многие из великих европейских художников, опасавшихся нацистской угрозы. Сочетание европейского влияния, депрессии и американского патриотизма послужило катализатором, ибо в начале сороковых годов стал меняться стиль многих молодых художников Америки, что отметило наступление золотого века современного искусства. К концу войны Ротковиц поменял фамилию на Ротко, развелся с первой женой, вновь женился (на этот раз счастливо), отказался от своей первоначально реалистической живописи и постепенно все больше преуспевал в абстрактном стиле.

После войны Нью-Йорк стал мировой столицей искусства (хотя многие еще не осознали этого). Великие беженцы из Европы вернулись домой, оставив более молодым мужчинам и женщинам развитие их уникального художественного стиля. Работы тех художников, в основном нью-йоркцев, экспонируются сегодня в самых престижных галереях. В конце же 40-х гг. они не могли продать ни одной картины. АПТ собрала многих из них вместе, и они оказывали постоянное воздействие друг на друга, часто посещали мастерские того или иного из них, собирались компаниями, чтобы выпить и обсудить литературу и политику, отвергали условные нравы общества и часто отождествляли себя с несчастными бедняками. Они начали выставлять свои работы — часто вместе — в нескольких галереях, владельцы которых признавали их таланты. Они экспериментировали с новыми концепциями формы, линии, цвета и образа. Их послание часто выражалось в использованных материалах, а не в использовании материалов.

Будучи ярким представителем нью-йоркской школы, Ротко никогда не забывал включить в свои полотна сильные эмоциональные послания. Он добивался от своих зрителей не только интеллектуального отклика или возбуждения, но и прежде всего проявления их самых глубоких чувств и потребностей.

Поскольку его искусство завоевывало все более широкое признание, Ротко подобно многим из его поколения не знал, как ему реагировать на это. Невероятные всплески эмоций, необходимые для его искусства, были для него тяжелым испытанием. Он завел неудачные деловые отношения, которые позже привели к большому скандалу вокруг его имущества и похищению многих его картин. Его яркие цвета постепенно приобретали все более темные оттенки, отражая его мрачное настроение. Растущая слава приносила Ротко повышенные вознаграждения и даже заказ богатой семьи Менилов из Хьюстона на строительство часовни с большими фресками. Эти темные, наводящие на раздумья работы в сменяющих друг друга коричневых и черных тонах скорее унылы, нежели трагичны, являются скорее криками боли, нежели величественными символами. После оформления часовни Менилов его последние картины продолжали демонстрировать темнейшие из доступных оттенков. Хотя они и были более экспрессивными, от них все же веяло холодом и усталостью.

Пока Поллок шел вперед, превращая активные линии в чистые абстракции, Ротко запечатлевал цвета с чувством, отказываясь от образов, срисованных с реальных вещей. Напряжение в его картинах часто проистекало из элементарной силы самих цветов. Например, его заботило, какую эмоцию может вызвать в зрителе сочетание определенного оттенка желтого с определенным оттенком красного или фиолетового. Ротко не давал названия своим картинам, а отмечал их датами. Зритель просто реагировал на то, что видел на полотне, без какой-либо подсказки в виде будничных образов или литературных и исторических источников. Чистое искусство ради искусства, цвета, незаметно переходящие в другие цвета, были призваны увести нас от боли реального мира в видения бесконечности.

ФЕРДИНАНД КОН

(1828—1898)

Магия науки обнаруживает себя, когда исследование, ведущееся с определенной целью, дает неожиданный результат. Дитя еврейского гетто в немецком городе Бреслау (Вроцлав) Фердинанд Юлий Кон учился на ботаника. Его исследования таких микроскопических растительных организмов, как грибы и водоросли, были поистине новаторскими и сыграли немаловажную роль. И они привели Кона к невообразимым открытиям в совершенно иной области — бактериологии.

Кон перенес свое внимание с растений на иные, но удивительно похожие живые существа под названием «вибрионы» (форма бактерий). Он считал эти бактерии формой растительной жизни, а не животной, как полагали в то время ученые. Такое определение и его открытие спор заложили фундамент современной бактериологии.

Сын торговца Кон был вундеркиндом, хотя поначалу считался умственно отсталым и трудным. Превозмогая дефект слуха, он изучал любимую ботанику в университете Бреслау. Из-за еврейского происхождения ему было отказано в ученой степени. Несмотря на освобождение из гетто, на протяжении почти всего XIX в. в большинстве европейских стран евреи не обладали равными правами. Кон рискнул перебраться в Берлин, где получил докторскую степень в возрасте девятнадцати лет. Помимо изучения микроорганизмов он заинтересовался революционной политикой. Во время восстания 1848 г. Кон заявил о своей полной поддержке революционеров и, когда последовали репрессии, потерял место преподавателя в прусской столице. В двадцать два года он вернулся в Бреслау, где и прожил большую часть своей жизни. Став университетским преподавателем, Кон приступил к изучению жизни клеток самых крошечных существ.

В 1850-х гг. ученые искали в клеточной структуре саму субстанцию жизни. Кон был уверен, что нашел движущую силу жизни в одном-единственном материале, названном протоплазмой. Хотя его исследование протоплазмы и сыграет большую роль в девятнадцатом веке, оно было лишь временной остановкой на пути к значительно более важному исследованию.

В опубликованной в 1854 г. крупной работе по грибам и водорослям Кон идентифицировал бактерии под названием «вибрионы», утверждая, что это — форма растительной жизни, а не жизни животных. Вибрионы считались животными, поскольку они быстро перемещались, приводимые в движение жгутиками или длинными усиками. Знающий ботаник Кон видел, чем вибрион походит (хоть и отличается) на грибы и водоросли. К тому же он заметил, что эта бактерия развивается особым образом, удивительно схожим с ростом водорослей.

Основав престижный институт физиологии растений, Кон начал вторую фазу своей карьеры, изучая главным образом бактерии. Он приступил к изданию академического журнала для публикации своих находок. В журнале появятся статьи, которые послужат фундаментом современной бактериологии. Самый крупный вклад Кона в тот период включал классификацию бактерий по группам согласно их форме; открытие, что грибы и бактерии не имеют генетической связи и что бактерии питаются весьма похоже на растения, потребляя азот из того же источника, а углерод иначе (бактерии любят углеводы), и определение температур, при которых бактерии могут выжить (они могут быть заморожены, чтобы вновь расти после оттаивания или их можно убить кипячением при восьмидесяти градусах по Цельсию). Кон оказал также заметное влияние на изыскательские работы Роберта Коха, который выделил возбудителя сибирской язвы и тем самым революционизировал животноводство.

Как отец современной бактериологии, Кон заслуживает включения в список 100 великих евреев. Его анализ и составление каталога бактерий позволили другим ученым не только определить опасность бактерий для здоровья и гигиены, но и создавать эффективные средства защиты в непрекращающейся войне человечества с микробами.

СЭМЮЭЛ ГОМПЕРС
(1850—1924)

Сэмюэл Гомперс был организатором профсоюза работников сигарного производства, основателем и первым председателем Американской федерации труда (АФТ) и лидером поистине классовой борьбы за справедливую заработную плату, обоснованную длительность рабочего времени, с его помощью были приняты законы о детском труде, о регулировании трудовых отношений и выплат трудящимся, о праве на коллективные трудовые договоры, о забастовках и бойкотах для достижения экономических уступок. За последнее столетие объединенные в профсоюзы трудящиеся не только в Америке, но и по всей Европе многим обязаны этому неутомимому человеку.

Возможность объединения трудящихся представляется сегодня почти неотъемлемым их правом. До Гомперса это было не так. Во времена потогонной системы труда рабочие были бесправными. Мужчины, женщины и дети трудились целыми днями и ночами по шесть-семь дней в неделю в нечеловеческих условиях и за мизерную плату. Многие из тех трудящихся были евреями, в своем большинстве беженцами от царских гонений в России и Польше, искавшими в Америке лучшую долю, но столкнувшимися с невзгодами, трудными условиями труда и вырождением.

Гомперс родился в Лондоне в 1850 г. у Соломона Гомперса и Сары, в девичестве Руд. В 1863 г. семья эмигрировала в Америку, где Соломон стал опытным изготовителем сигар. Сэмюэл последовал примеру отца, пройдя обучение в небольших сигарных компаниях. Сэмюэл женился на еврейке Софии Джулиан, также родившейся в Лондоне, но никогда не исповедывал иудаизм (разве что носил в пожилом возрасте шапочку кантора, чтобы скрыть лысину). Сначала культура этики, а затем синдикализм вытеснили его истоки веры.

После Гражданской войны механические средства массового производства возобладали над искусством свертывания сигар вручную. Дешевый труд обеспечивали обитатели трущоб, в большинстве своем новые иммигранты из Богемии. Под угрозой потери средств к существованию на фоне общенациональной экономической депрессии 1880-х гг. квалифицированные изготовители сигар организовали профсоюз. Гомперс стал организатором местного союза и получил известность как талантливый оратор. Вскоре его избрали председателем местного союза. Из-за своей профсоюзной деятельности Гомперс потерял работу на несколько месяцев, и его семья перебивалась буквально подаяниями родственников. Жизнь профсоюзного активиста нельзя было назвать легкой.

Гомперс вскоре получил известность по всей стране. Он признавал, что профсоюз не может устоять перед передовыми методами производства или перед наплывом множества неквалифицированных рабочих. «Новый синдикализм» Гомперса признавал необходимость централизованного руководства забастовочным движением (вместо непродуманных и потому неэффективных стачек, которые так нравились табачникам), обеспечения безработных пособиями, координации местных выступлений с деятельностью общенационального профсоюзного руководства и освещения профсоюзной проблематики в газетах и журналах.

В связи с провалом усилий самого крупного национального объединения трудящихся — Ордена рыцарей труда в 1887 г. Гомперс основал Американскую федерацию труда. Тридцатисемилетнего Гомперса избрали первым председателем АФТ, и этот пост он занимал на протяжении тридцати восьми лет (за исключением одного года отдыха) до своей смерти. В первые дни существования АФТ Гомперс был ее единственным штатным работником. Он начал издавать газету АФТ, создал забастовочный фонд и собрал «под одним зонтиком» весьма отличные и порой конфликтующие между собой профсоюзные движения. Многие годы АФТ объединяла главным образом квалифицированных рабочих, занятых на мелких производствах. Гомперс отказывал в приеме иммигрантам и неквалифицированным рабочим. Он публично выступал против иммиграционной политики «открытых дверей» (такой позиции крупнейшие профсоюзы продолжали придерживаться в 1990-е гг., выступая против Зоны свободной торговли Северной Америки), высказывая особое негодование относительно иммигрантов из Китая. Сам будучи иммигрантом еще маленьким мальчиком, он предпочел пренебречь собственным прошлым.

Гомперс остается противоречивой фигурой в истории профсоюзного движения. Он основал первую крупную федерацию профсоюзов, преданную основополагающим принципам этого движения. Однако он считал первостепенными цели тред-юнионизма. Период между Гражданской войной в США и Первой мировой войной ознаменовался злобной враждебностью к профсоюзному движению. Все, что вставало на его пути, следовало преодолевать любой ценой. Гомперс добивался уважения к профсоюзному движению, что было отнюдь не легко в эпоху крайне яростного анархизма, полного энергии социализма и распространенного радикализма. Возглавив Военный комитет труда во время Первой мировой войны и энергично выступив против «красного ужаса», последовавшего за русской революцией, Гомперс завоевал уважительное отношение к своей федерации. Он также активно продвигал первые законы о защите детского труда и о восьмичасовом рабочем дне и добился выплаты компенсаций рабочим, пострадавшим на производстве. Его недальновидность, проявившаяся в отказе в приеме полуквалифицированных и неквалифицированных рабочих в АФТ, была поправлена ее слиянием в 1955 г. с Конгрессом производственных профсоюзов (КПП), который объединял многие из вышеуказанных категорий рабочих.

Будучи неутомимым путешественником, глава АФТ проезжал по стране десятки тысяч миль в год, расхваливая достоинства тред-юнионизма. В одной такой поездке в Сан-Антонио в 1924 г. Гомперс умер, оставив будущее профсоюзного движения в руках в основном менее достойных руководителей.

АЛЬБЕРТ МАЙКЕЛЬСОН
(1852—1931)

Альберт Абрахам Майкельсон стал первым американским ученым, удостоившимся Нобелевской премии (первым американцем, награжденным ею, был президент Теодор Рузвельт, отмеченный за вклад в прекращение в 1905 г. войны между Россией и Японией). Удостоенный награды Нобелевского комитета в 1907 г. «за свои точные оптические приборы и проведенные с их помощью спектроскопические и метрологические исследования», Майкельсон широко признан как отец современной теоретической физики. Хотя и оспаривается его непосредственная роль, многие считают, что его сотрудничество с химиком Эдвардом Морли (в знаменитых опытах Майкельсона-Морли) заложило фундамент, на котором Альберт Эйнштейн построил свою частную теорию относительности.

В центре усилий Майкельсона на протяжении почти всей его жизни было желание измерить с помощью точных приборов физические свойства света. Ему приписывают доказательство того, что свет движется с постоянной скоростью независимо от направления движения при всех условиях. Разработанный Майкельсоном спектроскоп доказал движение молекул. Он первым измерил диаметр звезды. Его определение скорости света было самым точным в его время.

Майкельсон родился в Западной Польше. В 1856 г. его семья эмигрировала в Америку и обосновалась в Сан-Франциско. В последние дни золотой лихорадки в Калифорнии и Неваде его отец торговал с золотоискателями. Альберта записали в мужскую среднюю школу Сан-Франциско. Директор школы заметил способности Альберта к наукам и всячески поощрял его усилия. После первоначального отказа в приеме (несмотря на просьбу, направленную президенту США Гранту) Майкельсон убедил в своих способностях начальника военно-морской академии в Аннаполисе и был принят в нее в 1869 г.

Через два года после ее окончания он вернулся в Аннаполис преподавателем физики и химии. Используя простые приборы, он измерил скорость света, и его измерение было наиболее близким к ставшей общепринятой величине в 186 508 миль в секунду.

После учебы в Европе в 80-х гг. девятнадцатого века он стал профессором колледжа прикладной науки в Кливленде, штат Огайо. В 1885 г. родился ставший знаменитым союз Майкельсона и Морли, который в качестве старшего исследователя располагал большой лабораторией с современным оборудованием.

В 1887 г. эксперименты Майкельсона-Морли закончились ничем. Так называемый нулевой результат глубоко отразился на мировоззрении физиков. В 80-х гг. девятнадцатого столетия физики предполагали, что свет создают неравноценные изменения в аморфном веществе, заполняющем все пространство. Это вещество называли эфиром. По широко принятой теории эфир считался неподвижным. Свет движется сквозь эфир с разными скоростями в зависимости от направления, из которого он исходит. В своих экспериментах Майкельсон и Морли пускали два луча света, отражая их друг от друга под углом в девяносто градусов. Их приборы показывали, что оба луча двигались с одинаковой скоростью. Эксперимент показал неприемлемость и старомодность теории эфира.

Последствия их экспериментов ошеломили многих ученых. Возможно ли, что земля неподвижна и что Коперник ошибся? Физики уже доказали, что земля не несет с собой эфира в своем движении через космос. Большинство современников Майкельсона (в определенной степени и сам Майкельсон) не могли поверить, что эфира просто нет. Многие ученые откликнулись на опыты Майкельсона-Морли попытками вычислить их последствия. В конце концов, частная теория относительности Эйнштейна разрешила вопросы, впервые поставленные опытами Майкельсона.

Несмотря на огромное влияние его работы на последующие поколения физиков, Майкельсон никогда не чувствовал себя уютно со своей математически выведенной наукой. Истинным предназначением физики он считал разработку новых приборов для измерения физических свойств с максимальной точностью.

В 1892 г. Майкельсон стал профессором физики в Чикагском университете, где проработал до 1929 г. В 1920 г. на обеде в Пасадене (штат Калифорния) в честь Эйнштейна и самого Майкельсона уважаемый им немецкий коллега признал, что Майкельсон «открыл коварный недостаток эфирной теории света в том виде, в котором она существовала тогда, и тем самым стимулировал появление идей Хендрика Антона Лоренца и Фицджеральда, из которых развилась частная теория относительности».

ФИЛОН ИУДЕЙ
(ок. 20 до н.э. — 40 н.э.)

Нам мало известно о его жизни кроме того, что в последний год перед смертью он отправился в Рим по просьбе еврейской общины Александрии, чтобы заручиться помощью императора Калигулы для защиты египетских евреев от религиозного преследования.

Современник Иисуса из Назарета и его первых последователей, Филон выдвигал идеи о Боге, сотворении мира, истории, природе, душе, знании, добродетели и правлении, которые служили основой философской мысли иудаизма, христианства и ислама следующие семнадцать столетий вплоть до великой философской революции, совершенной Спинозой в семнадцатом веке.

Первым из крупных философов Филон попытался понять библейские догмы в свете греческой метафизики. Он также стремился переписать эллинистическую философию в терминах Священного Писания. Оправдывая свои выводы, Филон часто цитировал греческих философов, подкреп-

ляя их высказывания законом Моисеевым. Он не признавал греческой философии в противопоставлении библейским догмам, принимая эллинизм только тогда, когда он покорялся его метафизической воле.

Под воздействием Библии Филон первым из философов отзывался о Боге как о непостижимом, непонятном человеку. Платон и Аристотель уверяли, что человек способен узнать и описать Бога. Филон отверг их точку зрения, указав, что Бог уникален, он — самое своеобразное существо и потому не может быть описан.

По Филону, все знания и действия человека направляются Богом. Пророчество — особый род знания может быть достигнуто только промыслом Божьим или в виде того, что христиане назовут позже откровением. Он также собрал идеи человека о жизни, земле и космосе в то, что может понять интеллект. Филон назвал эту доступную для понимания сферу словом «Логос».

Платон утверждал, что душа бессмертна и не может быть уничтожена ни Богом, ни естественными обстоятельствами. Филон не соглашался с ним: Бог жалует бессмертие как дар только в том случае, если душа, доверенная волей Божьей, была достойна своего небесного происхождения.

В противоположность многим из живших до него греческих философов Филон верил в свободу воли. Бог может делать все, что угодно Богу. То же самое и человек. Человек может абсолютно свободно сотрудничать с природой и противостоять ей.

Величайшая заслуга Филона заключалась в его внимании к демократии. Он был одним из первых крупных философов, который настаивал на том, что люди равны перед законом. Следует напомнить, что такое понимание справедливости вошло в жизнь Америки лишь после гражданской войны, и то не полностью до сих пор.

В попытке свести воедино все свои философские идеи Филон утверждал в «Аллегориях», что историческими переменами управляет божественный Логос, что Бог собирался сделать мир идеальной демократией.

С упадком энергичной еврейской общины в Александрии ослабевает влияние Филона на иудаизм. Влияние греческой философии на иудейскую мысль снова усилится только через 1 200 лет в трудах Моисея Маймонида. Талмудистские догмы должны были сделать шаг в совершенно новом направлении, выдвигая в большей степени свойственное иудаизму представление о законе и философии. Однако философия Филона оказала сильное, ключевое влияние на отцов раннего христианства (Святого Иоанна) и мусульманских мыслителей, считавших его идеи интеллектуальной основой и оправданием своей проповеди.

ГОЛДА МЕИР
(1898—1978)

Голда Меир, израильский премьер-министр в течение пяти лет, вошла в число самых популярных лидеров и выдающихся женщин XX в. Хотя израильтяне и критиковали ее за запоздалую реакцию на нападение Египта, положившее начало войне 1973 г., мир вспоминает ее как мать своей нации и ее символ мира.

Молодые годы Голды дают ключ к пониманию ее действий и тех трудностей, с которыми столкнулась эта необычайно человечная женщина. Урожденная Голда Мабович родилась 3 мая 1898 г. в Киеве. В возрасте восьми лет она эмигрировала вместе с семьей в американский город Милуоки. Ее отец уехал в Америку тремя годами раньше семьи, надеясь вернуться в Россию богатым. У ее родителей было восемь детей — четыре мальчика и четыре девочки. В детстве выжили только Голда и две ее сестры, одна девочка дожила до двух лет, два мальчика умерли в одну и ту же неделю. Жизнь в России была суровой из-за потрясающей нищеты. В Пинске (родной город семьи, в который они вернулись после краткого пребывания в Киеве) ее старшая сестра Шейна занялась нелегальной политической деятельностью в роли сионистки-социалистки. Страдая от холода и недоедания, по-

лицейского преследования и отсутствия каких-либо перспектив, оставшиеся в живых женщины бежали к отцу в свободную Америку.

В Милуоки семья перебивалась кое-как. Отец время от времени работал плотником, мать — в бакалейной лавке, а Шейна днем трудилась швеей, а ночью — в своей организации, затем сбежала в Денвер. Голда помогала матери в бакалее, открывая лавочку рано утром и с опозданием являясь в школу с всегда заплаканными глазами. И все же она ухитрялась получать хорошие оценки. С годами росла ее обида на родителей, противившихся ее желанию стать учительницей и выйти замуж за любимого человека. В четырнадцать лет Голда сбежала к своей сестре в Колорадо, где встретила своего будущего мужа Морриса Мейерсона — беженца из России, доброго интеллигента, зарабатывавшего на жизнь раскрашиванием дорожных знаков.

Воспитанная сестрой в условиях свободной жизни, на свой страх и риск она вернулась домой в возрасте восемнадцати лет, начала преподавать в школе и пропагандировать сионизм. Поначалу отец противился ее публичным выступлениям, считая это неженским делом, но только до того момента, пока сам не услышал, как она выступила перед народом на уличном перекрестке. После встречи с Давидом Бен-Гурионом, который посетил Милуоки, вербуя сторонников, она отправилась в Палестину. Ее муж Моррис неохотно последовал за ней.

Морриса и Голду пригласили пожить в маленьком кибуце Меравия (его название означает «Божьи просторы»), благодаря, главным образом, граммофону и коллекции пластинок Морриса. Голда быстро приспособилась к первопроходческой жизни в кибуце, ухаживала за скотом, работала в поле, стирала белье и пекла хлеб. Ее товарищи отметили ее трудолюбие и инициативность, избрав ее представителем кибуца во Всеобщей федерации труда — Гистадруте. Даже в тех трудных условиях сельской жизни она выделялась своими способностями руководителя.

Моррис же не вытерпел жизни первопроходца. Они переехали в город и окончательно осели в пыльном квартале Иерусалима. А вскоре Голда родила двух детей — Менахема и Сару. Их жизнь в те годы, по словам самой Голды, была отмечена «нищетой, тяжелой работой и беспокойством».

Ее родители поселились в Герцлие на побережье, и Голде понравилось участие отца в местной службе безопасности и в деятельности Гистадрута. Голда быстро делала карьеру в профсоюзной федерации: в 1928 г. она стала секретарем ее совета, а в 1934 г. — членом ее исполнительного комитета. Однако ее политическая деятельность отдаляла ее от семьи и подрывала ее брак. Она развелась с Моррисом и вместе с детьми переехала в небольшую квартирку в Тель-Авиве. Позже Голда часто вспоминала, что означала эмансипация в Палестине 1930-х гг. Ей постоянно было больно от упрека в глазах крошек детей, когда она уходила на работу и оставляла их с чужими людьми. Работающим матерям приходилось страдать от избранной ими стези.

Участвуя в конференции по еврейским беженцам во Франции в 1938 г., Голда из первых рук узнала о том, что правительственные чиновники Европы не заинтересованы в предоставлении убежища жертвам нацистского преследования. Во время развязанной вскоре войны Голда организовала сопротивление британской колониальной тирании. В 1939 г. Великобритания приостановила еврейскую иммиграцию в Палестину из опасения, что приток беженцев побудит арабов поддержать Гитлера (некоторые из них так и поступали, в том числе муфтий Иерусалима). Сионистские руководители сумели нелегально ввезти небольшую группу беженцев. Однако британские ограничения привели к гибели множества евреев от рук нацистов в то время, как сионисты вроде Голды могли спасти многие жизни.

Безразличие британских властей укрепило дух сионистов, подготовив их к величайшим послевоенным испытаниям. В 1946 г. многие сионистские лидера были арестованы за свою тайную политическую деятельность. Британские власти все же оставили в покое «ту женщину» — Голду. Вскоре она становится руководителем оппозиции, создает в стране сеть подпольных военизированных подразделений и пытается вести переговоры с британцами.

Когда ООН рекомендует раздел Палестины и создание еврейского государства, Голда оказалась под рукой для трудных переговоров с королем Трансиордании и подписания Декларации о независимости Израиля. Когда возникла угроза арабского вторжения в Израиль, именно Голда отправилась в Америку для сбора средств для закупки оружия. Ее великолепное выступление перед еврейской общиной в Чикаго побудило американских евреев приложить огромные усилия по сбору средств для молодого государства. Домой Голда вернулась с пятьюдесятью миллионами долларов. Позже Бен-Гурион скажет: «В один прекрасный день, когда будет написана история, в ней будет указано, что одна еврейка достала деньги, обеспечившие существование нашего государства».

После краткого пребывания в Москве в качестве первого израильского посла в Советском Союзе (беженка из России вернулась «домой» как представительница еврейского государства) Голда была избрана в израильский парламент — кнессет, в котором проработала с 1949 по 1974 гг. Кроме того, в 1949—1956 гг. на посту министра труда Голда использовала свой опыт работы в Гистадруте для управления страной во времена карточной системы и других экономических тягот. Она помогла развитию жилого строительства для иммигрантов, ютившихся в палатках, боролась с бесправием женщин в управлявшихся мужчинами средиземноморских странах и внедрила социальные программы для престарелых, неимущих, немощных и безработных.

В середине 1950-х гг. по требованию Бен-Гуриона она изменила свою фамилию на более благозвучную с еврейской точки зрения — Меир. Она не очень-то оглядывалась на свою прошлую жизнь в России (разве что с горечью) и в США (всегда с благодарностью). Израиль стал ее родиной с первых же дней жизни в кибуце.

Во время Синайской кампании 1956 г. она была назначена министром иностранных дел. Защита ею Израиля в ООН во время кризиса получила широкое освещение в прессе по всему свету. В тот же период она разработала программы технического и экономического содействия развивающимся странам Африки.

В 1966 г. она ушла из правительства, чтобы посвятить себя внукам. Ей было почти семьдесят лет, и она устала от государственной службы и политики. В конце 1960-х гг. она оставалась на виду, убеждая еврейские общины Америки оказать поддержку Израилю и доказывая его приверженность миру, а не войне. Египетский лидер Насер не внял ее призывам к миру, и в 1967 г. разразилась Шестидневная война. Под энергичным командованием Моше Даяна израильские войска нанесли поражение арабам, Иерусалим был объединен под израильским правлением, и были укреплены израильские позиции на Синайском полуострове, в секторе Газа и на Голанских высотах.

После внезапной смерти мудрого Эшкола в 1969 г. правящая Партия труда (Авода) обратилась к своему генеральному секретарю Голде. Уставшая от работы в правительстве и уже больная лейкемией, от которой она умрет через девять лет, Голда стала первой женщиной — премьер-министром Израиля.

Годы, остававшиеся до очередной арабско-израильской войны 1973 г., были использованы для увеличения армии и перевооружения ее более современным оружием, а также для постоянных поисков путей установления более длительного мира. Летом 1973 г. разведка доносила о наращивании арабских войск на границах и об отзыве советских советников из Сирии. Голда собиралась привести армию в боевую готовность, но не сделала этого по настоянию своего кабинета. И горько пожалела, что не послушалась собственной интуиции, ибо вскоре, в светлейший праздник в еврейском календаре — Йом-Кипур войска Анвара Садата прорвали считавшуюся неприступной линию Бар-Лев в Суэце и поставили под угрозу само существование израильского государства. Страна была спасена благодаря массированным американским поставкам и героической гибели в боях 2 500 израильтян.

Голда была наказана соотечественниками за слишком позднюю реакцию на арабскую угрозу и за слишком быстрое окончание войны до достижения окончательной победы. Через год после войны она уйдет в отставку, устав от постоянной борьбы. Но ее инстинктивное желание спасти человеческие жизни и установить мир принесет плоды три года спустя, когда Садат посетит Израиль в поисках мира.

Когда рак отнял ее жизнь в 1978 г., мир поминал Голду Меир как защитницу своего народа и образец для женщин и мужчин повсеместно. Народ призывал ее к руководству в трудные времена. Сначала в качестве первопроходца, затем в качестве борца за социальную справедливость она олицетворяла лучшие качества евреев. Подобно библейской пророчице Деборе, Голда показала всем женщинам пример, как вести армию сильных бойцов на защиту родины, никогда не забывая о собственной человечности и всегда указывая путь к длительному спокойствию.

ВИЛЕНСКИЙ ГАОН
(1720—1797)

Элиягу бен Соломон Зальман, известный как Виленский Гаон (или Гений из Вильно*), был, вне сомнения, величайшим мыслителем в долгой истории еврейских мудрецов. Раввинские ученые наших дней сравнивают его мыслительные способности с оперативной памятью современных компьютеров.

Несомненно его влияние на развитие еврейской философской и религиозной мысли, но ничтожно его воздействие на нееврейский мир. Почему тогда духовное лицо из запертого гетто включено в список самых влиятельных евреев в мировой истории? Вильнюсский мудрец — последний из великих раввинов так называемого героического века. Вместе со своими современниками — светским философом немецкого Просвещения Мозесом Мендельсоном и основателем экстатического хасидизма Исраэлем Баалом Шем Товом Виленский Гаон представляет третье направление развития иудаизма той эпохи, кульминационный пункт раввинского изучения Торы и ее догм. Эти три великих мыслителя сформировали современный иудаизм на рассвете индустриальной эры и сделали эту религию такой, какой она является сегодня.

Он был одним из необыкновенно одаренных людей в еврейской истории. Как известно, он начал увлеченно изучать Талмуд — комментарии к закону Моисееву в шесть лет и годом позже уже выступал с лекциями по правовым и нравственным положениям в главной синагоге Вильно. В восемнадцать лет он женился на богатой женщине, родившей ему трех сынов и обеспечившей ему уют, чтобы он мог не зарабатывать себе на пропитание, а только изучать Талмуд по восемнадцать часов в сутки день за днем и год за годом вплоть до своей смерти на семьдесят восьмом году. Он никогда не занимал никаких официальных постов. В этом не было нужды, и он

---

* Вильно — ныне Вильнюс, столица Литвы. (*Прим. ред.*).

только изучал, писал и провозглашал. Он стал бесспорным лидером восточноевропейских традиционных иудеев.

Этот аскетический гений, подобно Маймониду, высоко ставил ученость в расширении понимания человеком иудейского закона. Он призывал учеников изучать переводы на иврит научных и математических работ. Это был революционный поворот, который привел изучение Талмуда в соответствие с основной тенденцией общества. Однако он настаивал на том, что такое изучение должно всегда стоять на службе закона и никогда не противоречить ему.

Он пересмотрел иудейский молитвенник, отбросив тысячелетнюю поэзию и внедрив пение в богослужение. Многое из музыки ашкенази, которую набожные евреи знают сегодня, восходит ко времени Вильнюсского мудреца.

Почему этот гений требовал от себя столь скрупулезных и длительных повседневных занятий? Говорили так: если бы Гаон не занимался восемнадцать часов в день, тогда остальные раввины по всей Европе занимались бы еще меньше и забыли бы, что происходит с ассимилированным евреем!

Его набожность равнялась жесткой и холодной логике и бесподобному знанию по памяти Священного Писания и комментариев к нему. Он никогда не боялся указывать на несоответствия в Талмуде и предлагал собственные рациональные решения. Его аналитический метод предвосхитил на два столетия современный академический подход к пониманию закона Моисеева.

Он почти не спал. По рассказам его сынов, он обходился двухчасовым сном в день. Часто Мудрец держал ноги в холодной воде, чтобы не заснуть во время научных занятий.

Когда ему стало известно о почти фанатическом энтузиазме хасидов и об их традиционных бродячих учителях, приходивших в экстаз от молитвы, он призвал к их преследованию. Мудрец считал, что акцент хасидов на пылкой молитве, с почти безумной страстью представлял угрозу традиционному изучению закона Моисеева. Движение хасидов, однако, наставляло обычного человека на путь истинный таким способом, с которым отшельник, каковым был Вильнюсский мудрец, не мог и не желал мириться. Он подготовил документы на отлучение, настаивая на том, что правоверным евреям не годится иметь что-либо общее с хасидизмом.

Этот раскол в религиозной мысли был преодолен только после его смерти (согласно хорошо известной легенде, хасиды плясали на его могиле), когда над правоверным иудаизмом нависла угроза еврейского Просвещения.

АНРИ БЕРГСОН
(1859—1941)

Он родился в Париже в семье польского музыканта и матери-ирландки и стал одним из самых известных философов своего времени. Воззрения Бергсона на время, эволюцию, память, свободу, восприятие, разум и тело, интуицию, интеллект, мистику и общество повлияли на мышление и труды европейских политиков и писателей двадцатого века. Еврейский романист Марсель Пруст, ирландский драматург и критик Джордж Бернард Шоу, американский философ Уильям Джемс и английский философ Алфред Норт Уайтхед признавали большое влияние Бергсона. Вместе с Жан Полем Сартром Бергсон был признан одним из ведущих французских философов современности.

Философия Бергсона оказалась весьма привлекательной и популярной благодаря его изумительному стилю и умению строить аналогии, которые легко понять. Несмотря на присуждение ему Нобелевской премии по литературе в 1927 г., кое-кто критиковал чрезмерную восторженность в его книгах и отсутствие точного подтверждения или научного доказательства в его философии.

Бергсон не обращал внимания на эту критику, поскольку считал, что выражение его идей требовало нового подхода. Не годилось механистическое или материалистическое мировоззрение. Время, например, является не только научным понятием, которое может быть измерено, как песок в песочных часах. Теории естественных наук не могли объяснить, как люди непосредственно чувствуют время. Отмеряемые часами стандартные единицы времени прекрасны для выражения секунд, минут, часов и лет. Многое из того, что мы делаем, отмечено тем, какое сейчас время, какое время прошло и какое время наступит.

Для Бергсона время было не просто единицей, отмеряемой машиной, а течением жизни, тем, что он называл чистым временем или реальной длительностью. Время ощущается не пространственно, а как постоянный водоворот, текущий с неизбежностью. Попытки изобразить время абстрактным или пространственным образом снижают наше понимание того, что мы из себя представляем. В отличие от великого Декарта, провозгласившего: «Мыслю, следовательно, существую», Бергсон призывал: «Я то, что продолжается».

Выдвинутая Бергсоном концепция длительности имела революционный характер. Многие философы, начиная с древнегреческого Платона, допускали, что время является иллюзией. Спиноза, например, представлял реальность как сторону вечности. Бергсон видел время в аспекте его длительности. Когда человек рассматривает время в его реальной длительности и при этом поступает свободно, а не как автомат, тогда достигается личная свобода. Поступки человека никогда не будут свободны, пока не станут спонтанными, вытекающими из личности человека в данный момент.

Бергсон не следовал по пути, проторенному многими другими великими философами, изложив в юном возрасте крупную философскую систему. Он скорее терпеливо обращался в серии книг к отдельным темам, поверяя их все своей концепцией времени.

Для понимания связи между духовным и материальным, того, как наши головы и тела работают вместе, Бергсон постарался постигнуть работу памяти. Мозг, уверял он, является не кладезем информации, а скорее фильтром, который удерживает только то, в чем мы практически нуждаемся для продолжения пути. На самом деле мозг старается больше забыть, нежели запомнить. Только человек обладает сознанием или чистой памятью — способностью помнить только то, что необходимо. Чистая память человека объединяется с общим для всех живых существ качеством — инстинктом или «памятью обычая» в уникально человеческом синтезе воспоминания.

Бергсон также исследовал работу интеллекта. Сравнивая интеллект со своей концепцией времени, он отметил «кинематографический метод» интеллекта, живой и продолжительный кинофильм, состоящий из отдельных статичных кадров, понимаемых по одному и в большой, постоянно и быстро меняющейся волне. Интеллект режет все на легко узнаваемые куски и остается вне того, что знает, а интуиция позволяет мозгу войти в море сознания, текущего бесконечно, имеющего никогда не кончающуюся длительность, становящегося *частью* того, что она знает, дающего абсолютное знание. Бергсон признавал, что интуиция необязательно возникает из вспышек вдохновения, а скорее из усиленной формы размышления.

Расширяя свои концепции времени, рассудка и материи, интуиции и интеллекта, Бергсон анализирует эволюцию. Он чувствовал, что философию следует добавить к биологической истории. Бергсон верил, что изначальный порыв жизни, «жизненный порыв» придает силы всем живым существам. Такой порыв проистекал из человеческого творчества.

Профессиональная жизнь Бергсона прошла главным образом в преподавании метафизики во французских высших учебных заведениях, а ее кульминационным пунктом стало членство во Французской академии. Во время Первой мировой войны он находился на дипломатической службе, а затем был чиновником Лиги Наций.

К концу жизни Бергсона привлекли догматы римско-католической церкви. Единение с Богом возможно только с помощью особой интуиции, родственной так называемой мистике. Достичь этого особого состояния благословенного сознания людям мешают повседневная рутина, конкуренция, необходимость зарабатывать на жизнь, борьба за выживание. Даже будучи увлеченным христианской мистической мыслью, Бергсон, как выдающаяся фигура на международной арене, не мог в эпоху нацизма пойти на обращение в христианство и публично остался иудеем до конца жизни.

БААЛ ШЕМ ТОВ
(1700—1760)

Порой, когда религиозные или политические движения оказываются невосприимчивыми к нуждам человека, великая жажда простоты, мятежный дух овладевают людьми, и они ищут перемен. В начале XVIII в. большинство восточноевропейских евреев проживали в местечках без особой надежды на материальное благополучие. Еврейская община ценила тогда грамотных и квалифицированных работников. В местечках главенствовали семьи богатых торговцев, раввины и адвокаты. Бедняки были бесправны перед местечковыми советами.

В этой общине, насчитывавшей половину евреев мира и страдавшей от олигархии и угнетения, родился Баал Шем Тов, или «Учитель с божественным именем». Исраэль бен Елиэзер был бедняком, бро-

дягой, сиротой, помощником учителя, копателем извести, хозяином постоялого двора, на все руки мастером, изготовителем амулетов, знахарем. Большая часть истории его жизни была пересказана его последователями и обросла удивительными легендами. Он не оставил никаких сочинений. О его дивных делах мы знаем из воспоминаний учеников. И все же велико было его влияние на развитие современного иудаизма. Наряду с развитием правоверной раввинской иудейской мысли, вершиной которой был Виленский Гаон, и либерализацией, возглавленной философом Просвещения Мозесом Мендельсоном, Бешт (таково было прозвище Баала Шем Това) привнес сердечность и экстаз в молитву, страсть в сухие слова религиозного обряда.

Для некоторых современников Бешт был лидером еретиков, подобных последователям лжемессии Шабтая Цви или безумного Иакова Франка, проповедовавшего свободную любовь и обратившего позже всю свою группу в католицизм. Простые же люди обожали Бешта. Он проповедовал, что любой человек может общаться с Богом. Ученость не так важна, как набожность. Только через полное самозабвение путем духовного возвышения добьются праведники милости небесной. Любой может молиться, даже не будучи очень грамотным. Свист простака непосредственно достигает неба, неся с собой молитвы всей общины.

Согласно Бешту, поскольку Бог вездесущ, присутствует повсеместно — и в прозаичном слизняке, и в великолепном лесу, все вокруг дает радость, счастье окружает каждое живое существо. Бог заповедал нам быть счастливыми, петь и танцевать, чувствовать каждой клеточкой Его чудную щедрость. Бешт учил, что Рай скрыт за святыми словами, доступными каждому, кто позволяет экстазу молитвы вести за собой.

Одно из главных его творений — «цадик» (праведник) было использовано последователями для создания великих династий раввинов, некоторые из которых сохранились до наших дней (например, Любавичское хасидское движение ведет свое происхождение с конца восемнадцатого века от учеников Бешта). *Цадиком* была исключительная личность, уникальная праведность которой делала ее особенно близкой Богу. *Цадик* мог даже ходатайствовать перед волеизъявлением Божьим. Преемники Баала Шема Това — Дов Баер и раввин Нахман из Братиславы внесли заметный вклад в дело расширения политического значения цадика, называвшегося также «ребе», чьи духовные ценности служили образцом для его общины, и носителем святых даров.

После смерти Баала Шем Това восточноевропейские евреи раскололись на долгие годы на приверженцев его экстатических идеалов и его более традиционных оппонентов во главе с Виленским Гаоном. Хасиды прозвали его последователей *митнагдим* — противниками их собственной радости. Еврейское Средневековье завершилось конфликтом между хасидами и митнагдим, ставшим позже относительно бессмысленным на фоне светского еврейского Просвещения, или Гаскалы. Хасиды еще больше сосредоточились на изучении Талмуда. Это сблизило их с главным обычаем и отдалило от восторгов Бешты. Помимо его физического присутствия с курительной трубкой в зубах требовалась еще и определенная структура.

ФЕЛИКС МЕНДЕЛЬСОН
(1809—1847)

Якоб Людвиг Феликс Мендельсон, внук мудреца немецкого Просвещения Мозеса Мендельсона, был одним из самых одаренных и влиятельных музыкантов XIX в. Чудо-ребенок, пианист-виртуоз, дирижер-новатор и передовой администратор, сочинитель романтической музыки большой классической красоты и сдержанности, Мендельсон за короткое время внес заметные изменения в то, как музыка сочиняется, исполняется и слушается. Жизнь Мендельсона также символизировала подъем еврея XIX в. после столетий подавления и вырождения на самый просвещенный уровень выразительности.

Подобно своему деду Феликс постоянно стремился просвещать, высказываться с максимальной ясностью. Хотя его музыка часто имела литературные и географические ссылки (в согласии с романти-

ческим движением), она отличалась большим вниманием к классической форме. Его Концерт для скрипки — прекраснейшее произведение подобного рода, превосходный пример слияния классического и романтического. Мендельсона по праву сравнивали с великим немецким поэтом Гете за уникальное сочетание классики и романтизма. Хотя мы слышим в его музыке отзвуки Баха, Генделя, Моцарта и Бетховена, Мендельсон сам послужил образцом для многих более поздних композиторов, в том числе для Вагнера, Брамса, Дворжака и Малера.

Феликс родился в довольно состоятельной и влиятельной семье. Его отец Абрахам был северонемецким банкиром, который обеспечил семью роскошным домом, обогатившимся музыкальным творчеством его сыновей. Две сестры и брат Феликса были талантливыми музыкантами, участвовавшими в семейных музыкальных вечерах, которые часто организовывал их брат-вундеркинд. В частности, его сестра Фанни была превосходной пианисткой и композитором, а также пожизненным доверенным лицом знаменитого брата.

Феликс Мендельсон был, вероятно, величайшим вундеркиндом в истории музыки (даже более великим, чем Моцарт). Как и у Моцарта, у него была играющая сестра, которая помогала его развитию и озвучивала его идеи. Подобно Моцарту он с раннего возраста был знаком с выдающимися литераторами, художниками и музыкантами: Гете, философом Гегелем, композиторами-пианистами Муцио Клементи, Игнацем Мошелесом и Джоном Филдом. Знаменитый немецкий поэт Гете побудил Феликса сочетать классическую формальную схему с чисто аристократической выразительностью.

Приглашая за плату в дом большие группы музыкантов для прослушивания юного Мендельсона, его отец помог Феликсу созреть значительно раньше, чем это было у обычных и даже великих композиторов. За серией струнных симфоний, сочиненных им в подростковом возрасте, последовали написанные соответственно в шестнадцать и семнадцать лет большая камерная работа «Октет» и увертюра к пьесе Шекспира «Сон в летнюю ночь». «Октет» и увертюра столь гармоничны и мелодичны, что почти невозможно поверить в то, что их сочинил совсем юный автор. Примечательно и то, что во время их сочинения в Вене еще был жив Бетховен, творивший свои последние произведения. Находясь в более благоприятном материальном положении, Мендельсон — еще до Берлиоза и Шумана, Вагнера и Листа — подготовил музыкальную сцену для восхода романтической музыки. Хотя он и испытывал влияние Бетховена при использовании оркестра и формальных построений, Мендельсон вернул музыкальной палитре живость и легкость. «Буря и натиск» Гайдна и Бетховена уступили место более пасторальному подходу. Музыка Мендельсона значительно более утешительная и успокоительная благодаря своей непринужденности и легкому изяществу.

В Берлинской певческой академии юный Феликс прошел испытание не только Бетховеном, но и более старой музыкой, главным образом Иоганна Себастьяна Баха. Последний не был тогда широко известен, разве что самым образованным музыкантам. Влияние богатых многослойных композиций Баха обогатили свободное использование контрапункта в быстро развивавшемся стиле Мендельсона.

Важным результатом явилось возобновление Мендельсоном шедевра Баха «Страсти по Матфею» в 1829 г. Первое исполнение этой оратории после смерти Баха за семьдесят девять лет до того навсегда укрепило репутацию великого композитора барокко и положило реальное начало осведомленности и вниманию к музыке, написанной ранее.

Во времена Мендельсона концерты обычно составлялись из разнообразных программ, включавших короткие легкие пьесы, отдельные части более крупных произведений и всегда новую музыку, сочиненную исполнителем, реже интерпретацию какой-либо работы старого мастера. Когда в возрасте двадцати шести лет Мендельсон взялся за устройство концертов в Гевандхаузе («Доме одежды») в Лейпциге, он навсегда изменил порядок их составления. Предлагались сочинения полностью, приглашались известные солисты (такие, как Лист и русский Антон Рубинштейн) и глубоко почитались великие мастера.

Дирижер Мендельсон также сформировал оркестр Гевандхауза в единое целое, игравшее в унисон только под его руководством, как один исполнительский орган, а не несколько. Он стал первым современным дирижером. До Мендельсона дирижерство ограничивалось равнением на первую скрипку. Мендельсон использовал движение руки для того, чтобы задавать ритм, вызывать динамическую реакцию исполнителей и руководить, таким образом, оркестром.

Он также организовал Лейпцигскую консерваторию — первую большую музыкальную академию. В ней преподавали тонкие мастера, в том числе бессмертный композитор Роберт Шуман и его супруга — великолепная пианистка Клара Шуман. Мендельсон много путешествовал, описывая посещения любимых для него мест в романтических произведениях. Его симфонии «Шотландская» и «Итальянская» и увертюра «Фингалова пещера» вызывают в памяти интересную географию и культуру Европы. Эти сочинения были первыми примерами своеобразной националистической музыки, которая будет преобладать во многих обретавших независимость странах континента.

Кроме того, Мендельсон отстаивал музыку таких своих современников, как Шопен, Лист и его близкий друг Шуман. Мендельсон также писал много музыки для пьес, поднимая второстепенное до уровня существенного. Следуя примеру Баха и Генделя, он сочинял оратории на библейские сюжеты. Его «Илия» и «Святой Павел» вызвали такой восторг, особенно в Англии, что почти моментально возникли десятки ораториальных обществ и местные общины соперничали в почти религиозном распевании его музыки. Оратория XIX в., выросшая в конечном итоге из произведений Мендельсона, Баха и Генделя, господствовала в музыкальном творчестве эпохи королевы Виктории.

Религиозная жизнь Мендельсона символична для немецкого еврея XIX в. Внук самого великого еврейского философа после Маймонида и Спинозы, Феликс обратился в семилетнем возрасте в лютеранскую церковь. Позже отец заставил его прибавить христианскую фамилию Бартольди к фамилии Мендельсон в качестве признака ассимиляции. Хотя многие его сочинения носят фамилии Мендельсон-Бартольди и сам он считал себя протестантом, еврейское наследие никогда не забывалось. Мендельсон видел в христианстве логическое продолжение своего иудаизма. Больше того, в Берлине злобствовал антисемитизм, и, несмотря на то, что прусские законы предоставляли евреям гражданские свободы, большее признание и равенство давало обращение. Ассимиляция и богатство открывали перед Мендельсоном многие двери. Не удовлетворенный тем не менее легкой буржуазной жизнью, он лихорадочно добивался поразительного успеха и влияния во многих областях. Несмотря на счастливый брак с дочерью кальвинистского пастора, которая родила ему пятерых детей, Мендельсон был страшно расстроен смертью своей любимой сестры Фанни. Последовало несколько ударов, и в возрасте тридцати восьми лет он умер самым известным музыкантом Европы.

ЛУИС Б. МЕИР
(1885—1957)

Цукор, Лаэмле, Голдвин, Кон, Талберг, Лоев, Фокс, Ласки, Шенк, Меир — вот имена некоторых евреев, создававших американскую кинопромышленность. Из них наибольшее влияние на культуру США и мира оказал Луис Б. Меир, директор жемчужины киностудий — «Метро-Голдвин-Меир» (М-Г-М).

Энергичный во всех своих начинаниях, патриот до мозга костей, хороший отец, неумеренный в своих страстях — в любви и ненависти, Меир руководил студией, как большой семьей, в которой он был безумно любящим, властным и вездесущим Большим Папой.

Родившись в России и не зная точно своего дня рождения (подобно многим переселенцам из Восточной Европы), Меир отмечал ежегодно 4 июля как свой главный праздник. Поддерживая позиции правого крыла республиканской партии и таких его представителей, как Уильям Рэндолф Херст и сенатор Джозеф Маккарти, Меир подготовил политическую сцену в Голливуде 1950-х гг. для составления черных списков подозреваемых в сочувствии коммунистам.

Крайние взгляды Меира обусловили мировоззрение, согласно которому мужчины и женщины либо идеализировались и поднимались на головокружительную высоту подобно его суперзвезде Грете Гарбо, либо представали простецкими жителями заштатного американского городка вроде юного Мики Руни. «Л.Б.» — как, любя, называли Меира в М-Г-М — потерял мать в раннем возрасте. Поговаривали, что его стремление изображать в своих фильмах чувствительных и заботливых мамаш объяснялось смертью Сары Меир как раз в тот момент, когда он больше всего нуждался в ней. По словам Нейла Габлера, еврейские иммигранты, возглавившие крупные студии, не только «изобрели Голливуд». Еще до пропаганды «семейных ценностей» политики нового поколения через фильмы М-Г-М помогли создать утопический образ домашнего очага в американской национальной психологии.

Меир был скромного происхождения. Его отец Якоб торговал металлоломом в маленьком городке в канадской провинции Нью-Бран-суик. Когда ему еще не было и двадцати лет, Л.Б. в поисках счастья переехал из Канады в Бостон. В девятнадцать он женился на дочери уважаемого кантора, затем выполнял разные случайные работы, пока не приобрел и не переоборудовал небольшой театр бурлеска в деревеньке Хейверхилл к северу от Бостона. Меир поменял название театра, ввел показ немых фильмов в районе и на

полученную прибыль приобрел другие местные театры. Вскоре его сеть кинотеатров давала такую прибыль, что он смог стать кинопрокатчиком. Приобретя в 1915 г. права на прокат в Новой Англии фильма Д.У. Гриффита «Рождение нации», Меир стал большим человеком, заработав в десять раз больше, чем вложил первоначально. Тот первый колоссальный успех в кинопрокате обеспечил его финансовой базой сначала для постановки театральных спектаклей, а затем и для переезда на запад, в Лос-Анджелес, для производства фильмов.

Попав в Голливуд в 1918 г. в возрасте тридцати трех лет, Меир основал широко открытое для предпринимателей акционерное общество. Большая часть немых фильмов снималась в остававшихся еще сельскими каньонах большого Лос-Анджелеса. Более семидесяти мелких кинокомпаний соперничали в борьбе за зрителя. Себестоимость была низкой, а послевоенная экономика обеспечивала капитал и аудиторию, необходимые для новой индустрии.

Первая кинозвезда Меира Анита Стюарт снималась в романтических фильмах, которые привлекли внимание к небольшой кинокомпании Меира «Метро пикчерс». В 1924 г. крупный кинопрокатчик Маркус Лоев приобрел «Метро», и Меир стал исполнительным вице-президентом компании. Затем «Метро» слилось с «Голдвин пикчерс» (названной по имени ее основателя и бывшего хозяина Сэмюэла Голдвина, настоящая фамилия которого была Голдфиш). К 1926 г. компания стала называться «Метро-Голдвин-Меир», и последний стал ее главным распорядителем.

Студия избрала свой девиз: «Ars Gratia Artis», т.е. «Искусство ради искусства». Качественные фильмы с участием таких звезд, как Грета Гарбо, Кларк Гейбл, Джоан Крофорд, Роберт Тейлор, Уильям Пауэлл, Джин Харлоу, Мирна Лой, Мелвин Дуглас и актер из актеров Спенсер Трейси (особенно в фильмах найденного Меиром вундеркинда Ирвинга Талберга, ставшего прототипом для «Последнего магната» Ф. Скотта Фицджеральда), заслужили высокую оценку кинозрителей. В 1940 и 1950-х гг. удивительные мюзиклы М-Г-М перевели бродвейские театральные постановки в уникальные кинематографические композиции звука, танца и цвета. Даже частная жизнь Меира отразилась в истории кино. Его дочь Эдит вышла замуж за Дэвида О. Селзника, сына бывшего работодателя Л.Б. Льюиса Селзника и создателя самого выдающегося фильма «Унесенные ветром».

Голливуд Меира продемонстрировал миру в простых и доходчивых образах главенство домашнего очага в создании американской культуры и американских ценностей. Но этот домашний очаг был идеализирован в духе того предпочтения, которое Марк Твен оказывал Тому Сойеру перед Гекльберри Финном.

ИЕГУДА ГАЛЕВИ
(ок. 1075—1141)

Философ и поэт Иегуда Галеви называл себя арфой для всех песен Сиона. Живя в бурной средневековой Испании, Галеви стал величайшим поэтом Золотого — как считается сегодня — века испанского еврейства. Его «Песни Сиона» и философский труд «Кузари: книга доказательств в защиту презираемой религии» (ныне известная как «Книга хазар») продолжают оказывать влияние на еврейскую и, в частности, израильскую мысль. После царя Соломона и испанского религиозного поэта и философа Соломона ибн Гебироля, задолго до Генриха Гейне и Марселя Пруста Галеви был, пожалуй, самым крупным из еврейских литераторов.

В одиннадцатом и двенадцатом веках Испания увязла в кровавых религиозных войнах. Христианские армии медленно прокладывали себе путь на юг, а мусульманские войска под командованием фанатичных Альмохадов из Африки рвались на север, вынуждая застигнутых между ними евреев выбирать обращение, эмиграцию или смерть. Ко времени рождения Галеви Толедо был захвачен христианами. На протяжении всей его жизни Испанию раздирали внезапные смены власти: сегодня горожане могло руководствоваться заповедями Пророка, завтра — Евангелием Христовым.

В такой неспокойной обстановке Галеви сочинил более восьмисот поэм. Его сюжеты были обычными для поэзии испанских евреев: любовь, плач, лиризм, благочестие и Сион. Исполненные необычайной живости, богатством образов и силой, они стали жемчужинами европейской литературы.

После недолгого пребывания в Гранаде Галеви бродил двадцать лет по стране (часто в сопровождении своего друга, писателя Авраама ибн Эзры). Его путешествия в качестве чужака в чужой стране описаны в его поэтических произведениях, отражавших стремление вернуться в родной Израиль. Он считал, что нигде в диаспоре евреи не могут чувствовать себя в безопасности, и проповедовал немедленное возвращение в Святую землю. Если евреи не были защищены в славной Испании после своего многовекового процветания (сравнимого во многих отношениях с успехом еврейских общин в Германии девятнадцатого века и в нынешней Америке), несмотря на свою относительную малочисленность, значит, им грозила опасность везде, кроме Израиля. Его призывы к Возвращению сделали его первым крупным сионистом. Поэмы о Сионе обнажили боль и мечты Галеви. Жизнь в Испании превращала евреев в рабов и предателей Бога. Внутренняя свобода и спасение могут быть обретены только в результате эмиграции на свою родину.

Свои юные годы Галеви провел в Кордове, занимаясь искусством и увлекаясь женщинами. Этому счастливому периоду посвящены его хвалебные песни любви и вину, они остаются наиболее цитируемыми из его сочинений. Рожденные от господствовавших в современной ему арабской поэзии форм, эти эротические стихи отличаются мелодично богатой игрой слов и естественной образностью.

Он также сочинил около двухсот панегириков в честь выдающихся людей своего времени, изложенных возвышенным и ласкающим слух языком. Интеллект и чувство в его поэзии сплелись в поэтических объятиях.

Триста пятьдесят «piyyutim», или религиозных поэм Галеви, воспевали еврейские праздники, ревностное служение Богу, особое место иудаизма в цивилизации, его превосходство и одиночество, а также трагедию разлуки и терзающее душу стремление к спасению в Святой земле.

Единственный философский труд Галеви— «Книга хазаров» гневно обличает Аристотелеву логику, христианство и ислам. Написанная в форме вопросов и ответов, книга описывает дискуссию царя хазар с эллинским философом и представителями иудаизма, христианства и ислама в поиске истинной и подходящей для его народа веры. После разоблачения духовного вакуума, скрытого за греческой логикой (которой он не устает восхищаться), Галеви признает долг христианства и ислама перед иудейскими истоками, одновременно объявляя неплодотворной их последующую историю. Кое-кто называл взгляды Галеви расистскими. Тем не менее «Хазары» (как более широко известен этот труд) оказали огромное влияние на еврейских мыслителей — от приверженцев кабалистики и хасидских учителей до таких философов XX в., как Франц Розенцвейг и Аврам Ицхак Кук.

Большинство историков считают, что в последние годы жизни Галеви отправился в Эрец-Исраэль, но по дороге умер в Египте. Легенда же утверждает, что бард еврейской диаспоры Иегуда Галеви в последний день жизни все же вошел в Иерусалим, поклонился поцеловать священные камни и был растоптан до смерти конем арабского всадника.

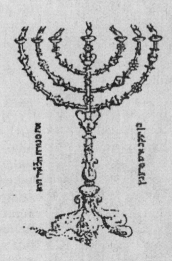

ХАИМ САЛОМОН
(1740—1785)

Он умер без гроша в кармане в возрасте сорока пяти лет. Несколько лет спустя его сын Хаим Мозес утверждал, что правительство задолжало его семье. В действительности, настаивал Хаим Мозес, его отец одолжил генералу Вашингтону, армии борцов за независимость и нескольким «отцам-основателям» более 354 тысяч долларов, т.е. финансировал на деле Войну за независимость. Правительство США так никогда и не признало иска Саломона.

Многие представители сефардской общины издавна утверждали, что активный участник революции Хаим Саломон принадлежал именно к их общине, ибо женился на женщине из известной и уважаемой семьи сефардов по фамилии Франк из Филадельфии, штат Пенсильвания. И все же Хаим был ашкенази родом из польского городка Лиссы.

Другая легенда гласит, что Саломон был своего рода американским Ротшильдом, хорошо разбиравшимся в финансовых хитросплетениях европейской торговли. Говорят, что финансист американской свободы Саломон был богат, как Мидас. В действительности знаток более полудюжины языков Саломон занимался сначала торговлей мануфактурой в Нью-Йорке, затем — по просьбе Филипа Шуйлера — поставками в войска на севере штата близ озера Джордж, а позже продажей облигаций военного займа по поручению филадельфийского финансиста Роберта Морриса.

Известно также, что Саломон лично одалживал деньги Вашингтону, Джефферсону, Мэдисону*, Монро**, Рэндолфу*** и польским революционерам Костюшко и Пуласкому, чем спасал этих «отцов-основателей» от нужды. Джеймс Мэдисон (на протяжении всей своей карьеры едва сводивший концы с концами) был одним из самых знаменитых должников Саломона. Мэдисон поначалу называл Хаима еврейским маклером. Когда же его кредитор не потребовал возвращения долга, Мэдисон смягчился и признал доброту Саломона, его нежелание прослыть ростовщиком.

Не важно, был ли он «просто маклером», хоть и необычным. Не вызывает сомнения тот факт, что Саломон был патриотом. Еще до того, как продемонстрировать свой патриотизм как финансист, Саломон был арестован британцами как шпион за попытку подорвать королевский флот в гавани Нью-Йорка, но потом бежал и получил доходное место при Моррисе.

Многие другие евреи оставили свой патриотический след в Американской революции (хотя среди них встречались и тори), несмотря на малочисленность их общины в британских колониях в Америке XVIII в. Родственник жены Саломона Дэвид Сэлисбери Франк был замешан в известном деле Бенедикта Арнольда (позже реабилитированного). Плантатор из Южной Каролины Фрэнсис Сальвадор был первым евреем, погибшим во время восстания (с него сняли скальп индейцы, устроившие засаду близ Чарлстона). Иммигрант из Верхней Силезии Барнард Грац часто пересекал линии английских войск и доставлял материалы, столь необходимые повстанцам. И, наконец, французский еврей Бенжамин Нон прибыл в Америку, чтобы вступить добровольцем в армию Вашингтона, и получил прозвище «Еврейский Лафайет» за храбрость, проявленную им в полку Пулаского.

Тем не менее, когда речь заходит о евреях — участниках Американской революции, люди чаще всего вспоминают Хаима Саломона, и понятно, почему. Будучи самым умелым брокером Роберта Морриса в продаже правительственных ценных бумаг, Саломон со-

---

* Мэдисон Джеймс (1751—1836), президент США в 1809—1817 гг. (*Прим. ред.*)
** Монро Джеймс (1758—1831), президент США в 1817—1825 гг. (*Прим. ред.*)
*** Рэндолф Эдмунд (1773—1833), государственный секретарь США в 1794—1795 гг. (*Прим. ред.*)

бирал сказочные суммы для дела революции с большой прибылью и для себя. Поговаривали, что он стал самым богатым (после Морриса) человеком в боровшейся за свою независимость стране. Саломон торговал не только ценными бумагами, но и товарами. Его торговая сеть была столь широкой, что он стал, по его собственным словам, «хорошо известным в коммерческих делах Северной Америки».

Самая распространенная легенда о его щедрости относится к Кол-Нидре 1779 г., когда к Саломону прискакал гонец от генерала Вашингтона. Генерал сообщал, что войска уже несколько месяцев не получали оплаты, армия готова была разбежаться, а британцы наступали. В самую святую ночь для соблюдающих обряды иудеев Саломон собрал среди прихожан заем в 400 тысяч долларов. Его собственный взнос составил 240 тысяч. Вашингтон смог тогда выплатить задолженность по зарплате солдатам и выступил в поход.

Кто знает, победил бы Вашингтон в войне без займа Саломона? Ясно другое: Хаим Саломон, называвший себя брокером финансового ведомства, оказался «полезным для общественных дел» в момент отчаянной нужды в американской истории.

ИОХАНАН БЕН-САККАЙ

(? — ок. 80)

Легенда гласит, что во время осады Иерусалима римлянами в 70 г. ученики тайно, в гробу вынесли его из города. Еврейские повстанцы — зилоты блокировали город и никого не пропускали. Спасенный учитель был заместителем главы синедриона, раввином Иоханан бен-Саккаем.

Саккай был противником восстания. Он верил не в мессианизм, а в ученость. Ему справедливо приписывают сохранение иудаизма, основанного не на культе жертвоприношения в Храме Иерусалима (разрушенном римскими легионами), а на крепости Торы и закона Моисеева.

Многие евреи того времени считали его предателем. После бегства из Иерусалима Саккай рискнул явиться в лагерь римского полководца Веспасиана. Довольный пленением столь видного иудейского деятеля, Веспасиан принял его. Раввин попросил предоставить ему убежище от зилотов и предсказал, что Веспасиан станет цезарем. «Отдай мне Иавнею и местных мудрецов», — попросил раввин. Римский полководец (вскоре действительно провозглашенный своими войсками императором) удовлетворил его просьбу о крепости близ побережья к западу от Иерусалима под названием Иавнея (рядом с современной Яффой).

Пользуясь поддержкой римских властей, Иоханан бен-Саккай устроил на верхнем этаже дома и в прилегающем винограднике в Иавнее академию для изучения иудейского закона. Впервые за сотни лет Иавнея стала центром иудейской мысли вне Иерусалима. Именно в Иавнее состоялись первая кодификация закона Моисеева и — самое важное в истории западной цивилизации — окончательная редакция Ветхого Завета. Навсегда были зафиксированы события иудейского календаря, включая чудесные праздники (Пасха, Пурим и др.) и святые дни. Раввинский суд в Иавнее был для местного населения советом для принятия решений и образцом правления в последовавшие трудные века.

Погружение в сердцевину иудаизма, подальше от бесполезных сражений с превосходящими силами военных держав, от власти центрального Храма в Иерусалиме и от фанатической тоски по Мессии, дало религии новое начало. Иоханан бен-Саккай призывал евреев не торопиться с разрушением языческих алтарей. Если сажаешь дерево и кто-то прибегает к тебе и говорит, что Мессия пришел, закончи посадку и только тогда иди и посмотри. Не надо больше никаких боев, никаких ритуалов жертвоприношения, никакого государства — призывал он, — только учеба. В черные столетия вплоть до эпохи Возрождения возникнут и погибнут бесчисленные цивилизации. Евреи выживут, и одним из вдохновляющих их примеров служил Иоханан бен-Саккай.

После катастрофического восстания Симона Бар-Кохбы в следующем столетии прекратила свое существование академия в Иавнее, ставшей сначала западным пригородом Галилеи, пережившей правление многих поколений семей властных патриархов и погребенной затем песками в результате войн и разрушений. Но установленная академией форма раввинского правления и внимание к изучению и записыванию, т.е. сохранению того, что было в основном устной традицией, обеспечили развитие образа жизни евреев и их влияние на мир.

АРНОЛЬД ШЁНБЕРГ
(1874—1951)

Австрийский композитор Арнольд Шёнберг считал себя музыкальным Моисеем. Шёнберг проповедовал своим ученикам законы музыки, выработанные им почти по наитию свыше. Из прошлого он брал только те музыкальные приемы, которые считал необходимыми для будущих творений. Шёнберг утверждал, что, только строго следуя его инструкциям, верующий сможет достичь Земли Обетованной идеально упорядоченных гармоний, мелодий и диссонансов.

В начале 1920-х гг. Шёнберг, чувствуя, что исчерпал традиционные концепции мелодии и гармонии, разработал метод музыкальной композиции, названный позже «12-тоновой системой» или «додекафонией».

Композиции Шёнберга и многих из его последователей отражали его учение. Он считал, что каждый тон обладает собственным экспрессивным значением, не зависящим от традиционных гамм или мелодических образов. Он считал, что повышенная экспрессивность достижима только через комплексное понимание горизонтального и вертикального взаимодействия музыкальных линий всегда в контексте единого целого. Шёнберг искал интеллектуальный метод музыкального управления, регулирования с максимальной точностью музыкального решения по форме, которую должна иметь пьеса. Только с помощью такой жесткой техники можно достигнуть самой интенсивной экспрессии.

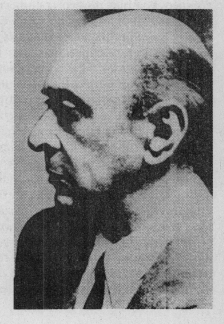

В начале XX в. Париж и Вена были двумя соперничавшими столицами Европы. Вена была рассадником новых идей, местом столкновения культур и политических направлений. Арнольд Шёнберг родился в 1874 г. и вырос в городе драматурга и прозаика Артура Шницлера, «золотого» живописца Густава Климта, практичных участников движения Сецессион (художников, архитекторов и декораторов, пренебрегших викторианской сентиментальностью ради богатого цвета и рисунка), проникающего в подсознание доктора Зигмунда Фрейда и титанического оркестранта Густава Малера.

Вена была домом для композиторов Гайдна, Моцарта, Бетховена, Шуберта, Брамса и Иоганна Штрауса, творцов многих шедевров классической тональности. Проявляя неизбывный интерес к изучению и преподаванию их наследия, Шёнберг старался понять и передать другим понимание того, как воздействует их музыка. Подобно многим представителям его поколения, он был потрясен колдовством опер Рихарда Вагнера «Тристан и Изольда» и «Парсифаль». Музыка вагнеровских шедевров отличается высоким хроматизмом, когда аккорды как бы вытекают друг из друга. Вагнеровский хроматизм создал плацдарм для музыкальной разведки Шёнберга. Он искал такой музыкальный язык, который передавал бы крайние эмоциональные состояния. Композиции Малера также исследовали подобные чувства, но его восприятие природы, любви, смерти и воскресения было лиричнее, чем у более юного Шёнберга. Хотя потомки назовут Малера более великим композитором, воздействие крутого музыкального экспрессионизма Шёнберга оказалось более длительным (по крайней мере в краткосрочной перспективе).

Слом классической тональности отражал соответствующий перелом в обществе. Слушатели могли проникнуть в произведения прошлого. Чаще всего было легко понять — даже на поверхностном уровне, — что пытались сказать классические композиторы. Музыкальный язык Бетховена недалеко ушел от обычной народной песни; его фразы были узнаваемой частью его культуры. С другой стороны, музыка Шёнберга казалась многим его современникам индивидуальной и обособленной. Сегодняшняя аудитория может понять, что он вкладывал в музыку самые потаенные чувства своей эпохи. По сути, он воссоздавал в звуках болезненный пульс мира на пороге безумия. Музыка Шёнберга до сегодняшнего дня вызывает беспокойство и не имеет большой популярности. По-видимому, он обнажал в музыке ту сторону нас самих, о которой мы не желаем ничего знать. Мы не принимаем его за то, что он привносил в свои сочинения сильную боль.

По рождению и по воспитанию католик, Шёнберг в свои молодые годы принял лютеранство, а в старости вернулся к иудаизму. Его поиск религиозной самобытности шел параллельно художественному развитию. На третьем десятке он сочинил восторженную «Преображенную ночь» и «Песни Гурре». Эти произведения несли на себе отзвуки Вагнера, хотя и были довольно оригинальными. В то время, как Клод Дебюсси писал свою знаменитую оперу по произведению Мориса Метерлинка «Пеллеас и Мелизанда», Шёнберг сочинял симфоническую поэму на тот же сюжет. Его Первый струнный квартет и Камерная симфония демонстрировали те же тенденции растягивания тональных разрешений на все более долгие временные периоды. Музыкальный язык этих произведений представляется перезрелым, избыточным, богатым символами. Его Три пьесы для фортепьяно (1919 г.) считаются сегодня поворотном пунктом на его творческом пути. Впервые в западной музыке каждая нота и фраза имели свою цель, свободную от условных музыкальных правил и ожиданий.

Шёнберг искал технику или систему, которая позволила бы организовать все элементы музыкальной композиции. В созданных во время Первой мировой войны произведениях он постепенно накопил творческий материал для формулировки 12-тоновой системы музыкальной композиции. По большей части эти сочинения отличались еще более мучительными эмоциями, чем раньше. Сочиненные им за несколько лихорадочных дней короткая опера «Ожидание» и фантастический «Лунный Пьеро» (для певца и камерного ансамбля) содержали музыкальную ткань безмерной плотности и веса. В тот период Шёнберг разработал также так называемую проговариваемую песню, когда певец декламирует музыкальную линию в переходном состоянии между песнью и речью.

На злобный антисемитизм периода между двумя мировыми войнами Шёнберг отреагировал возвращением к своим еврейским корням в оратории «Лестница Иакова» и большой оперой «Моисей и Аарон», а на Холокост — вокально-симфонической композицией «Уцелевший из Варшавы». В своих последних произведениях Шёнберг использовал более тональные манеры, которые делают их своеобразным музыкальным примирением с экспрессионистской стороной его метода.

Экспрессионизм Шёнберга оказал большое влияние на его учеников, самыми известными из которых были Альбан Берг, автор оригинальной оперы «Воццек», и Антон фон Веберн, писавший афористические пьесы, имевшие огромное значение после войны.

Шёнберг никогда не принадлежал к венской музыкальной верхушке, но основал Общество частного исполнения музыки, которое устраивало премьеры многих крупных произведений того времени, и предложил особый метод внедрения новой музыки независимо от коммерческих концертов. Общество стало провозвестником многочисленных современных камерных групп, которые господствовали в университетах по всему свету более сорока лет. После прихода нацистов Шёнберг бежал в США, обосновался на Западном побережье, где давал частные уроки, чтобы содержать семью. Он пробовал писать музыку для фильмов но потерпел неудачу, затем преподавал в Калифорнийском университете в Лос-Анджелесе.

Влияние Шёнберга распространилось и на американских композиторов, увидевших в его стиле идеальный образец для подражания. В 1950-х и 1960-х гг. композиторы пытались охватить революцией Шёнберга все аспекты музыки. Многие полагали, что умение организовать каждый звук, оттенок, тембр и ритм в идеальном единстве может быть достигнуто только через логику и научный анализ. Другие, старавшиеся писать более лиричную музыку, подвергались нападкам со стороны академических последователей Шёнберга как охотники за малограмотной аудиторией, аплодирующей дешевым эстрадным мелодиям. Установился своеобразный культурный тоталитаризм, изолировавший аудитории от новой музыки и превративший концертные залы скорее в музеи, нежели в театры.

Сегодня Шёнберга можно считать почти Карлом Марксом от музыки, а не Моисеем из его видений. Его первые истинные ученики Берг и Веберн жили в ту же эпоху и сочиняли музыку, которая действительно отражала их время. Крайние состояния чувств, психотические эпизоды и насилие составляли самые мрачные кошмары их жизни. После Второй мировой войны сочинения неоэкспрессионистской музыки большинству слушателей казались совершенно неправильными и неуместными. Между высокой культурой Шёнберга и любителями симфонической музыки был вбит клин. Истинное наследие Шёнберга все еще заключается в освобождении звуков от обычных представлений и содержит призыв ко всем любителям музыки не довольствоваться верой в то, что красивое и есть ожидаемое.

ЭМИЛЬ ДЮРКГЕЙМ

(1858—1917)

Сын эльзасского раввина Эмиль Дюркгейм был не только основателем современной социологии, но и — наряду с Фрейдом, Марксом и Максом Вебером — одним из самых глубоких мыслителей девятнадцатого и начала двадцатого веков. Пытаясь поначалу привести в систему социологию, Дюркгейм стремился объяснить, как развиваются общества и как люди взаимодействуют, разделяют свой труд, осознают ценности, учатся сдержанности, улаживают конфликты и сами меняются. Его теории были отражены и развиты в трудах французского еврея, социолога и философа Клода Леви-Строса.

Предложенные Дюркгеймом теории «коллективного сознания» оказались весьма влиятельными. Он обратил внимание на то, что идеи часто создаются многими и благодаря их общему творчеству становятся убедительными и обязательными.

Многие исследования Дюркгейма отражают его страстное увлечение моралью. Испытывая на себе сильное влияние разработанных Иммануилом Кантом теорий морального долга (и реагируя, быть может, на горькие события своего времени), Дюркгейм пытался понять, как могут измениться общества на службе справедливости. Он утверждал, что народы, живущие среди народов, должны иметь представление и понимание о человечности не только в отношении к себе, но и к другим обществам. Такой либеральный гуманизм входит в противоречие с часто неправильно понятым имиджем Дюркгейма как агента консерватизма.

Труд всей его жизни был сосредоточен на том, каким образом общество и личности контролируют свои действия (или оказываются контролируемыми). При изучении самоубийства, австралийских аборигенов, методов воспитания, морали, права или религии Дюркгейм в каждом случае искал примирения и синтеза. Как может человек быть свободным перед лицом власти? Препятствует ли традиция выбору? Таковы были важные вопросы, впервые поставленные Дюркгеймом в социологическом контексте.

Дюркгейм считал социологию продуктом истории. Естественные науки обеспечили философов рациональными средствами миропонимания. Упадок монархии и подъем демократических режимов обусловили кризис и радикальное изменение современного общества. Это изменение можно изучать с помощью научного анализа. Дюркгейм исследовал причины крушения старого порядка и расцвета нового.

Его философию общественных перемен некоторые считали проблематичной. Идеи Дюркгейма нелегко определить и непросто перевести. Он игнорировал труды Карла Маркса, испытывая, по-видимому, ужас от коммунистических представлений о жестоком классовом конфликте.

Самый привлекательный аспект его творчества заключается в заботе о лечении общества. Часто прибегая к медицинским символам, Дюркгейм старался понять, как взаимодействуют общества и как личности развиваются ради справедливой цели улучшения жизни.

Его исследования разделения труда в первобытном и развитом обществах и проблем развития личности (рассматриваемых в его работах по самоубийству) также сыграли большую роль и подтвердили заботу об исцелении современного общества. В первобытных обществах, уверял он, существовала своеобразная «механическая солидарность», при которой труд был едва разделен и один член помогал другому, участвуя в ритуале взаимозависимости. Личные решения строго возводятся до воли группы. В более развитых обществах труд разделен на много специальностей и вступает в действие «органичная» солидарность, регулируемая комплексной судебной системой, совершенно необходимой для разрешения конфликтов и навязывания управления. Аналогичным образом Дюркгейм рассматривал акт самоубийства в его связи с обществом и терапией. Самоубийство может быть совершено во имя дела (подобно альтруистической смерти солдата на опасном задании), вызвано верой в то, что общество полностью распалось, или оправдано субъектом, лишенным общения и сочувствия других людей.

После изучения права, философии, антропологии и социальной науки Дюркгейм сделал весьма удачную карьеру на ниве образования. Подобно многим видным деятелям эпохи, он посещал «Эколь Нормаль» (годом позже великого еврейского философа Анри Бергсона). Проработав с 1882 по 1887 г. в средних школах (во Франции того времени таково было предварительное условие для получения места в высшей учебном заведении), Дюркгейм начал преподавать первый университетский курс социальной науки в университете Бордо. В 1896 г. университет учредил для него первую должность профессора и университетскую кафедру для нового предмета — социологии. В 1902 г. Дюркгейм переехал в Париж на преподавательскую работу в Сорбоннском университете, где и провел всю оставшуюся жизнь.

Поражение Франции в войне с Германией 1870 г., дело Дрейфуса и Первая мировая война определили философские взгляды Дюркгейма и направление его работы. Падение Второй империи в 1870 г. и становление Третьей республики во Франции обусловили значительные общественные перемены. Дело Дрейфуса в 1890-х гг. раскололо французскую интеллигенцию на два воюющих лагеря. Лицо частное и занятое наукой, Дюркгейм публично и твердо поддержал Дрейфуса и поплатился за это: его уроки срывались, его жизни угрожали. Позже раскол мира, который он увидел в траншеях Первой мировой войны, ошеломил его и приблизил кончину.

БЕТТИ ФРИДАН
(род. 1921)

Бетти Найоми Гольдштейн, дочь Гарри и Мириам (Горовиц) Гольдштейнов, родившаяся в Пеории, штате Иллинойс, получившая образование в колледже Смита, сочетавшаяся браком в 1947 г. с Карлом Фриданом, мать трех детей, разведшаяся в 1969 г., общественная деятельница, популярная писательница, профессор, основательница Национальной организации женщин (НОЖ), Национального женского политического совещания и Первого женского банка, исследовательница, журналистка, член Демократической партии, клинический психолог — Бетти Фридан была самой влиятельной феминисткой послевоенной эпохи. Мэрилин Френч и другие называли ее

инициаторшей «новой волны» феминизма. Труды и лекции Фридан, в том числе весьма популярные книги «Женская мистика» и «Второе поприще», синтезировали взгляды женщин на значение равенства и на способ достижения женщинами права на выбор не только касательно детей, но и в отношении жизни и работы. На протяжении более чем двадцати пяти лет, начиная с начала 60-х гг., Фридан была талантливым оратором, добивавшимся разумных обсуждений и решений и не довольствовавшимся догмами.

Первый натиск борьбы за равные права женщин завершился в 1920 г. предоставлением им права голоса. Несмотря на заявления Эммы Гольдман о том, что право голоса не решит всех проблем женщин, до Второй мировой войны американское женское движение приостановило борьбу (хотя Поправка к Конституции о равноправии женщин и мужчин была впервые внесена в конгресс в 1923 г.). Огромные усилия за доступ к избирательной урне вымотали активисток движения и дали им ложное ощущение безопасности.

Когда через два десятилетия закончилась Вторая мировая война, четыре миллиона женщин вынуждены были уступить свои рабочие места демобилизованным солдатам. Женщинам опять указали, что их место на кухне. Кончилось их право на труд в деле строительства и защиты родины. Мужчины должны зарабатывать хлеб для семьи. Парни нуждались в теплом доме, в который они могли возвращаться каждый вечер. По иронии судьбы американские солдаты переняли некоторые подходы к женщинам (Kinder, Küche, Kirche — дети, кухня, церковь) у нацистов, которых они победили.

Современное движение за освобождение женщин началось не в 1960-х гг., как считают многие, а постепенно уже в первые послевоенные годы. Небольшие группы женщин развернули процесс повышения сознательности и изучения истории феминистского движения. Опубликованная Бетти Фридан в 1963 г. «Женская мистика» отразила вызванные этим процессом беспокойства и положила начало всемирному движению за права не только женщин, но и права человека вообще.

Историк феминистского движения Жинет Кастро отмечала, что «Женская мистика» возникла из желания доказать, что можно сочетать работу и ведение домашнего хозяйства. Определив «не имеющую названия проблему», Фридан утверждала, что американские женщины устали и заскучали от жизни без иных интересов, кроме домашнего хозяйства и воспитания детей. Фридан потеряла работу журналиста только потому, что подала заявление на отпуск по беременности и родам. Она заметила, что журналы, в которых она сотрудничала, пренебрегали рассказами о реальной жизни женщин, отдавая предпочтение фантазиям о «счастливых и героических домашних хозяйках». Именно миф о домашней жене она и назвала женской мистикой.

Кастро подметила, что главной задачей своей книги Фридан считала развенчание этой «новой религии женского пола». Женщины были не особыми богинями «Жена—Мать», а жертвами системы, построенной для их порабощения. Единственную индивидуальность жертв «синдрома домашней хозяйки» можно найти в тех объектах (вещах и детях), которые у них есть. «Заключенные в уютном концлагере», они «утратили» свое «я». Некоторые женщины, гордившиеся ролью домашней хозяйки, глубоко возмущались подобными определениями Фридан, но книга вызвала отклик во многих женских душах и разбудила целое поколение.

Изучение психологии помогло Фридан в разоблачении сексуальных советов определенных последователей Фрейда. Эти постфрейдисты, утверждала она, слишком подчеркивали значение сексуальной удовлетворенности в культе оргазма. Секс не является заменителем, настаивала Фридан, самоосуществления личности.

Женское имущество также не является ответом на ее пожизненную работу. Домашняя работа должна оцениваться такой, какая она есть, и должна проделываться «как можно быстрее и эффективнее», полагала Фридан. Брак и материнство были не кульминационной точкой всех целей женщины, а частью человеческой жизни. Женщине важнее знание, что она может думать самостоятельно, работать производительно в избранной ею области, значить что-то в своем обществе, а не только дома.

Первая книга Фридан придала неоперившемуся женскому движению энергию для превращения в революцию поиска самобытности и собственного места. Она снабдила активисток целью и направлением, послужила весьма важным генератором будущих идей.

В 1960-е гг. Фридан проявила особую активность. В 1966 г. она помогла основать Национальную организацию женщин и была ее первым председателем до 1970 г. Будучи одной из самых известных феминисток своего времени, Фридан участвовала в пикетах и дебатах и выступала с лекциями. Ее либеральные позиции часто путали с заявлениями таких радикальных феминисток, как Кейт Миллет или Ти-Грейс Аткинсон. Как Фридан показала в трех своих более поздних книгах «Это изменило мою жизнь» и особенно в удивительных «Втором поприще» и «Фонтане вечности», она настойчиво стремилась к освобождению *всех* людей, молодых и старых, от самих себя.

Ее последние книги поставили трудные вопросы. Она признавала, что на фоне возраставших трудностей экономики 1980-х и последующих лет люди начали сомневаться в целях карьеры, в том, что «усердный труд» всегда оборачивается успехом. Она описала свой захватывающий опыт работы с военными в Вест-Пойнте, считая вступление женщин в вооруженные силы символом становления «личности женщин». В заботливых и очень человечных замечаниях бабушка Фридан называет семью и мужчин партнерами на пути к равенству. По словам Эрики Джонг, Бетти Фридан стремилась привести женщин в «чувство», чтобы они признали существенное, выполняли свою важную работу и выдвигали свои собственные истины. Когда стихнет всякое краснобайство, люди будут оставлены на волю собственного «развивающегося человеческого состояния».

Уже не только вопросы женщин увязали в мистике, которая лишала их человечности. Люди престарелого возраста также попали в ловушку культуры, идеализирующей молодость и небрежно отбрасывающей стариков. Фридан призывала нас всех в конечном итоге освободиться от мифов, которые ограничивают нас, смело встречать боль, отбиваться от ограничений, учиться на нашем собственном прошлом и стремиться вперед, заботясь о том, что мы делаем, и о тех, кого мы любим.

ДЭВИД САРНОФФ
(1891—1971)

Дэвид Сарнофф, родившийся в бедности в местечке Узлян в Минской губернии России, был величайшим мечтателем в истории радиовещания. Его административный гений превратил Радиокорпорацию Америки (РКА) и ее дочернюю радио-телевещательную компанию Эн-би-си в первый большой производственный конгломерат массовой информации, в образец для остальных электронных средств информации и — за исключением разве что компании Форда — в крупнейшую американскую корпорацию, выросшую главным образом в результате усилий одного человека.

Опытный телеграфист, получивший общенациональную известность за прием сигналов «SOS» с тонувшего «Титаника», Сарнофф еще в 1915 г. предсказал, что каждый американский дом будет иметь радиоприемник. В начале 1920-х гг. он стал популярным «вундеркиндом от радио». В 1926 г. он использовал свободные радиоволны для создания первой радиосети, охватившей всю страну. Как современный Медичи, он развивал одновременно с прибыльными коммерческими шоу и такие культурные программы, как концерты Симфонического оркестра Эн-би-си под управлением Артуро Тосканини. В 1944 г. Ассоциация дикторов телевидения назвала его «Отцом американского телевидения», и действительно никто больше Сарноффа не способствовал развитию этого средства массовой информации. Преодолевая мощное сопротивление многих деятелей РКА, позже он настоял на распространении цветного телевидения.

Каждый раз его мечта становилась реальностью благодаря в основном его административному искусству и непреклонному образу действий. Сарнофф изменил подходы людей к пониманию и развлечению друг друга. Он помог создать промышленность средств связи и способствовал ее росту, ограничивавшемуся только, по-видимому, бесконечными идеями великих изобретателей. Сарноффа не волновала растущая устарелость сетевой системы. Информационные тракты, спутниковое и кабельное вещание, интерактивные кинотеатры и компьютеры, видеоигры, виртуальная реальность, голографические образы, реальные как принцесса Лея в «Звездных войнах», — все это детища возглавленной Сарноффом революции средств связи. Миру уже недостаточно откинуться на спинку кресла и просто смеяться над шутками Джека Бенни, передаваемыми по радиоприемникам фирмы «Вестингауз», или над шоу, показываемыми РКА по телевизорам в деревянных футлярах. Земля стала всемирной деревней, когда такие предприниматели, как Сарнофф, нашли для всех нас способ быстро общаться с помощью звука, а затем и видимой картинки.

Детство Сарноффа в царской России осталось далеко позади от служебных апартаментов могущественного управляющего в «Радиосити» в Нью-Йорке. Его отец, бродячий маляр Авраам, эмигрировал в Америку в 1896 г. и через четыре года вызвал к себе свою молодую семью. Дэвид рос в убожестве нью-йоркского района Нижнего Ист-Сайда. Если не считать долгих часов, затраченных им в детстве в России на изучение Талмуда по шесть дней в неделю, Сарнофф не получил почти никакого образования. Отец был не в состоянии содержать семью, и примерно в десятилетнем возрасте Дэвид уже зарабатывал на хлеб для семьи, продавая вразнос газеты на идише. Сообразив, что можно заработать больше, если нанять других продавцов и продавать газеты мелким торговцам, Сарнофф создал свою первую прибыльную сеть.

В 1906 г. пятнадцатилетний паренек поступил на работу в телеграфную компанию Маркони. Работая мальчиком на побегушках на великого изобретателя беспроволочного телеграфа — самого Гульельмо Маркони, Сарнофф научился говорить по-английски почти без акцента, читать газетные заметки и разбираться в сложном управлении компании и в работе ее оборудования.

Он был назначен управляющим станции Маркони в Си-Гейте на Бруклине, а затем оператором телеграфного оборудования компании в универмаге «Уанамейкер» на Манхэттене. В 1912 г. он был одним из немногих телеграфистов, принявших сигнал бедствия с парохода «Олимпик», находившегося в 1 400 милях в холодных водах Северной Атлантики: «Пароход «Титаник» столкнулся с айсбергом. Тонет быстро». Двадцатиоднолетний юноша стал известен всей стране в следующие семьдесят два часа, поскольку передавал национальным газетам сообщения, которые получал с имевших радио и находившихся в море спасательных судов. Президент Уильям Хоуард Тафт отдал приказ о радиомолчании, чтобы Сарнофф мог вести прием без помех. Конгресс и вся страна признали в результате этого кораблекрушения, что радио не является просто научной диковиной. Федеральным законом все крупные суда были обязаны установить радиопередатчики. Возможность передать сигнал «SOS» стало теперь необходимостью. Позже Сарнофф напомнит не без иронии, что гибель «Титаника» выпятила значение радио и его самого.

РКА — детище компаний «Дженерал электрик», «Вестингауз», «АТ и Т» и «Юнайтед фрут» — приобрела беспроволочный телеграф Маркони в 1919 г. Сарнофф стал коммерческим директором РКА, основал в 1926 г. Эн-би-си и в 1930 г. стал президентом этого конгломерата. В отличие от своего главного соперника Уильяма Пейли из Си-би-эс, Сарнофф не обладал врожденным чутьем в выборе популярных программ. Его общественная позиция заключалась в том, что он отдавал предпочтение культурным программам и видел свою роль в защите общественного блага, а не в получении прибылей. Обладая тонким вкусом, Сарнофф населил свои радиошоу величайшими знаменитостями, многие из которых были украдены Пейли незадолго до появления телевидения. Сарнофф также опережал Пейли в разработке необходимого оборудования для демонстрации шоу, которые они оба ставили. Си-би-эс так и не удалось наладить производство собственных телевизоров. На протяжении долгих лет РКА Сарноффа оставалась жемчужиной среди электронных компаний, служила образцом для «Сони» и «Мицубиси».

Концерты Тосканини (передававшиеся сначала по радио, а затем и по телевидению) не только впервые приучили миллионы американцев к классической музыке, но и спасли сети от правительственного контроля во времена президента Франклина Д. Рузвельта. РКА также использовала концерты для продажи пластинок

Тосканини — один из самых первых и удивительных примеров перекрестных продаж в индустрии развлечений.

Подобно многим титанам промышленности Сарнофф активно участвовал в правительственных и филантропических делах. Во время Второй мировой войны Рузвельт присвоил ему звание бригадного генерала в армии резерва США, и всю оставшуюся жизнь его называли Генералом. Воинское звание было ему вполне впору. В отличие от Пейли, пытавшегося прикрыть свои еврейские корни показной светскостью, Сарнофф ощетинивался при малейшем проявлении антисемитизма и давал ясно понять, кто он и откуда (в том числе в разговоре с Никитой Хрущевым).

ЛОРЕНЦО ДА ПОНТЕ
(1749—1838)

Либреттист Моцарта Лоренцо да Понте родился с именем Эмануэле Конельяно в гетто городка Ченеда (ныне Витторио Венето) близ Венеции. Немногим известно, что да Понте был евреем, поскольку большую часть своей жизни он щеголял по Европе под видом священника (притом весьма любвеобильного) и поскольку большее внимание все еще привлекает история жизни Моцарта. Друг пользовавшегося дурной репутацией Казановы, аббат да Понте написал три величайших либретто в истории оперы, положенные на музыку Моцарта: «Свадьба

Фигаро», «Дон Жуан» и «Так поступают все». До появления в конце XIX в. блестящих инсценировок шекспировских пьес «Отелло» и «Виндзорские проказницы» («Фальстаф»), написанных для Верди композитором-либреттистом Арриго Бойто, *музыкальные комедии* да Понте были вершиной музыкального театра. Важно понять другое: без сотрудничества с да Понте Моцарт не написал бы музыки, которая обнажила человеческие чувства до такой степени, которая не доступна была до него никому.

В прошлом да Понте нет ничего, что предвещало бы его удивительную жизнь и литературный успех. Отец Эммануэле Жеремия был торговцем кожи. Когда Эммануэле исполнилось пять лет, его мать Гелла (Ракель) Пинкерле умерла в момент рождения его младшего брата. Вторая жена Жеремии была христианкой. Из желания то ли удовлетворить ее религиозные потребности, то ли выбраться из гетто в 1763 г. Жеремия попросил епископа Ченеды (которого звали Лоренцо да Понте) обратить в христианство своих трех детей от Геллы. По существовавшему тогда обычаю семья Конельяно взяла фамилию да Понте, а Эммануэле взял себе и имя епископа. Епископ приютил своего нового тезку и его двух братьев и записал юного Лоренцо в семинарию.

К 1773 г. дитя гетто Эммануэле Конельяно стал священником Лоренцо да Понте. Но, даже будучи аббатом, да Понте никогда не выполнял обязанностей священника. Его темперамент (судя по описанию в его собственных ярких и причудливых «Мемуарах») вряд ли соответствовал обету безбрачия и целомудрия. Тем не менее он был уважаемым учителем в семинарии Тревизо, увлеченным современной литературой и древними языками. Его любовные похождения завершились тем, что он сделал ребенка замужней аристократке. Его радикальные политические взгляды в сочетании с распутным поведением обусловили его изгнание из Тревизо. да Понте бежал в Венецию, где, как рассказывали, нашел пристанище в доме другой прекрасной дамы, потом в Горицию и за пределы Италии — в Дрезден (где научился у другого итальянца писать пьесы на музыку в виде опер).

Наконец, в 1782 г., заручившись рекомендательным письмом к придворному композитору Антонио Сальери (о котором позже ходили слухи, будто он отравил Моцарта), да Понте прибыл в Вену в поиске работы. Австрийский двор сходил с ума по итальянской опере, и сладкоречивый да Понте получил место поэта при императорском театре. Он написал одно либретто для Сальери, а в доме еврея аристократа барона Вецлара познакомился с двадцатисемилетним Моцартом.

Их первый совместный проект, примерно переведенный как «Одураченный муж», так и не воплотился. За семь лет до своей кончины Моцарт отличался идеальным вдохновением и отличной техникой. Ему требовалось нечто большее, нежели еще одна опера-буфф с типичной для нее клоунадой и комическими трюками. Внимание же Моцарта и да Понте привлекла более революционная пьеса того времени — «Женитьба Фигаро» Пьера Бомарше. В ней рассказывалась истории развратного графа, пытавшегося изменить своей утонченной супруге со служанкой (собиравшейся замуж за его слугу!). Присутствовали все элементы комической оперы, за несколькими исключениями. Речь шла о реальных людях. Они пели с истинным чувством. Порой были по-настоящему напуганы. Они смеялись и неистовствовали, иногда исполняли арии с восхитительными словами, написанными на незабываемые мелодии, вызывавшие слезы.

Либретто да Понте к «Дон Жуану» (на основе старой легенды «Каменный гость») и к игривой, но оригинальной «Так поступают все» обращены к иным драматическим и поэтическим заботам. «Дон Жуан» — бурная трагикомедия, рассказывающая о персонаже, похожем на Казанову и недалеко ушедшем от самого да Понте в недавнем прошлом. Подобно «Гамлету» и «Фаусту», она уникальна, неподвластна стереотипам или строгому анализу. Несмотря на свое черное сердце, Дон Жуан величествен в своей ужасающей элементарности. Напротив, «Так поступают все» пузырятся как шампанское, но немного горьковаты. То, что в них рассказано об отношениях между мужчинами и женщинами — как они обманывают друг друга, как лгут, проявляют страсть, познают и забывают любовь, — полная выдумка да Понте.

Итальянский язык да Понте просто сверкает в фонетическом возбуждении. Он был не только великим драматургом, но и первоклассным драматическим поэтом. Он давал моментальную характеристику персонажей и окружающей среды. Зрители втягиваются не только в действие, но и — что важнее — в мысли и эмоции тех, кто представляются живыми людьми. Несмотря на продолжительность этих произведений, в них нет повторов, лишних слов — только прекрасная экспрессия.

За год до смерти Моцарта в 1790 г. австрийский император урезал поддержку художественного творчества из-за увеличившихся расходов на войну с Турцией. да Понте потерял работу, уехал в Триест, где познакомился с юной англичанкой по имени Нэнси Грал, отправился вместе с ней в Париж, потом в Лондон (где тринадцать лет проработал с ныне забытыми композиторами) и в конце концов эмигрировал в Америку. У Лоренцо и Нэнси родились четверо детей. Престарелый иммигрант зарабатывал на содержание семьи преподаванием ряда европейских языков. Он умер в возрасте восьмидесяти девяти лет и был похоронен в Бруклине.

ДЖУЛИУС РОЗЕНВАЛЬД
(1862—1932)

Благотворительная раздача предусмотрена иудейским законом. В древние времена бедные получали пожертвования. В индустриальный век крупные филантропические фонды были созданы состоятельными семьями для поддержки множества начинаний. Часто в партнерстве с правительством частная филантропия использовалась для оказания помощи бедным, образования масс, защиты преследуемых и излечения больных. Вся концепция столь масштабной частной филантропии со стороны деловых людей, а не аристократии, отражала новое явление, один из поистине благословенных плодов промышленной революции.

После Гражданской войны в Америке огромные состояния в бизнесе были сделаны евреями, которые иммигрировали из Германии и имена которых стали синонимами превращения Америки в мировую державу. Селигманы, Гуггенгеймы, Бахе, Куны, Лоэвы, Варбурги, Шпейеры, Шифы, Штраусы, Лехманы, Вергеймы, Голдманы, Сахсы и Розенвальды были основателями многих крупных финансовых учреждений и предприятий розничной торговли. Такие финансовые фирмы, как «Братья Лехманы», «Голдман и Сахс», «Вертгейм Шрёдер»; фонды и музеи, созданные Гуггенгеймами; гиганты розничной торговли, как «Мейси, Абрахам и Штраус»,

«Сиэрс», «Рибок», возникли и развивались как мелкий семейный бизнес, который рос вместе с американским колоссом.

Джулиус Розенвальд часто говаривал, что финансовый успех на девяносто пять процентов состоит из пота и на пять процента — из вдохновения. Он также утверждал, что не знает размеров своего состояния. Этому удивительному человеку было не важно, стоил ли он двести миллионов долларов в дни до принятия подоходного налога или 17 415 450 долларов (чистого дохода до выплаты налогов) ко времени его смерти в депрессивный 1932 год. Для него важнее было то, что он делал со своими деньгами и как он побудил и других давать деньги. Его сын Уильям вспоминал, как отец часто повторял, что большое состояние следует рассматривать как полученное по доверенности государства.

Он родился в Спрингфилде, в штате Иллинойс, в квартале к западу от дома Авраама Линкольна. Родители Розенвальда были немецкими евреями, иммигрировавшими в Америку в начале 1850-х гг. Его отец Сэмюэл в молодости работал на фабрике мужской одежды, принадлежавшей братьям его жены Августы Хаммерслаф. По легенде, ее дядя сшил особые брюки для слишком длинных ног президента Линкольна. Когда братья Хаммерслаф переехали в Нью-Йорк, Сэмюэль прибрел магазин галантереи и мужской одежды (и переехал в дом напротив дома Линкольна).

В возрасте семнадцати лет Джулиус отправился на выучку к своим дядьям в Нью-Йорк. Он подружился с Генри Голдманом (позже ставшим основателем компании «Голдман, Сахс») и Генри Моргентау (будущим послом и отцом министра финансов в правительстве Франклина Д. Рузвельта). Первоначальные усилия Джулиуса наладить собственное швейное производство в Нью-Йорке и Чикаго увенчались скромными успехами. В 1890 г. он женился на Августе Нусбаум (и стал вместе с ней гордым родителем пятерых детей). Августа сыграет ключевую роль в превращении Джулиуса в ведущего филантропа и розничного торговца своего времени. Когда он едва мог себе это позволить, Джулиус импульсивно подарил 2 500 долларов на еврейскую благотворительность. Августа поддержала его советом никогда не колебаться, давая деньги на благотворительность. В конце 1890-х гг. он стал оптовым торговцем и заявил о мечте всей жизни — зарабатывать пятнадцать тысяч долларов в год: по пять тысяч на личные расходы, на накопление и на благотворительность.

В 1895 г. брат Августы Аарон и Джулиус вложили деньги в новое совместное предприятие «Сиэрс, Роубук энд Компани». Основателем фирмы «товары почтой» был пророк маркетинга по имени Ричард Сиэрс. Будучи первопроходцем рекламы, Сиэрс не был предприимчивым торговцем. Когда Аарон и Джулиус приобрели по двадцать пять процентов акций «Сиэрс» (по 37 500 долларов за каждую долю, причем долю Джулиуса в значительной степени финансировал денежный друг из Нью-Йорка), бизнес разваливался, товары были худшего качества, чем в магазинах, а реклама часто вводила в заблуждение. Розенвальд получил шанс превратить великолепную идею в бизнес, который доказал бы свою эффективность при завоевании доверия покупателя и организации должного планирования. Под руководством Розенвальда «Сиэрс» выросла в гигантскую корпорацию, обслуживавшую каждого потребителя, который не находил нужной ему вещи в местном магазине, но вместо дальней поездки по плохим дорогам брал каталог «Сиэрс» и заказывал товар по почте.

«Сиэрс» снабжала клиентов в основном из сельской местности и маленьких городков одеждой и мебелью, огнестрельным оружием и патентованными лекарствами, фигурировавшими в каталоге как идеальные средства практически от всех заболеваний. Розенвальд прекратил продажу легкого огнестрельного оружия и микстур, добился улучшения качества товаров и точного описания в каталоге предлагавшихся товаров. Просто честность и порядочность, а не умение ловчить, оказались хорошим бизнесом. Американцы узнали, что могут положиться на каталог «Сиэрс», и он стал постоянной чертой американского образа жизни.

Популярна следующая легенда: ученица воскресной школы спросила учителя, откуда взялись Десять заповедей. «От «Сиэрс и Роубука», разумеется», — ответил учитель.

Розенвальд внедрил и другие новаторские деловые приемы, в том числе принцип массового производства (задолго до Генри Форда и других индустриальных гигантов). Гарантия возврата денег (в том числе транспортных расходов в оба конца), использование почтовых посылок, первая в США испытательная лаборатория для розничных товаров, первые в американской промышленности автоматы для вскрытия писем, едва ли не первые публичные распродажи (организованные его друзьями из «Голдман», «Сахс»), а также накопления, участие в прибылях и в планировании запасов товаров, пособия на лечение и отдых служащих — таковы были составные успешного бизнеса Розенвальда.

В эпоху, когда еще не был введен подоходный налог, Розенвальд подобно Джону Рокфеллеру и Эндрю Карнеги сказочно разбогател.

Однако Розенвальд (как до него барон Морис Гирш, сэр Мозес Монтефьоре и Джейкоб Шиф) чувствовал, что не стоит жить бизнесменом, не беря на себя гражданской ответственности.

Розенвальд отдал на благотворительные цели более шестидесяти трех миллионов. Среди получателей его даров были социальное строительство в трущобах Чикаго, общества содействия иммигрантам, научно-исследовательские институты сельского хозяйства, Чикагский университет и другие известные высшие учебные заведения, Объединенный американо-еврейский распределительный комитет (оказывавший помощь евреям, пострадавшим в ходе Первой мировой войны, а также жертвам в Бельгии, Армении, Сирии, Сербии и Германии; характерно, что Розенвальд предложил один миллион при условии, что Комитет соберет на той же основе еще девять миллионов и станет лидером в их первой большой кампании), такие еврейские организации, как Американо-еврейский комитет, иудейские теологические семинары, и такие музеи, как Чикагский музей науки и промышленности (который он сам и основал).

В дополнение к подобному дарению денег Розенвальд разработал новые для своего времени концепции того, как следует давать на благотворительность. Он выступал против идеи пожертвования навечно — так называемой мертвой руки (владения недвижимостью без права передачи), филантропии, навсегда устанавливавшей порядок расходования пожертвований. Попечители и директора должны осмотрительно, но без ограничений — считал Розенвальд — использовать основной капитал и проценты. Его метод дарения оказал длительное и глубокое влияние на то, как благотворительные учреждения получают и расходуют пожертвования. Он полагал, что деньги лучше давать заранее, до того, как случится кризис, а не после, и что предпочтительнее давать так, чтобы этому примеру последовали другие.

Розенвальд прекрасно показал себя в Чикагской плановой комиссии, составив генеральный план современного Чикаго. Президент Вудро Вильсон назначил его членом консультативной комиссии при Совете национальной безопасности во главе с Бернардом Барухом. Розенвальд использовал свое знание розничной торговли на благо США, сыграв заметную роль в экипировке американских армий в военное время.

Самыми, пожалуй, примечательными и удивительными в богатой событиями жизни Розенвальда были его усилия по великому примеру Линкольна в деле образования чернокожей молодежи на юге страны. Он финансировал строительство там более двух тысяч сельских школ, школьных библиотек и центров Христианского союза молодых людей для афро-американцев. Школы стали называться «розенвальдскими». Хотя Розенвальд не очень любил вносить взносы в фонды (предпочитая, чтобы каждое поколение само заботилось о своих нуждах), он дарил крупные суммы фондам таких учебных заведений, как институт Таскеджи, предоставлявших качественное высшее образование чернокожим в разгар почти полной сегрегации. Фотографии Розенвальда вместе с портретами его друга Букера Т. Вашингтона и бывшего соседа Авраама Линкольна украшают стены многих школ и домов благодарных чернокожих американцев.

КАЗИМЕЖ ФУНК
(1884—1967)

Казимеж Функ, сын польских евреев, открыл витамины. Предваряя оригинальные находки Функа, в 1757 г. Джеймс Линд доказал благотворное воздействие потребления фруктов на излечение цинги. В 1794 г. британский военно-морской флот признал полезность соков цитрусовых и начал снабжать ими экипажи, отправлявшиеся в длительное плавание. В конце девятнадцатого и начале двадцатого веков такие ученые, как Бунге, Эйкман, Пекелхаринг и Хопкинс, обогатили общие знания о питании важными наблюдениями и открытиями. Проводя опыты на мышах или птицах, они обнаружили, что некоторые из веществ, необходимых для полноценного питания, имеются в молоке, овощах и мясе. Основываясь на трудах предшественников, Казимеж Функ открыл в рисовых отрубях соединения, способные исцелять голубей от бери-бери, и назвал их «витамине».

Латинское слово «vita» означает «жизнь»; «amine» означает химические соединения азота. Когда обнаружилось, что не каждый витамин содержит азот, первоначальное название было укорочено на последнюю букву «*e*». Изначальный витамин Функа был позже назван «витамином В», комплексом поливитаминов.

Открытие Функа имело гораздо большее значение,

нежели простое определение вещества под названием «витамин». В силу большого влияния таких ученых, как Луи Пастер и Пауль Эрлих, медицинское сообщество того времени сосредоточилось только на изучении того, как инфекция вызывает заболевание. Открытие Функом витамина переориентировало внимание исследователей с лечения на эффективные средства предупреждения заболеваний. Его труды вдохновили множество других ученых на исследования в области питания и диететики.

Детей можно вырастить путем добавления витаминов к их повседневной пище. Правильное питание дает им возможность вести нормальный, здоровый и производительный образ жизни. Минимальные требования к питанию могут быть рекомендованы ведомствами здравоохранения для общего благополучия граждан. Внимание к правильному питанию изменило отношение людей к тому, как они питаются и растут, почему они должны заботиться о диете и что они должны есть. Замечательная статья Функа «Этиология авитаминоза», опубликованная в 1912 г. в британском «Журнале государственной медицины», и его книга «Витамин» (1913 г.; опубликована на английском в 1922 г.) революционизировали биохимию и медицину.

Хотя Функ чувствовал, что большинство важных витаминов присутствует в сбалансированной диете, после его открытия пища навсегда утратила свой прежний вкус. Витаминная недостаточность может быть вызвана, писал Функ, поглощением большого количества продуктов, которые просто утратили свою действенность. Пища может оказаться безжизненной из-за долгого хранения или транспортировки, из-за выращивания растений в бедной минералами почве или из-за чрезмерной тепловой обработки (те овощи, которыми бабушка накормила вас, возможно, кипятились слишком долго!). Витаминные добавки часто необходимы для того, чтобы восполнить питательную разницу из-за ошибок в переработке, приготовлении и количестве продуктов или в самих продуктах.

Функ также подчеркивал, что для хорошего здоровья необходимы многие витамины, а не один или несколько. Такую витаминную недостаточность как цинга, бери-бери и рахит, можно предотвратить приемом достаточного количества всех необходимых витаминов. На идеях Функа основана минимальная дневная доза витаминов, которую правительство США рекомендует на каждом флаконе с витаминами (и на большинстве коробок с изделиями из дробленого зерна).

Казимеж родился в Варшаве в семье Жака и Густавы Зысаны Функов. Жак Функ был уважаемым дерматологом, повлиявшим на выбор сына в пользу биохимии (вместо медицины) в качестве своей профессии. Биохимия тогда только начинала развиваться. Казимеж учился в Бернском университете в Швейцарии и защитил докторскую диссертацию по соединению, которое позже будет использоваться в качестве заменителя жизненно важного женского гормона.

После исследовательской работы в Институте Пастера в Париже, в Берлинском университете и Муниципальной больнице Висбадена в 1910 г. Функ приступил к работе в Институте превентивной медицины Листера. Именно в Листеровском институте он выделил витаминное соединение из ничтожно малой порции рисовых отрубей. Его открытие привело позже к выделению тиамина.

Последовали поездки в Лондонскую раковую больницу (1913—1915 гг.). Затем — исследования для двух фармацевтических компаний в США (в 1920 г. Казимеж стал гражданином США), в Корнеллском медицинском колледже и во врачебном и хирургическом колледже Колумбийского университета во время и после Первой мировой войны, затем в 20-х гг. в Государственном институте гигиены в Варшаве (в большой, из четырнадцати комнат лаборатории, профинансированной Фондом Рокфеллера). В связи с растущей фашистской угрозой Функ уехал из Польши сначала в Париж, где создал частную лабораторию под названием «Биохимический дом», а затем вернулся в Америку, где стал исследователем-консультантом еще одной фармацевтической компании (многие из разработанных им соединений стали первыми витаминами, появившимися в продаже). После своей новаторской работы в области витаминов он внес важную лепту и в другие области медицинской науки, в том числе в лечебное применение половых гормонов и в установление связи между диетой и раком.

ДЖОРДЖ ГЕРШВИН
(1898—1937)

> Джордж Гершвин умер 11 июля
> 1937 г., но я не обязан верить этому,
> если не хочу.
>
> *Джон О'Хара*

Фильмы снимаются по таким историям, как жизнь Джорджа Гершвина (и один фильм «Рапсодия в стиле блюз» был снят с Робертом Алдой и Оскаром Левантом в главных ролях). В девятнадцать лет Гершвин посидел одну ночь со своим другом детства Ирвингом Цезарем и написал «Свани». Эл Джолсон сделал из этой песни величайший «хит» Америки 1920 г. На третьем десятке Гершвин вошел в избранный круг выдающихся американских композиторов, в котором и господствовал до своей кончины от рака мозга в возрасте тридцати восьми лет.

Музыка Гершвина по большей части очень близка нам и звучит чаще, чем произведения любого другого композитора. Его «Рапсодия», «Концерт в фа», «Американец в Париже», «Порги и Бесс», мелодии к спектаклям и фильмам сегодня также популярны, как и во время их написания. Гершвин утверждал, что песня должна исполняться снова и снова, чтобы стать популярной, «раскрученной». Его музыка пережила бесчисленные повторения, но она все еще заполняет концертные залы и театры восторженными толпами.

Музыка Гершвина привлекательна тем, что наполнена солнцем и надеждой и часто сдобрена обезоруживающей меланхолией. Его нежные мелодии поднимаются на богатом гармоническом фундаменте, ритмы джазового века пульсируют в его музыке к фильмам и спектаклям, пропущенные такты и скоропалительные ноты как бы выталкивают написанные его братом Айрой либретто. Джордж принес звуки городской жизни с улиц в «пентхаусы», в концертные залы, бродвейские шоу и оперные театры. Сплав популярных песен с афроамериканскими спиричуэлами, пением еврейского кантора, рэгтаймом, свинговым джазом и симфонией провозгласил век, в котором, по выражению его коллеги Коула Портера, «все годится», но только что-то экспрессивное, подвижное и избыточно музыкальное.

Сын иммигрантов из России Морриса (кожевника) и Розы Гершовицов, Джордж вырос в Бруклине и в Нижнем Ист-Сайде Манхэттена. В то время, как его старшего брата Айру точнее всего можно было бы назвать книжником, постоянно писавшим и писавшим короткие и забавные пьески о современных ему нравах, Джордж был атлетом, человеком активным и полным энергии. Он не был вундеркиндом, но в подростковом возрасте проявил растущую склонность и интерес к музыке. В пятнадцать лет Джордж пошел работать популяризатором песен в «Переулке жестяных кастрюль» — в районе 20-х улиц на Манхэттене, где было сосредоточено большинство известных музыкальных издательств и магазинов того времени. Популяризатор песен сидел за пианино в тесной комнатушке, исполняя новинки издателя для заходящих покупателей. Продажа нот являлась крупным бизнесом до того, как радио и телевидение облегчили доступ к популярной музыке. Гершвин вскоре понял, какая музыка и каким образом оказывала быстрейшее и наилучшее впечатление. Никогда не учась в консерватории, Гершвин учился в условиях жесткой конкуренции на нью-йоркском музыкальном рынке. Идолами Гершвина были Джером Керн и Ирвинг Берлин. В действительности Джордж попытался работать на чуть более старшего и весьма удачливого Берлина, который отказал Гершвину, побуждая его писать собственные песни.

«Свани» оказался самым большим хитом в его карьере песенника. Удивительно теплое и энергичное исполнение ее Элом Джолсоном целиком захватывало слушателей и сделало Гершвина популярным автором. Когда Гершвин писал «Я построю лестницу в рай» и другие песни для альбома Джорджа Уайта «Скандалы 1922 г.», он познакомился с руководителем джаз-оркестра Полом Уайтменом. Их встреча оказала огромное воздействие на историю американской музыки.

Когда Гершвина попросили написать композицию для первого джазового концерта Уайтмена, он постарался показать серьезным слушателям музыки, что джаз «вполне приемлем». Во время поездки на поезде в Бостон на репетицию своего нового (и оказавшегося неудачным) шоу «Добрый дьяволенок», стук колес вдохновил его на сочинение «Рапсодии в стиле блюз». Он закончил работу за три недели. Ферде Грофе, позже получивший известность как автор сюиты «Гранд-Каньон», оркестровал «Рапсодию» для джаз-оркестра Уайтмена. Говорят, Айра дал название этому сочинению после посещения картинной галереи. Ныне знаменитое вступление с пронзительным глиссандо на кларнете и самим композитором за фортепьяно сделало из «эксперимента современной музыки» Уайтмена историческое событие.

Следующее шоу Гершвина с Адель и Фредом Астейрами в главных ролях получило название «Леди, будьте добры!». «Пленительный ритм», «Леди, будьте добры!», «Половина этого голубчика блюза» и «Мужчина моей любви» (последняя песня была изъята из шоу, поскольку получила прохладный отклик) были впервые исполнены в музыкальной комедии. Каждое последующее шоу соответствовало одной и той же формуле: юноша встречает девушку, юноша теряет девушку, юноша получает девушку плюс блестящие песни Гершвина в соавторстве с Айрой. Те шоу, включая «Встань на цыпочки», «О'кей!», «Смешное лицо» (в котором Астейр впервые использовал цилиндр и фрак), «Пусть гремит оркестр» и «Безумная», сегодня почти забыты, их либретто слишком привязаны к своему времени. Песни, обычно исполняемые вне их изначального драматического контекста, впервые прозвучали в тех бродвейских мюзиклах. Песни «Добрый и задушевный», «То безошибочное ощущение», «Делай, делай, делай», «Кто-то охраняет меня», «Это изумительно», «Цилиндр», «Лайза», «Пусть гремит оркестр», «Соблазнительная ты», «В ожидании благоприятного момента», «Но не для меня» и «Я понял ритм» исполняются теперь отдельно, вне контекста тех фривольных историй, частью которых они были. Музыка каждой из перечисленных песен стала неотъемлемой частью американской культуры. Стоит произнести их названия, и вы наверняка запоете их.

Между выпусками шоу Гершвин продолжал изучать гармонию, контрапункт и оркестровку. В более поздние годы Айра не раз утверждал, что его брат стал ученым музыковедом, который на третьем десятке анализировал партитуры Арнольда Шёнберга и постоянно наигрывал фортепьянные пьесы Клода Дебюсси. Руководитель Нью-Йоркского симфонического оркестра Вальтер Дамрош поручил в 1925 г. молодому, но уже популярному Гершвину написать джазовую симфонию. Гершвин откликнулся энергичным блюзовым «Концертом в фа». Даже больше, чем «Рапсодия», «Концерт» подтвердил искусное владение Джорджем музыкальной формой и изобретательной композицией. Ритмы произведения настолько заразительно разгульны, что слушатель охотно подчиняется их очарованию.

Схожим образом его оркестровая композиция «Американец в Париже» принесла в 1928 г. в концертные залы какофонию клаксонов французских такси. Музыкальная прогулка «Американца» по парижским улицам увенчалась небывалым успехом. Впервые ее исполнил симфонический оркестр Дамроша, а со временем все крупные оркестры. В тридцать лет Гершвин стал самым знаменитым композитором в мире. Его музыка начала оказывать влияние на таких разных композиторов, как Равель, Стравинский и Берг.

Шоу «О тебе я пою» на либретто Джорджа С. Кауфмана и Морри Рискина и на стихи Айры впервые было показано в 1931 г. и было награждено Пулитцеровской премией за драматургию (а не за музыку!). Мишенью этой саркастической и язвительной сатиры стало американское правительство, самые дорогие нашему сердцу институты. Песни «Кому какое дело?», «Любовь охватывает всю страну», «Потому, потому» и «О тебе я пою» («Бейби») были, по словам критика Брукса Аткинсона, «смешнее, чем правительство, но не столь опасны». Усложненная драматургия этого шоу подготовила Гершвина к работе над его величайшим произведением — народной оперой «Порги и Бесс».

«Порги» стала величайшей сценической работой из когда-либо написанных американскими композиторами. Жизнь чернокожих в гетто Кэтфиш-роу описана с любовью, чистотой и уважением, которые и сегодня звучат правдиво. Музыка Гершвина уже не была ни мелодиями для бродвейских шоу, ни якобы большой оперой, а стала музыкой народа, истинных чувств, страхов, вожделений, надежд,

чего-то возвышенного. Как и в большинстве своих крупных произведений, он соединил весь свой музыкальный опыт в трогательно
прекрасной экспрессии.

Последние два года жизни Гершвин провел в Голливуде, где написал еще несколько бессмертных песен («У меня этого не отни-
мешь», «Давай все отменим», «Все они смеялись», «Туманный день
(в городе Лондон)», «Пришла любовь» и «Любовь навеки»). Он на-
значал свидания красавицам актрисам (Симоне Саймон и затем
миссис Чарли Чаплин — Полет Годдар), страдал от деспотических
выходок продюсера Сэмюэла Голдвина, наслаждался общением со
своими, привезенными из Нью-Йорка друзьями и старался заработать достаточно денег, чтобы посвятить остаток жизни серьезным
сочинениям. Его смерть от опухоли мозга на тридцать девятом году
жизни была такой же трагедией, как и преждевременные кончины
Пёрселла, Моцарта, Мендельсона, Шопена и Бизе.

Многие критики отмечали, что Гершвин смешивал народную и
классическую музыку. Однако это было свойственно многим великим композиторам. Музыка простых людей находит свое место в
симфонической музыке вместе с величественными сочинениями.
Аарон Копленд и Эли Зигмейстер использовали в своем творчестве
ковбойские песни, Бенджамин Бриттен — матросские запевки, Сергей Прокофьев — русские крестьянские напевы, Карлос Чавес и
Сильвестре Ревуэльтас — мексиканские народные мелодии, и все
они брали пример с Гершвина.

Гармонии и характерные ритмы свинга и джаза также испытали
воздействие музыки Гершвина. Несмотря на красивые лирические
мелодии и остроумные ритмы, его музыка вырастает прежде всего
из собственной гармонической структуры. Развитие джаза после
Гершвина можно приписать в основном расширению и усложнению
гармонии. Еще до исторического концерта Бенни Гудмена в Карнеги—холле Гершвин вместе с Полом Уайтменом показал значение
и художественную силу джаза. Ибо подобно Модесту Мусоргскому
(чья музыка близка русскому чернозему) и своему великому совре-
меннику Дюку Эллингтону Гершвин навсегда стал символом музыки простых американцев, выражаемой с утонченностью, смехом, пи-
кантностью и любовью.

ХАИМ ВЕЙЦМАН
(1874—1952)

Первый президент Израиля, инициатор Декларации Бальфура, человек, содействовавший признанию «еврейского очага» президентом Трумэном, ведущий сионистский лидер после Герцля и выдающийся ученый Хаим Вейцман был одним из самых влиятельных евреев в истории. Будучи третьим в весьма несхожей троице с Давидом Бен-Гурионом и Менахемом Бегином, Вейцман использовал все свое дипломатическое искусство для того, чтобы помочь рождению еврейского государства.

Он родился в скромной семье в условиях царского режима. Его отец был торговцем лесоматериалами, интересовавшимся хорошей литературой. Из-за существовавших в России ограничений на получение евреями высшего образования Хаим выехал сначала в Берлин и затем в Швейцарию, чтобы изучать химию и получить степень доктора. Обучаясь в Берлинском политехническом институте, он узнал об усилиях, предпринимавшихся Теодором Герцлем. Сионизм Герцля поразил его «как гром среди ясного неба». В 1898 г. в возрасте двадцати четырех лет Вейцман участвовал во втором сионистском конгрессе.

В начале XX в. Вейцман переехал в Англию преподавать биохимию в Манчестерском университете. В те годы перед Первой мировой войной Британская империя достигла вершины своего могущества. Вейцман полюбил английские нравы, аристократию и демократическую форму правления и в 1910 г. стал подданным британской короны.

После смерти Герцля в 1904 г. Вейцман постепенно превратился в главного представителя мирового сионизма. В отличие от Герцля, умело общавшегося с мировыми лидерами, но не с простыми людьми, Вейцман находил общий язык и с теми, и с другими. Перед войной он искал дружбы с энергичными английскими государственными деятелями — консерваторами Дэвидом Ллойд Джорджем, Артуром Бальфуром и Уинстоном Черчиллем, а также с либеральным членом парламента Хербертом Сэмюэлом. Вейцман также находил поддержку сионистскому движению со стороны простых людей бедных еврейских кварталов Лондона.

Вейцман завоевал доверие британских властей, организовав по заказу Адмиралтейства массовое производство воспламеняющегося элемента боеприпасов. Его жидкий ацетон сыграет во время войны важную роль в снабжении британской армии боеприпасами.

Когда Турция вступила в войну на стороне Германии и Австрии, Сэмюэл и Вейцман увидели в этом благоприятную возможность для поддержки Англией еврейского национального очага. Они призвали Францию и Англию разделить Ближний Восток, как только он будет освобожден после столетий османского ига.

В письме от 2 ноября 1917 г. председателю Британской сионистской федерации лорду Ротшильду министр иностранных дел Бальфур сообщил, что правительство ее величества «благосклонно относится к созданию национального очага для еврейского народа», и обещал «приложить максимальные старания, дабы облегчить достижение этой цели».

В конце 1930-х гг. английские официальные лица, столкнувшиеся с возражениями арабов и французов и опасавшиеся, что ближневосточные правители поддержат нацистскую Германию в грядущей войне, постепенно отошли от Декларации Бальфура и в 1939 г. приняли печально известную «Белую книгу» об отказе Британии от поддержки сионистов. Тем не менее главная мысль Декларации была одобрена еще в 1922 г. Лигой наций в качестве основы британского мандата на Палестину и привела к разделу региона Организацией Объединенных Наций после Холокоста и Второй мировой войны. Между войнами и первое время после Второй мировой Вейцман представлял сионизм на международной арене. В Палестине же лидерами еврейского национального движения стали Бен-Гурион и позже Бегин. Однако именно Вейцман добился признания Соединенными Штатами рождения Израиля во время секретной встречи с Гарри Трумэном.

Трумэна приводили в ярость настойчивые и подчас грубые требования американских еврейских организаций в 1948 г., чтобы США поддержали создание еврейского государства. Старый друг и бывший деловой партнер президента, еврей из Канзас-Сити Эдди Джекобсон уговорил его поговорить с Вейцманом. Та беседа привела непосредственно к признанию Израиля Соединенными Штатами — первой страной, сделавшей это (второй был Советский Союз). Вейцман произвел глубокое впечатление на Трумэна, который быстро преодолел сопротивление государственного секретаря Джорджа Маршалла и государственного департамента, утверждавших, что признание Израиля вызовет ярость арабов и подорвет влияние США на богатом нефтью Ближнем Востоке. Во второй раз (через тридцать один год после Декларации Бальфура) старый профессор, которого Трумэн называл Хамом, добился поддержки Израиля от величайшей державы мира.

Бен-Гурион попросил Вейцмана стать первым президентом Израиля. Вейцман согласился, не сообразив, что речь идет о формальном посте. После его внезапной кончины в 1952 г. Хаима Вейцмана вспоминают как одного из самых влиятельных отцов современного Сиона.

ФРАНЦ БОАС
(1858—1942)

Начало развитию антропологии, или научному изучению человека, прежде всего в США, положил Франц Боас, родившийся в Германии. До него антропология руководствовалась теориями эволюции и дедуктивной аргументацией. Антропологи XIX в. думали, что отдельную культуру можно понять прежде путем первоначального наблюдения, затем принятием определенных предположений, основанных на ограниченных фактах, и значительным по объему псевдонаучным гаданием, выраженным в красочных мифах и сказках.

Боас, со своей стороны, призывал культурологов быть более критичными и наблюдательными. Они должны замечать изменения поведения, снимая слой за слоем внешние проявления и обнажая внутреннюю суть истины. Подход Боаса отражал позицию представителей естественных наук его дней, предполагавших, что реальные вещи скрывают структуру. Только внешняя форма меняется в связи с изменившимися условиями жизни. Боас сочетал эти методы «индукции» (скорее, чем дедукции) с уже развитыми эволюционными методами и тем самым определял антропологию как современную науку.

Родившись в Германии в буржуазной семье, Франц с юных лет проявлял интерес к изучению обычаев людей других стран. В школе, однако, он занимался прежде всего математикой и физикой, строя свое образование на абстрактных науках. Испытав позже влияние выдающихся географов и натуралистов, молодой ученый почувствовал влечение к изучению природы в реальном мире и населяющих его людей.

В свою первую экспедицию он поехал в Арктику в двадцать шесть лет для изучения эскимосов и географии их расселения. Подвергая себя немалому риску, Боас нанес на карту несколько сот миль береговой линии. Из путешествия он вернулся антропологом, убежденным в том, что география отнюдь не является движущей силой эволюции народа, как считали тогда ученые. Скорее, утверждал он,

сокровенные мысли и умственное развитие народов, а не теория Дарвина определяют их поведение.

Когда Боас вернулся в Германию, ему предложили работу в известном музее и в Берлинском университете. Но скоро представилась возможность вернуться на север Тихого океана и познакомиться поближе с культурой прибрежных индейцев и эскимосов, и он спешно отправляется в первую из тринадцати поездок в регион.

После смены ряда мест низкооплачиваемой работы в США, где он выступал с лекциями в Университете Кларка и издавал научные журналы, Боас получил посты хранителя Американского музея естествознания и профессора в Колумбийском университете (оба в Нью-Йорке). В музее он проработал девять лет, а в Колумбийском университете — сорок два года, подготовив выдающихся антропологов XX в., в том числе Рут Бенедикт и Маргрет Мид.

Помимо преподавания в университете, Боас продолжал на протяжении всей своей карьеры настаивать в многочисленных статьях, комментариях, монографиях и публичных лекциях на развитии антропологии как точной и живой науки. Он жестко критиковал квазинаучные гипотезы своего времени, утверждая, что исследования должны проводиться и выводы делаться при строгом проведении тщательного анализа и проверки. Его научный метод, направленный на изучение изменений обществ, а не их «эволюционирование» до определенной точки, дал антропологам научную основу для осуществления исследований. Боас утверждал, что ученые призваны наблюдать действительно происходящее в разных культурах без навязывания предвзятых мнений и предрассудков. Не неси себя другим, а неси других к себе, не уставал повторять он.

Исследование требует переработки большого количества данных. Собирание массы фактов — единственный способ открыть, как формируются и прогрессируют культуры. Жизнь народов и развитие их культур нельзя объяснить одной большой теорией эволюции или городской психологией, а только путем изучения точных фактов их истории.

Определение изменений в человеческом поведении, подчеркивал Боас, представляет собой надежный систематический метод правильного понимания культуры. Реконструируя историю и тщательно анализируя каждый аспект языка народа, его биологические особенности и общественное поведение, антропологический метод Боаса может дать научные ответы на вопросы жизни.

ШАБТАЙ ЦВИ
(1626—1676)

В середине XVII в. почти половина мирового еврейства на короткое время поверила, что долгожданный Мессия наконец пришел. И звали его Шабтай Цви.

Этот турецкий еврей родился и вырос в семье преуспевавшего торговца в Смирне, учился на раввина в сефардской традиции. Неистово изучал еврейские мистические писания и с молодости был известен как затворник, плававший в одиночестве в холодном море,

 занимавшийся самоистязанием и подверженный постоянной смене настроений. Обладал он определенной харизмой, привлекательным внешним видом, элегантной, почти царственной осанкой. Когда ему исполнилось двадцать восемь лет, раввины изгнали его из Смирны за то, что он произнес фонетическое имя Бога (Библия запрещала делать это) и объявил себя Мессией.

Цви бродил по Греции и в Салониках решил жениться — в местной синагоге он взял Тору в невесты. Греческие раввины прогнали его.

Прибыв в Константинополь, он снова спровоцировал полемику. В странном ритуале он смешал тексты нескольких еврейских праздников в диком богохульном песнопении, благословляя гнусные поступки, запрещенные иудейским законом. И снова он был изгнан и вернулся домой в Смирну в состоянии тяжелой депрессии.

В 1662 г. он отправился в Иерусалим. В меланхолическом ступоре, измученный воображаемыми дьяволами, он женился на беженке из Польши, молодой распутной женщине по имени Сара.

В 1665 г. Шабтай Цви узнал об одном молодом раввине из Газы, который изгонял нечистую силу и которому приписывали знание бесконечного и способность заглянуть непосредственно в душу человека. Этот раввин, получивший известность как Натан из Газы или Натан Пророк, был умелым пропагандистом и стал для Цви самым ловким организатором и подстрекателем. Союз психически больного и эгоцентричного Цви и мастера пропаганды Натана оказался эффективным.

Натан убеждал Цви в том, что он Мессия. Поначалу Шабтай не верил ему. Они посетили вместе святые места. По возвращении в Газу Цви — скорее всего, в состоянии помешательства — испытывал чувство безграничной радости. Под влиянием своего пророка Натана 31 мая 1665 г. Цви объявил себя Мессией, царем иудеев.

В последующие недели он разъезжал на коне по Газе, собирая многочисленных приверженцев и назначая апостолов. Вскоре Натан направил в европейские города множество писем, в которых сообщал о появлении Мессии и призывал к покаянию. Распространялись слухи о чудесах и удивительных способностях Мессии и об армии древних израильтян, атаковавшей и захватывавшей арабские города.

Казалось, пришел конец пятнадцати векам угнетения. Мессианский пыл осветил века тьмы и страха. Повсеместно евреи — и бедные, и богатые — отреагировали импульсивно, с искренней радостью и безумным неистовством. Подростков женили и заставляли рожать, с тем чтобы нерожденные души могли найти себе дом в детских телах. Нельзя было терять время, ибо наступал конец света.

Шабтай отправился в путешествие по Ближнему Востоку, находя поддержку ученых евреев, жаждавших увидеть исполнение мессианских предсказаний, и почти не сталкиваясь с оппозицией. Вернувшись в Смирну, во время праздника Ханука он молился в синагоге, распевая кастильскую любовную песню перед священным свитком.

В Новый год Цви отплыл в Константинополь, где сразу же был взят под стражу как опасный бунтовщик. Содержавшийся на Галлипольском полуострове, хотя и по-царски, Цви организовал свой двор в изгнании, где принимал ученых раввинов, уходивших от него убежденными в его божественной принадлежности. В сентябре 1666 г. Шабтая Цви доставили в Константинополь к султану, который предложил ему выбор: обращение в ислам или смертная казнь. Он поспешно выбрал ислам и получил имя Мехмет Эффенди и пожизненную царскую пенсию. Он жил в уединении и умер десять лет спустя. Вскоре за ним последовал и Натан.

Последние годы своей жизни Натан провел в попытках объяснить обращение Цви в туманных кабалистических выражениях. Мессия, разъяснял Натан, обязан был найти «прикрытие» в нееврейском мире, чтобы собрать утраченные искры Божьи. Большинство евреев восприняли его обращение с глубоким унынием и смятением оттого, что оказались обманутыми. Тем не менее были и те, кто продолжал поклоняться этому лже-Мессии на протяжении столетий. Даже в XX в. одна секта в Греции молилась во время тайных обрядов на Шабтая Цви.

Этот странный и постыдный эпизод имел далеко идущие последствия для мирового еврейства. После него евреи уже не чувствовали себя полностью изолированными. Простые люди впервые после начала рассеяния ощутили вкус свободы. Цви высвободил человеческие страсти, подавлявшиеся раввинским законом. Эта весьма странная история положила отчасти начало подъему экстатического хасидизма — освободительной силы последовавшего еврейского Просвещения и мучительного желания вернуться на родину, на Сион.

ЛЕОНАРД БЕРНСТАЙН
(1918—1990)

Дирижер, композитор, пианист, писатель, профессор, телевизионщик, сионист, общественный деятель, продюсер, рассказчик мирового класса — короче говоря, Леонард Бернстайн был самым влиятельным музыкантом в послевоенную эпоху.

Любезный сердцу Бернстайна законодатель американской музыки Аарон Копленд несомненно был более великим композитором, а один из его самых близких и старых друзей Дэвид Дайэмонд определенно был более выдающимся симфонистом. Свидетельством тому была приверженность Бернстайна к их музыке. Опять же, величие не является темой настоящей книги. На протяжении более чем сорока пяти лет бурной деятельности Бернстайн приобрел такой авторитет и харизму, что после его кончины в некрологах его вспоминали, как некого монарха, как Джона Фицджеральда Кеннеди от музыки. Для понимания его влияния необходимо рассмотреть отдельно виды его деятельности.

Учась дирижерскому искусству у Фрица Рейнера и Сергея Кусевицкого (великих евреев дирижеров Чикагского и Бостонского симфонических оркестров), Бернстайн внезапно прославился в 1943 г., заменив заболевшего Бруно Вальтера (еще одного великого дирижера-еврея) — приглашенного дирижера Нью-Йоркского филармонического оркестра, концерт ко-

торого передавался по общенациональному радио воскресным вечером. Бернстайну едва исполнилось двадцать пять.

Обстоятельства такого знаменательного события символичны для его карьеры. После учебы в Гарвардском университете и аспирантуры у Рейнера в Музыкальном институте Кертиса в Филадельфии в 1940 г. вооруженный рекомендациями Бернстайн отважился явиться в Тэнглвуд, чтобы учиться дирижировать у Кусевицкого. Тэнглвуд — летний приют Бостонского симфонического оркестра с 1936 г. открыл Бернстайну — через Беркширский музыкальный центр — путь к славе. Скоро став любимым учеником Кусевицкого, Бернстайн соединил в своем исполнении строгую подготовку, полученную у Рейнера, с яркостью и эмоциональностью Кусевицкого. Он получил место помощника дирижера Нью-Йоркского филармонического оркестра под опекой диктаторски настроенного Артура Родзинского.

Предложение стать помощником Родзинского явилось полной неожиданностью. Оставив Тэнглвуд и покровительство Кусевицкого, Берстайн получил работу за двадцать пять долларов в неделю в издательстве поп-музыки, записывая для Родзинского джазовые импровизации и популярные аранжировки под псевдонимом Ленни Янтарь (Бернстайн — на английском). Вскоре Родзинский вспомнил, что присутствовал на репетиции Бернстайна в Тэнглвуде, и предложил ему место помощника. Последовала неожиданная замена Вальтера, и завершился короткий путь от университета до консерватории, от музыкального фестиваля до «Переулка жестяных кастрюль» (район магазинов грампластинок и музыкальных издательств) и до восходящего американского дирижера.

Всю жизнь Бернстайна отличала способность добиваться хороших должностей и получать признание. Хорейшо Элджер, обеспечивший его прыжок к славе с помощью общенационального радиовещания и аршинных заголовков на первых полосах газет, убедил его в могуществе средств массовой информации, и он помнил об этом, приступив к созданию своей легенды.

Бернстайн стал первым американским дирижером, получившим всемирное признание и открывшим путь более поздним поколениям таких американских маэстро-евреев, как Леонард Слаткин, Джеймс Левин, Майкл Тилсон Томас и Леон Боцтайн. В первые годы его популярность среди женщин собирала в концертных залах юных поклонниц, жаждавших хотя бы прикоснуться к его одежде, пока он после выступления добегал до своей машины.

Одновременно с восхождением в качестве звезды-дирижера Бернстайн сочинял музыкальные шоу и симфонические произведения.

Во время Второй мировой войны он воспользовался, как и многие другие, патриотическим интересом американцев к отечественным творениям. Симфония «Иеремия» и балет «Беззаботные» (позже поставленный на Бродвее в форме шоу под названием «В вихре светских удовольствий») были написаны в тот же бурный период, когда он так славно дебютировал с филармоническим оркестром. В те годы он поспевал везде.

В конце 1940-х и в 1950-е гг. Бернстайн предпринимал вдохновенные и целеустремленные шаги по укреплению своего положения в американской музыке. После волнующей, но финансово невыгодной работы музыкальным директором Нью-Йоркского симфонического оркестра он преподавал в Тэнглвуде и Университете Брандеса и выступал приглашенным дирижером с ведущими оркестрами и оперными театрами от Нью-Йорка до Милана и Тель-Авива. После еще одного удачного, вдохновленного Нью-Йорком мюзикла «Чудесный город» Бернстайн попробовал писать музыку к фильмам и преуспел в фильме «В порту». Его атака на маккартизм в форме оперетты «Кандид», написанной по пьесе Лиллиан Хелман, поначалу не принесла кассовых сборов, потом стала культовой и, наконец, стала признанной классикой саркастического остроумия и юмора.

В 1957 г. в сотрудничестве с великим хореографом Джеромом Роббинсом, двадцатисемилетним лириком Стивеном Зондгеймом и автором «Цыганки» Артуром Лоренсом он работал над произведением, которое навсегда преобразует музыкальный театр, инсценировкой «Ромео и Джульетты» с перенесением действия на «дьявольскую кухню» Нью-Йорка — над уникальной «Вестсайдской историей». Этот мюзикл отразил суть Бернстайна как творца, и именно по этому произведению мир будет помнить его. В тридцать девять лет «Бродвейский Ленни» сочинил динамичное лирическое шоу, в котором смешаны социальные комментарии, драматическое движение в революционных балетных па Роббинса, возвышенные мелодии, дробленные этнические ритмы и низкая комедия в противопоставлении высокому катарсису. На следующий год он стал музыкальным директором Филармонического оркестра.

С этого поста в оркестре он ушел через двенадцать лет, чтобы стать его увенчанным лаврами дирижером. Освободившись от административных обязанностей, он получил возможность выступать в качестве приглашенного дирижера по всему свету, преимущественно в Вене, Иерусалиме и Лондоне, но почти всегда выкраивал время на сезоны в Нью-Йорке. С течением времени его иступленная и атлетическая манера дирижерства приносила все более прекрасные плоды. Он был первым исполнителем многих произведений американских композиторов и привил постоянно растущей аудитории особый вкус к музыке первого поистине гениального американского композитора — Чарлза Айвса и к мировой скорби Густава Малера (еще одного много страдавшего еврейского композитора и дирижера, которому поклонялся Бернстайн и с которым его часто сравнивали).

На фоне названных видов деятельности величайшим вкладом Бернстайна можно считать музыкальное образование. Сначала в телесериале «Антология», а затем в качестве звезды концертов Филармонического оркестра для молодежи он посвятил миллионы зрителей в сложности «Пятой симфонии» Бетховена, джаза и оркестровки. Музыканты, родившиеся в период резкого увеличения рождаемости (в первое послевоенное десятилетие), охотно признают сегодня первоначальное музыкальное воздействие на них телеуроков Бернстайна.

Его стремление учить часто перерастало в потребность проповедовать. Его деятельность в защиту гражданских прав принесла практические результаты (он нанимал представителей национальных меньшинств в свой оркестр) и плохую рекламу, когда писатель Том Вулф назвал устроенную им для «черных пантер» светскую вечеринку «радикальным шиком». Его компания «Эмберсон продакшнс» записывала на видео его выступления и лекции для широкого коммерческого распространения. Такие видеопредставления обычно предварялись музыкальным анализом — Бернстайн продолжил традицию своих концертов для детей, объясняя, «как» должно исполняться каждое произведение. Он преподавал в Гарвардском университете (каждая лекция сопровождалась, разумеется, раздачей книг и магнитных записей по ее теме) и пытался при этом ответить на вопросы музыки, на которые нельзя ответить. Он находил образные выражения, на которые переводил звуки.

В последние годы жизни он совершал длительные поездки в страны Востока, Европы и Латинской Америки, разъясняя самым увлекательным образом молодым и старым слушателям свое особое, американское видение музыки. Он принимал самое активное участие в кампании против СПИДа и в борьбе с несколькими республиканскими администрациями, считая, что они пытаются ввести цензуру. Еврей Бернстайн дирижировал оркестром в Иерусалиме во время войны 1967 г. (что было запечатлено в документальном фильме о победе в ней) и, по иронии судьбы, исполнял «Оду радости» Бетховена в 1989 г. в почти полностью «свободном от евреев» Берлине, когда рушилась Стена под хоровые выкрики «Свобода!».

Бернстайн никогда не отказывался сообщить миру с помощью умело управляемых им средств массовой информации и музыкального материала — симфоний и поп-музыки, мелодий к спектаклям и фильмам, что или как он чувствовал. Он был уверен: если он желает что-то сказать нам, то мы захотим это услышать. Хотя кое-кто находил его послания слишком пламенными или поверхностными, большинство собирались толпами, чтобы послушать его пророчества. Он не желал просто дирижировать, просто сочинять или просто учить. Он желал, чтобы мы хотели, чтобы он делал все это одновременно, с тем чтобы мы захотели чего-то большего.

Бернстайн учил мир, что музыка — нечто большее, нежели просто ноты. Кровью, потом и часто слезами он обратил орды не обладающих музыкальным слухом неучей в страстных любителей музыки, преобразовав популярные театральные шоу в арену полной значения общественной мысли и детское телевидение в забавную оркестровую игру. Его долгое воздействие на искусство проистекает из его веры в то, что убежденность, экспрессия и любовь необходимы для создания величайшей музыки в этом «лучшем из возможных миров».

ИОСИФ ФЛАВИЙ
(37 — после 100)

В Римской империи та война называлась Иудейской. Правление Нерона пришло в полный упадок, и евреи повстанцы, называвшиеся зилотами, почувствовали слабость римлян и организовали мятеж, чтобы покончить с военной оккупацией Иудеи. Последовавшая затем война привела к гибели сотен тысяч человек и разрушению Второго храма в Иерусалиме войсками Тита, сына полководца Веспасиана (вскоре коронованного императором). Официальная римская история того бурного периода была записана одним из участников, еврейским полководцем и предателем Иосифом бен-Матфеем, взявшим латинскую фамилию в честь императорской семьи.

«История» Иосифа — одно из самых ярких литературных произведений античности. Хотя его исторический метод и точность оспаривались на протяжении столетий, она остается самым важным описанием великого мятежа, который вместе с восстанием Бар-Кохбы в 135 г. положил конец еврейскому государству до его возрождения в 1948 г. из пепла Холокоста.

Иосиф родился в семье с царскими корнями, глубоко изучил Тору и считал себя знатоком неписаного закона; к мнению его прислушивались. В подростко-

вом возрасте он провел три года под опекой праведника, которым
мог быть ессей — член секты, исповедовавшей аскетическую жизнь
в пустыне (подобно многим персонажам историй об Иоанне Крес-
тителе).

Во время посещения Рима в возрасте двадцати шести лет с целью добиться освобождения нескольких иудейских священнослужи-
телей Иосиф познакомился с супругой Нерона. Очарованный Римом Иосиф добился-таки освобождения узников. В то время он проявил умение вести переговоры и выбираться из опасных положений,
которое позже спасет ему жизнь и поможет прославиться.

С началом 66 г. Иудейской войны, Иосиф был назначен комен-
дантом Галилеи. Он приступил к строительству городских укрепле-
ний, готовясь к нападению римлян. К сожалению, в бесполезной
силовой игре евреи были заняты больше междоусобной борьбой,
нежели войной с Римом. Руководители Галилеи возмутились назна-
чением Иосифа иерусалимскими властями. Когда в 67 г. Веспасиан
привел свои легионы, евреи не были готовы к оказанию сопротивления безжалостным и профессиональным римским воинам.

Веспасиан медленно продвигался, постепенно подавляя всякое
сопротивление в Галилее. Войска Иосифа дали последний бой в
крепости Иотапа. После падения Иотапы Иосиф и сорок спасших-
ся с ним сторонников укрылись в пещере. Повстанцы решили покончить с собой, чтобы римляне не казнили или не продали их в
рабство. Они тянули жребий, кто кого убьет и в какой последова-
тельности. Иосиф словчил, когда тянул жребий, ибо только он и еще
один воин остались в живых и были доставлены к Веспасиану и его
сыну Титу.

Веспасиан приказал держать Иосифа под стражей, чтобы при ближайшей оказии доставить его к Нерону в Рим. Иосиф обратился к
Веспасиану и радостно предсказал римскому полководцу, что он
скоро станет цезарем (в Талмуде говорится, что такое же предсказание сделал раввин Иоханан-бен-Саккай!). Веспасиан постепенно
поверил в предсказание, особенно после последовавших друг за другом смертей трех несчастных преемников Нерона, и стал прислуши-
ваться к советам Иосифа. Последний стал адъютантом Веспасиана,
а затем Тита, которому помогал при осаде Иерусалима (Иосиф был
ранен, когда пытался уговорить защитников Иерусалима сложить
оружие).

После того как войска провозгласили Веспасиана императором,
Тит разбил повстанцев и сжег Храм (украв главный свиток Торы из
святая святых), а Иосифу были дарованы римское гражданство и соб-

ственность. Стремясь убедить всех врагов Рима в его непобедимости, Веспасиан поручил Иосифу написать официальный отчет очевидца об Иудейской войне.

Изначально написанная на арамейском — повседневном языке вавилонских евреев, «Иудейская война» была призвана не только устрашать, но и информировать. Эта версия была утрачена. Позже Иосиф перевел книгу на греческий, и эта версия сослужила службу Веспасиану, узаконив его (и его сына) право «править всеми людьми» (несмотря на низкое происхождение).

Позже Иосиф написал «Иудейские древности», «Автобиографию» и «Против Апиона» в качестве защиты от антисемитских нападок. Поскольку народ считал его изменником, постаревший и, возможно, чувствовавший глубокую вину Иосиф пытался защитить еврейскую традицию и будущее иудаизма.

Славянская версия «Иудейских древностей» содержит знаменитое описание некого Иисуса из Назарета. Долгие столетия этот пассаж рассматривался служителями церкви как дополнительное к Библии историческое доказательство существования Христа. Однако многие историки считают его подделкой, относящейся к третьему веку, когда рукописи Иосифа находились в руках монахов. По иронии судьбы сочинения Иосифа были сохранены для будущих читателей благодаря главным образом приверженности римско-католической церкви этому пассажу, каким бы сомнительным он ни представлялся.

Творчество Иосифа (в частности, «Иудейская война») оказало заметное влияние на развитие европейского искусства, драматургии и беллетристики как основной источник легенды для славянских народов (героическая литература), художников итальянского Ренессанса (Мантенья), английских драматургов и русских романистов.

ВАЛЬТЕР ВЕНЬЯМИН
(1892—1940)

Узнав в 1940 г. о самоубийстве своего друга Вальтера Вениямина, великий драматург и соавтор композитора Курта Вейля Бертольт Брехт якобы заявил, что его смерть была первой утратой, понесенной немецкой литературой от рук Гитлера.

Вальтер Веньямин был литературным критиком, журналистом, переводчиком и философом. К нему лучше всего подходит французский термин «homme de lettres» — литератор. Его редко публиковали при жизни, и его работы были известны лишь небольшому кругу друзей, многие из которых сделали неплохую карьеру после Второй мировой войны. После публикации ряда его работ в 1950-х гг. за-

метно выросло влияние творчества Веньямина на современное восприятие культуры, истории, метафизики и литературы. Его по праву считают одним из самых оригинальных мыслителей XX в. Его критические высказывания и взгляды часто одинаково поучительны как по содержанию, так и по форме. Чаще всего упоминается его работа «Искусство в век механического воспроизводства» — своеобразный культурный манифест современной литературы. Эссе Веньямина о Бодлере, Кафке, Гете, Лескове, Прусте и эпическом театре Брехта продолжают влиять на то, как развивается модернистская литература.

Отец Веньямина был состо-

ятельным торговцем антиквариатом и предметами коллекциониро-
вания. Вальтер унаследовал страсть к коллекционированию, непре-
станно рылся в развалах букинистов и постоянно писал об этой своей
одержимости. Его родители не были религиозными. Просто асси-
милированные немецкие евреи, жившие в буржуазном Берлине,
Эмиль и Паула Веньямины посылали сына учиться в передовые
школы Берлина, Фрейбурга и Мюнхена. Он стал активистом студен-
ческого движения. До бойни Первой мировой войны многие обра-
зованные молодые люди верили, что солидарность, приобретенная
в пешем туризме и спорте, приведет к взаимопониманию и сотруд-
ничеству. Война покончила с этим оптимизмом. Два самых близких
друга Вальтера, взбунтовавшиеся против растущего ура-патриотиз-
ма немецкой молодежи, вместе покончили с собой. Веньямин оставил молодежные организации и бежал от призыва на военную службу
в Швейцарию. Во время войны он изучал философию в Берне и
вернулся в Германию только в 1920 г. Он попытался получить место преподавателя в университете Франкфурта, но его диссертация
на тему немецкой трагедии не получила одобрения.

В те ранние годы Веньямин писал эссе на самые разные темы:
критика немецкого романтизма, литературные портреты Достоев-
ского и Гете, языковые проблемы, роль переводчика. Он развивал
новые концепции литературной критики, когда текст рассматривался
сам по себе, текст ради текста, а не в искусственном контексте культуры или жанра. На самом деле критика стала для Веньямина своеобразным философским исследованием, хотя и не в русле тяжело-
весной немецкой философии, имевшей источником Канта. Веньямин создавал нечто иное, нечто святое, что нелегко
классифицировать. Его подход был глубоко еврейским, наполненным Богом. Тексты Веньямина были поиском основополагающего
значения слов, по сути, теологией выражения.

В его эссе часто исследовались проблемы общения и знания. Мы
можем знать слово только из того, что нам сказано. То, что нам говорят, и есть наше слово. Написанное до нашего времени было из-
ложено на языке, присущем тому времени. Перевод с такого более
старого языка на язык нашего времени требует возможности повторения оригинала. И все же, когда перевод сделан, новый текст оказывается весьма отличным от своих истоков. Сделанные Веньями-
ном переводы работ Пруста были сожжены нацистами.

Разоблачитель всяких историй, Веньямин был пленен рассказчиком Францем Кафкой и стал одним из первых критиков, признав-
ших уникальность еврейского романиста из Чехословакии. Кафка,

по его мнению, описывал опыт с помощью иносказания. Истина должна быть предрешенной, чтобы быть предсказанной.

Марксист Веньямин находился под большим впечатлением от своего друга Брехта. Он восхищался свежим поэтическим голосом Брехта. Искусство Брехта покоится на непосредственности его слов, лишенных какого-либо исторического убранства, и на его языке, не имеющем иного значения помимо голой правды.

Веньямин определенно испытывал на себе влияние своего друга Герхарда (позже Гершома) Шолема — писателя, учителя и специалиста по иудейскому мистицизму, который эмигрировал в Палестину в 1923 г. Двух друзей завораживали магия Священного Писания, божественная природа слов. Выявление скрытых значений слов из Священного Писания или из эпической драмы должно сделать очевидным присутствие Бога.

Веньямин бежал через Францию от нацистов и от французских коллаборационистов режима Виши, пересек Пиренеи и вошел в приграничный каталонский городок. Узнав о его прибытии с группой беженцев, испанские пограничники пригрозили отправить его обратно во Францию, т.е. в руки гестапо. Днем раньше или позже Веньямин получил бы разрешение остаться. Измученный переходом через горы и сердечной болью, Веньямин покончил с собой. Место его захоронения неизвестно. Ему не поставлен памятник.

ЛУИС БРАНДЕС
(1856—1941)

Наряду с Бенджамином Кардозо Луис Дембиц Брандес был самым влиятельным еврейским юристом в американской истории. Кардозо, пожалуй, воздействовал на развитие юриспруденции больше, чем Брандес. Адвокаты продолжают пребывать под впечатлением от прекрасных юридических текстов Кардозо и его внимания к роли судов в законотворчестве. Многие из взглядов Кардозо, особенно из высказанных им, пока он был председателем апелляционного суда штата Нью-Йорк, продолжают оказывать влияние на современную правовую систему. Прежде чем стать судьей, Брандес был прекрасным адвокатом, защитником общественных интересов, крупным сионистским деятелем и одним из лидеров прогрессивных политиков, обеспечивших избрание Вудро Вильсона и Франклина Делано Рузвельта. Брандес — первый великий еврейский юрист в США и первый представитель иудаизма, ставший членом Верховного суда.

Родившись в Луисвилле, штат Кентукки, за четыре года до Гражданской войны в семье образованных иммигрантов из Богемии, Брандес выучил немецкий язык, на котором говорили дома, и посещал среднюю школу в Луисвилле. Во время войны и в период реконструкции его отец Адольф разбогател на торговле зерном. В начале

1870-х гг. Адольф угадал грядущее снижение деловой активности в послевоенной процветающей экономике (депрессию 1873 г.), прикрыл свой бизнес и вернулся с семьей в Европу, чтобы навестить родственников и насладиться плодами своего богатства. Позже он предвидел и другие перипетии. Луис проявлял схожую проницательность и одновременно большую скромность. Посещая Королевскую школу в Дрездене, Брандес соединил тевтонское мышление и логику, отвергая одновременно строгость и притеснения со стороны педагогов.

Вернувшись в США в 1873 г., Луис нашел наконец подходящее учебное заведение — юридический факультет Гарвардского университета. Брандес стал одним из первых студентов этого факультета, выигравших от строгой формы обучения, получившей название «метод дел» (введенной в Гарварде по инициативе Кристофера Лангделла). Студенты изучали юриспруденцию, рассматривая слушание реальных дел в суде. Брандес влюбился в юридические исследования, читая так много, что испортил себе зрение. Закончив учебу с высшими оценками, Брандес открыл собственную юридическую фирму вместе с Сэмюэлом Уорреном, сыном богатого промышленника, тесно связанного с высшим классом и аристократией Бостона.

Фирма «Уоррен и Брандес» быстро добилась успеха. Аналитические способности Брандеса, его бесподобное умение усвоить и истолковать сложные переплетения фактов, широкое знание бизнеса и тонкое понимание людей обеспечили ему профессиональный успех. В то время Америка постепенно теряла душу в слишком быстрой индустриализации. Стремительное накопление личного богатства выглядело предпочтительнее общественного блага.

Брандес строил свою карьеру первоначально как энергичный адвокат во главе прибыльной юридической фирмы, представлявНародный защитник, он посвящал большую часть своего времени делам, представляющим общественный интерес, отказываясь от гонорара. Тем не менее он продолжал привлекать достаточное число платежеспособных клиентов, чтобы зарабатывать по-царски для того времени — до 100 тысяч долларов в год. Дела касались предоставления транспортных и муниципальных льгот, урегулирования страховых случаев и развития страхования жизни сберегательным банком, доступного всем при взимании незначительных взносов; защиты интересов штата Орегон, установившего десятичасовой рабочий день; правонарушений в Министерстве внутренних дел и урегулирования рабочих конфликтов. Он создал форму письменного доказательства, включающего общие принципы и целые страницы подтверждающих фактов. Эта форма получила название «резюме Брандеса» и революционизировала судебный процесс.

Брандес видел цель своей деятельности в попытке — консервативной по своему подходу — восстановить равновесие в американской демократии. Неограниченный контроль бизнеса над всеми областями жизни принизил выдвинутый Джефферсоном идеал демократии, который высоко ценил Брандес. Каждый маленький человек должен иметь возможность сказать свое слово. Брандес брался за непопулярные дела в качестве вклада в достижение указанного равновесия.

В 1912 г. он познакомился с другим великим реформатором — Вудро Вильсоном, которого Демократическая партия незадолго до того выдвинула кандидатом в президенты. Их встреча в Си-Джерт, в штате Нью-Джерси, получила широкое освещение в печати: несговорчивый еврей адвокат из Бостона поддерживает сурового и высокообразованного протестанта. В тот момент Вильсон выдвинул привлекательные идеи социальной справедливости, но его экономическая программа оставалась туманной, непродуманной. Брандес подсказал Вильсону идеи социальной реформы как великого регулятора растущего бизнеса. По его мнению, программа Вильсона «Новая свобода для Америки» должна была строиться на морали, а не только на делании денег.

После избрания Вильсона Брандес из-за своей несговорчивости не был назначен ни министром юстиции, ни министром торговли. Но он продолжал работать внештатным советником Вильсона по вопросам создания Федеральной резервной и Федеральной торговой систем.

Брандес никогда не исповедовал иудаизма. Накануне Первой мировой войны он начал приравнивать к сионистской деятельности свой американский патриотизм. Брандес полагал, что иудейская традиция указывала на то, что обновленный еврейский Сион мог быть только демократией, подобной американской. Он не соглашался с такими еврейскими лидерами, как Джекоб Шиф, считавший, что американец не может оставаться верным своей стране и одновременно быть сионистом. Укрепление руководящей роли Брандеса в американском сионистском движении привело к созданию Американского еврейского конгресса. Активная поддержка великим еврейским адвокатом американского сионизма придала ему столь необходимую легитимность в те трудные первые годы.

Когда предшествовавшие Вильсону американские президенты назначали членов Верховного суда, их рекомендации не встречали сопротивления в сенате или оно было незначительным. В 1916 г. Вильсон предложил Брандеса в качестве члена Верховного суда и тем самым развязал ожесточенную схватку. Во время слушаний в сенатском комитете по судоустройству злобным нападкам подверглись честность и прогрессивная политика Брандеса. Такие известные консерваторы, как бывший президент Тафт, не могли согласиться с тем, чтобы еврей стал судьей Верховного суда.

Вильсон все же настоял на своем. Сенат поддержал 47 голосами против 22 назначение Брандеса — первого еврея в Верховном суде, открывшее двери для других судей-евреев — Кардозо, Франкфуртера, Голдберга, Фортаса и Гинзбурга.

Еще в начале своего пребывания в должности судьи Брандес установил новую традицию. Отказавшись от постоянного секретаря, он каждый год выбирал одного из выпускников (по подсказке своего друга профессора Феликса Франкфуртера) Гарвардского университета в качестве ученика. Будущий государственный секретарь Дин Ачесон был одним из таких помощников.

Карьера Брандеса в Верховном суде была продолжением его прогрессивизма. Он видел, что суд слишком много занимался правами собственности в ущерб таких личных свобод, как частная жизнь. Брандес верил, что его взгляды должны не только убеждать, но и учить и направлять людей. Благодаря широкому и подробному знанию американского бизнеса Брандес сумел придать своим взглядам самый большой резонанс, разойдясь во многих из них со своим другом Оливером Уэнделлом Холмсом. Брандес был одним из первых современных судей, которые не полагались только на узкое толкование закона, а вырабатывали свои решения после тщательного исследования и накопления фактов, рассматривая право как активную и растущую часть жизни, как «живой» закон, необходимый всем.

ЭМИЛЬ БЕРЛИНЕР
(1851—1929)

Ни один изобретатель-еврей не достиг уровня Белла, Эдисона или Форда. Тем не менее многие изобретатели-евреи сумели превратить непрактичные новшества в полезные орудия, заметно улучшившие качество жизни человечества.

Эмиль Берлинер не изобрел фонографа — это сделал Томас Алва Эдисон. Через десять лет после изобретения Эдисоном машины с покрытым оловянной фольгой записывающим цилиндром Берлинер создал граммофон, заменив цилиндр Эдисона плоским диском из цинка.

Не изобретал Берлинер и телефона. Это изобретение обычно приписывают Александеру Грейаму Беллу. Тем не менее Берлинер сумел очистить и усилить передаваемые звуки. Таким образом, он изобрел своеобразный телефонный передатчик с неплотным контактом, который назвал микрофоном. Он также разработал индукционную катушку, улучшив работу телефона. Благодаря усовершенствованиям Берлинера (и созданию им оригинального микрофона), телефон перестал быть просто технической новинкой и стал эффективным средством связи, способным передавать звуки на большие расстояния. Более поздние доводки сделали микрофон неотъемлемой частью публичных выступлений, радиовещания и записи звуков.

Берлинер родился и вырос в немецком городке Вольфенбюттеле близ Ганновера. В девятнадцать лет эмигрировал в США и после краткого пребывания в Нью-Йорке обосновался в Вашингтоне, в округе Колумбия. Работая клерком, продавцом и лаборантом в химической лаборатории сахарного производства, Берлинер одновременно изучал электричество и акустику.

В 1876 г. он начал возиться на дому с новой схемой телефона Белла. Следовало улучшить неважное качество звука и увеличить дальность действия для того, чтобы изобретение Белла можно было использовать. Соорудив громкоговоритель из коробки из-под мыла,

Берлинер собрал исходный микрофон. С добавлением индукционной катушки телефон превратился в удобное и полезное средство связи. Права на его усовершенствования были куплены компанией «Белл Телефон». Берлинер получил в этой компании пост главного инспектора по электроприборам.

В 1887 г. Берлинер разработал граммофон и плоский диск для записи звука. Изобретение грампластинки доказало, что главным фактором искажения звука на вращавшихся вручную цилиндрах Эдисона была сила тяжести. Покрытая шеллаком пластинка с успехом фиксировала звуковые волны. Вдобавок Берлинер изобрел способ воспроизводства копий с оригинала записи, известный ныне под названием «контратипирование». Патент Берлинера был приобретен компанией «Виктор Токинг Машин» и послужил фундаментом для промышленности с миллиардными доходами. Берлинеру принадлежал и патефон «Хиз Мастерс Войс» («Голос его хозяина»).

Берлинер продолжал пробовать силы во многих областях, экспериментируя в авиации (изобрел легкий двигатель с вращающимися цилиндрами и построил вертолет примерно в одно время с Игорем Сикорским, которому обычно приписывают это изобретение), общественной гигиене и улучшении качества молочного производства. Он также организовывал общенациональную борьбу с туберкулезом и поддержал строительство Еврейского университета в Иерусалиме.

Длинный список изобретателей включает и других евреев (но не ограничивается ими): Авраам ибн Эзра (астролябия для мореплавателей), Леви бен Гершон (квадрант, которым пользовался Колумб), Наум Соломон (колесо с тонкими спицами и первый безопасный велосипед), Леопольд Маннес и Леопольд Годовский младший (способ цветовоспроизведения «Кодак-хром»), Петер Карл Гольдмарк (цветное те-

левидение и долгоиграющие пластинки), Джекоб Рабинов (письмо-
сортировочная машина), Харольд Розен (геосинхронные спутники)
и, разумеется, Джон фон Нейман (основные элементы современного компьютера — центральный процессор, запоминающее устройство и использование двоичных чисел и последовательной обработки данных).

САРА БЕРНАР
(1844—1923)

Актриса Сара Бернар была величайшей представительницей *la belle époque* — прекрасной эпохи Франции конца XIX в. Божественная Сара, как ее называли, была ярчайшей исполнительницей своего времени и подобно Карузо в опере и Чаплину в кино стала источником вдохновения для знавших ее актеров, режиссеров и драматургов. При ее жизни были, разумеется, и другие великие театральные деятели, такие, как актрисы Ракель и Элеонора Дузе, драматурги Сарду, Вильде, Ибсен, Ростан и Шоу. Но ни один из них не пользовался таким всемирным влиянием, как Сара.

Ее мать Юля Бернар была голландской еврейкой, которая бежала от буржуазной жизни в Амстердаме вместе с сестрой Розин в поисках приключений. Сестры путешествовали по европейским столицам, пока наконец не осели в Париже, где зарабатывали на жизнь проституцией. Первая беременность Юли завершилась рождением близнецов, умерших в детстве. Годом позже, в 1844 г., родилась Сара (названная тогда Розин), отец которой остался неизвестным.

Работая днем белошвейкой, по ночам Юля становилась привлекательной куртизанкой. Ее салон посещали такие видные представители парижского общества, как писатель Дюма-отец (его сын напишет специально для Сары ее самую лучшую роль в «Даме с камелиями») и композитор Россини. Хотя Сару в юные годы держали подальше от дома в монастырской школе, Юля привезла ее еще подростком домой, чтобы приохотить к семейной профессии. Сара же поначалу склонялась стать монашенкой, но вскоре поняла, что у нее получится сыграть роль куртизанки. Участие в школьном спектакле приучило ее к сценической свободе. С помощью герцога де Морни в шестнадцать лет она поступила в Парижскую консерваторию и училась там у самых известных маэстро того времени.

Связи, установленные ею в консерватории и в салоне матери, обеспечили ей работу в прославленном театре «Комеди Франсез». Она произвела неважное впечатление на театральную публику и

приводила в ярость товарищей по сцене тем, что приводила за ку-
лисы и на совместные праздники свою младшую сестру Реджину.
Контракт Сары закончился через шесть месяцев.

    Она жила за счет незаконных любовных связей, пока модный па-
рижский театр «Жимназ» не пригласил ее дублировать роли ведущих актрис. Тот период также не был богат событиями, если не считать того что в двадцать лет она родила своего единственного сына
Мориса.

Юная Сара была необыкновенно хороша собой благодаря своей смуглой и гладкой коже и проникновенному взгляду. Вскоре на нее обратила внимание знаменитая писательница Жорж Санд, которая субсидировала молодую актрису в экспериментальном театре «Одеон». Играя в современных пьесах Санд, Александра Дюма-сына и Виктора Гюго, «la petite» (маленькая) Сара, как ее поначалу называли, стала звездой.

Хотя ей уже не приходилось полагаться только на заработок куртизанки, Сара продолжала менять одного богатого любовника на другого. Вернувшись в «Комеди Франсез» через десять лет после своего изгнания, она сошлась с ведущим актером театра Муне-Сюлли, вместе с которым играла множество раз.

Успех Сары был отмечен трагическим событием: ее сестра Режин умерла от туберкулеза в возрасте восемнадцати лет. В эксцентричной попытке подражать Режине Сара начала спать в гробу, вызвав потрясение и отвращение всего Парижа. Она, казалось, постоянно искала новых ощущений и эмоций.

На третьем десятке она уже стала легендарной и желанной для бесчисленных мужчин. В нее влюблялись Виктор Гюго, Уильям и Генри Джеймс, композитор Чайковский, художники Гюстав Доре и Жорж Клерен. Позже она будет вдохновлять писателей Марка Твена, Д.Г. Лоренса и Эдмона Ростана, а ее портрет займет почетное место на стене кабинета Зигмунда Фрейда. Во время турне «Комеди Франсез» по Англии Сара завоевала восхищение Оскара Уайльда. Сделав Сару своей музой, он написал двенадцать лет спустя свою позорную «Саломию». Ее успех в Лондоне был поразительным и принес ей международное признание.

Она ушла из «Комеди», организовала собственную труппу и отправилась в турне в Новый Свет. Ее пребывание в Америке в 1880 г. получило широкое освещение в печати. Еще до высадки в Нью-Йорке Сара спасла женщину от падения с лестницы, когда судно неожиданно накренилось. Спасенной оказалась Мэри Тодд Линкольн, но несчастная вдова президента не оценила ее поступка.

В Нью-Йорке Сара сыграла в семи классических пьесах двадцать семь раз за двадцать семь дней; посетила Томаса Алву Эдисона в его лаборатории в Нью-Джерси и сделала свою первую граммофонную запись — строки из «Федры» Расина, в завершение которой изобретатель весело спел «Янки Дудл Дэнди» (песню времен войны за независимость), а в Бостоне общалась с поэтами Оливером Уэнделлом Холмсом и Генри Уодсуортом Лонгфелло. За шесть напряженных месяцев она заработала миллион долларов, и обаяние ее личности (по словам Оскара Уайльда) поразило американских зрителей.

Она приедет в США еще несколько раз, всегда добиваясь большого успеха. Ее поездка в Италию вдохновила молодую Элеонору Дузе стать актрисой.

По возвращении в Париж на протяжении 1880-х гг. Сара с небывалом успехом играла в «Федоре», «Теодоре» и «Тоске» Сарду. Эти пьесы определили стиль Бернар, который будет сказываться на игре актеров вплоть до расцвета немого кино.

В 1890-е гг. она отправилась во всемирное турне, продлившееся почти десятилетие. Она познакомилась с композитором Рейнальдо Ганом, любовник которого — Марсель Пруст обессмертит ее в цикле романов «В поисках утраченного времени». Увела у Дузе любовника — великого итальянского писателя Габриеле Д'Аннунцио, открыла и закрыла два театра, сыграла на шестом десятке заглавную роль в «Гамлете» и вместе с писателем Эмилем Золя открыто поддержала капитана Альфреда Дрейфуса в борьбе со злобным антисемитизмом.

Оставшиеся ей годы были омрачены ухудшившимся здоровьем. Ампутация правой ноги после несчастного случая не помешала ей выступать во французских труппах во время Первой мировой войны и совершить еще одно турне по глухим уголкам Америки. Она прожила достаточно долго, чтобы ее навсегда запечатлели в первых немых фильмах, когда она старалась поспеть за современным стилем игры. Десятки тысяч человек выстроились вдоль парижских улиц, провожая ее похоронный кортеж. Царственная звезда Франции стала бессмертной.

Влияние Сары проистекает не только из ее неизмеримого вклада в развитие актерской игры, но и из ее увлекательной жизни и из произведений вдохновленных ею художников. Ее турне по Европе и Америке донесли классическую и современную драматургию до людей, прежде не знавших театра, и побудили отдельных лиц и целые учреждения приложить еще большие усилия к написанию и исполнению пьес. Преобразование ею мелодрамы в высокое искусство вдохновляло таких художников, как Пуччини и Пруст, актриса Дузе и актер Джон Гилгуд. Искусство и жизнь Сары служат сегодня эмблемой красоты и блеска ее времени.

ЛЕВИ ШТРАУС
(1829—1902)

Ни один другой предмет одежды, как джинсы, не олицетворяет в такой же степени Америку. Повсюду люди видят за джинсами ковбоев, Дикий Запад, лошадей, седла, неистребимый индивидуализм. Даже люди, не желающие и слышать о звездно-полосатом флаге, могут щеголять в бледно-голубых штанах...

Лоб Штраус родился в Бутенгейме, близ германо-австрийской границы в Баварских Альпах, и первые годы торговал в разнос мануфактурой. В 1847 г. вместе с матерью и сестрами Вёсилой и Майлой Лоб эмигрировал в Америку, чтобы воссоединиться в Нью-Йорке со своими сводными братьями Луисом и Ионой. В доках Нью-Йоркской гавани Лоб стал Леви, и, как гласит легенда, родилось самое известное имя в истории швейного производства.

Легендарный характер носит и создание Леви первой пары джинсов. Где-то в середине 1850-х гг., в разгар золотой лихорадки в Калифорнии, Леви торговал в горных поселках, отличавшихся тяжелейшими условиями жизни и носивших экзотические названия вроде Эльдорадо. В один прекрасный день к Леви подошел грубый, словно высеченный из камня золотоискатель и поинтересовался, чем он торгует. Леви предложил ему палатку. Старателю палатка была ни к чему, а нуждался он в крепких, не рвущихся штанах. Воспользовавшись случаем (и клиентом), Леви снял с рудокопа мерку и обещал сшить прочную одежду на заказ. В ближайшем горном поселке Леви нашел портного (не без труда, ибо в горах не было спроса на хороших портных) и заказал ему сшить крепкие штаны из парусины палатки. У штанов были большие карманы, в которых можно было носить золотые самородки и инструменты. Старатель остался доволен, а Леви получил шесть долларов (золотым песком!). Весть о «тех штанах Леви» стремительно распространилась по горняцким поселкам, сделав их модными среди старателей.

К 1860 г. Леви заменил парусину своих брюк на хлопчатобумажную ткань, импортировавшуюся из французского города Нима, и с помощью принадлежавших сводным братьям мануфактур в Нью-Йорке наладил широкое производство. Его штаны начали носить в США повсюду, независимо от профессии.

Первое и самое известное в мире производство джинсов «Леви Штраус и компания» развилось из семейного бизнеса. Вместе со своими сводными братьями на Восточном побережье и зятьями Давидом Штерном и Уильямом Салейном в Сан-Франциско (и их детьми) Леви создал компанию, которая первоначально поставляла прочную рабочую одежду, а затем повседневную одежду для лиц обоих полов.

Семья занялась не только розничной, но и оптовой продажей джинсов и перенесла свой бизнес за Атлантический океан. Построив фабрики на обоих побережьях, создав сеть быстрой доставки и направляя в отдаленные городки коммивояжеров, эффективно торгующих по каталогу, «Леви Штраус и компания» стремительно росла. Когда один из клиентов предложил способ укрепить брюки на бедрах и в шагу, были изобретены заклепки. Компания наняла того клиента, оказавшегося портным Джекобом Дэвисом, первым мастером, отвечающим за производство. Поначалу заклепки изготавливались из меди. После жалоб матерей и сельских учительниц на то, что медные заклепки царапали и домашнюю, и школьную мебель, Леви заменил заклепки крепкой ниткой. Компания разработала также свои хорошо известные отличительные оранжевые стежки на заднем кармане и любимую заплату с изображением двух лошадей, пытающихся разорвать пару «Левис». Ни один уважающий себя владелец джинсов «Левис» никогда не убирает эту заплату. Она стала (вместе с принятым в 1930-е гг. фирменным знаком) самым устойчивым символом в истории моды.

Леви Штраус приучил к бизнесу и сыновей своей сестры. Компания оставалась под контролем семьи большую часть XX в. Леви стал уважаемым филантропом, поддерживавшим, в частности, изучение иудаизма в Калифорнийском университете. Исходя из потребностей общенациональной компании с фабриками на Атлантическом и Тихоокеанском побережьях и будучи членом Торговой палаты Сан-Франциско, он умело проталкивал строительство канала в Центральной Америке. Панамский канал стал реальностью примерно ко времени его смерти.

Он остается образцом для подражания благодаря не только своей легендарной жизни, но и своему умению создать уникальное, чисто американское предприятие. Евреи продолжали — особенно в США и Англии — преобладать в «лоскутной» торговле. Современные дизайнеры вроде Ральфа Лорана все еще находят эстетическое вдохновение в Диком Западе — Калифорнии Леви Штрауса.

НАХМАНИД
(1195—1270)

Известный по прозвищу Рамбан или Нахманид из Хероны (Испания), раби Моше бен Нахман был, вероятно, самым великим иудейским ученым XIII в. Его комментарии к Пятикнижию Моисея — классический труд библейской учености. Он также пытался — правда, безуспешно — защитить труды Маймонида от обвинений в ереси.

И все же устойчивое влияние Нахманида на мировую историю проистекает благодаря его участию в провокационных и зловещих дебатах в Барселоне 1263 г. По приказу короля Арагона Нахманид публично дискутировал с обращенным евреем (видимо, из Южной Франции) по имени Пабло Христиани на тему относительных достоинств иудаизма и христианства. В результате Нахманид был обвинен в богохульстве и выслан из страны. Находясь в изгнании в Святой земле, он помог возрождению бедной и сокращавшейся еврейской общины.

Идея публичного диспута по двум религиям пришла в голову католическим священникам, желавшим массового обращения евреев; для этого решено было публично доказать неправоту влиятельнейшего раввина и духовного лидера. Церковь, естественно, навязала строгие ограничения для аргументов еврейского участника дебатов. Исход каждого диспута был предопределен. За отступление от подготовленного сценария раввину грозило жестокое наказание. Дискуссия между Христиани и Нахманидом получила большую известность и оказалась наиболее важной из тех трагических схваток.

Король Арагона Яков уважал Нахманида и часто советовался с ним по государственным делам. Скорее всего, пойдя на поводу у доминиканских священников, Яков принудил Нахманида принять участие в диспуте.

В заполненном епископами и членами королевской семьи зале участникам диспута задавались простые вопросы, на которые было непросто ответить. Был ли Иисус Мессией, был ли он божественным, предстояло ли еще пришествие Мессии, был ли Мессия человеком, а не богом, и кто исповедовал единственно истинную веру и руководился единственно верным законом — иудеи или христиане?

В тот раз дебаты не были подстроены. Король Яков разрешил Нахманиду говорить свободно, не опасаясь наказания.

Христиани уверял, что отдельные разделы Талмуда подтверждали, что Мессия уже пришел. Иисус, по словам Пабло, родился и Богом, и человеком и умер на Кресте в искупление всех грехов человеческих. Благодаря заступничеству Иисуса на земле иудаизм потерял смысл и, следовательно, утратил свою силу. Евреям следует руководствоваться единственно истинной религией — верой в Христа.

Нахманид корректно опроверг ссылки Христиани на Талмуд. Рамбан указал на то, что христианство в основе своей нелогично. Иисус не мог быть Мессией, ибо он не принес мира на землю, не подтвердил основополагающего предсказания, сделанного пророком Исаией («Не поднимет народ на народ меча, и не будут более учиться воевать»). Римская империя пришла в упадок после принятия христианства. За смертью Иисуса последовали тысяча с лишним лет большой дикости и кровопролития, часто совершавшегося от его имени. Христиане, молящиеся на Христа, «пролили больше крови, чем все остальные народы».

Дебаты тянулись четыре дня.

Нахманид отметил, что иудеи и христиане расходятся в вопросе о божественности Иисуса. В иудейской традиции нет места вере в Мессию как в Бога. Ни один человек не может быть богом. Только Бог есть Бог. Зачем было Всемогущему создавать в смертной матери дитя, которое вырастет только для того, чтобы быть преданным братьями и подвергнуться страшной казни, затем воскрешать его и снова спускать с облаков на землю? Нахманид заявил королю, что никогда не поверил бы в подобную историю, если бы впервые услышал ее в зрелом возрасте. В такое может поверить только человек, которого оболванивали с детства.

Говоря о законе, который сохранил свою обязательность, Нахманид указал, что Тора остается в силе, поскольку мир не изменился. Человечество продолжало нуждаться в Божьем руководстве.

Не пожелав и дальше выслушивать свободные высказывания Нахманида, священники прекратили дискуссию на четвертый день. Король, человек выдающийся для своего времени, наградил Нахманида денежной премией за его усилия, что привело священников в ярость. Нахманид опубликовал отчет о диспуте. Несмотря на протекцию короля, доминиканцы заручились поддержкой Папы и попытались осудить Нахманида за богохульство. Видимо, не без помощи короля Якова Нахманид бежал в надежное убежище в Иерусалиме. Дебаты в Барселоне ужесточили позицию Церкви по отношению к евреям, что непосредственно привело к ужасам испанской инквизиции.

Хотя на протяжении последующих столетий имели место и другие крупные дискуссии между иудеями и христианами, в том числе между Мозесом Мендельсоном и Иоханом Лаватером или между Мартином Бубером и Карлом Людвигом Шмидтом, диспут 1263 г. показал, как далеки друг от друга оказываются люди, когда нетерпимость ограничивает их способность общаться, проявляя понимание. Разумеется, верит кто-то в божественность Иисуса или нет — это вопрос веры, и каждый должен всегда уважать и высоко ценить вопросы веры. Однако люди постоянно демонстрируют свою неспособность уважать верования (религиозные или иные) друг друга, как если бы подобное уважение означало бы отрицание их собственного существования. Дебаты в Барселоне стали еще одним трагическим примером неумения ослепленного ненавистью человека слушать. Многие историки датируют упадок культуры и политической власти в Испании временем изгнания евреев из этой страны в 1492 г.

МЕНАХЕМ БЕГИН
(1913—1992)

Политики часто подвергаются суровой критике за отсутствие убеждений. Кажется, все они заинтересованы только во власти и славе. Менахем Вольфович Бегин был последователен в своих убеждениях. Последователь Владимира Жаботинского — основателя ревизионистского крыла сионистского движения, видевшего в вооруженной борьбе единственно возможный путь создания еврейского отечества, Бегин сначала возглавил европейскую молодежную организацию Жаботинского — «Бетар», а затем, в Палестине 1940-х гг., подпольную террористическую группу «Иргун Цвай Леуми», боровшуюся с британским колониальным правлением. Его воинственная деятельность обусловила сопротивление евреев притеснениям сначала в Европе, а затем и на Ближнем Востоке.

«Иргун» действовала рядом с соперничавшей с ней группой Ицхака Шамира — «Штерн-гэнг» в качестве жестокой и агрессивной противоположности более традиционным, но не менее динамичным и решающим регулярным подразделениям «Хагана» под командованием Давида Бен-Гуриона. Без секретных операций Бегина государство Израиль могло и не родиться в 1948 г.

Из остатков «Иргуна» Бегин организовал политическую партию, ставшую значительной силой в израильском правительстве. Став премьер-министром, он обменял землю на мир с египтянами и был награжден Нобелевской премией мира

вместе с динамичным и отважным президентом Анваром Садатом. Бегин поощрял строительство еврейских поселений на землях, захваченных во время конфликтов с арабами в 1967 и 1973 гг., считая их частью библейского Израиля. Ему все же не удалось снизить напряженность в отношениях с другими соседними арабскими странами, что привело к дорогостоящей войне в Ливане, залившей кровью улицы Бейрута.

Менахем Бегин рос в семье, в которой высоко ценили идею иудейского Сиона. Родившегося в Бресте, в той части Польши, которая входила в царскую Россию до Первой мировой войны, Менахема отец-торговец Дов Зеев Бегин увлек идеями иудеев-«еретиков», или националистов. Еще мальчиком он проявил удивительный талант к публичным выступлениям, впервые произнеся речь на иврите и идише в возрасте десяти лет. В пятнадцать лет он вступил в «Бетар» и вскоре научился владению оружием. Десять лет спустя он не только получил диплом юриста в Варшавском университете, но и возглавил движение «Бетар», насчитывавшее к тому времени семьдесят тысяч членов.

В 1939 г., когда нацисты приблизились к Варшаве, Бегин бежал в Вильнюс. Вскоре советские власти арестовали его как «сиониста и английского шпиона» и отправили в Сибирь. Его жена Алиса уехала в Палестину, надеясь подготовить там почву для Менахема после его освобождения. Менахем получил свободу в 1941 г., когда были освобождены более миллиона польских пленных. Бегин вступил тогда в Польскую освободительную армию, разыскал свою сестру, перебрался в Иран и затем в Палестину. Его родители были убиты нацистами. Бегин часто представлял себе отца, идущего на смерть, славя Господа и напевая свою любимую «Гатиква» — словацкую народную песню, которая станет государственным гимном Израиля. Сын никогда не забудет завета отца о том, что евреи должны не путешествовать, не шастать туда и сюда, а вернуться в свой национальный очаг. Возвращение после тысячелетий рассеяния по чужим землям было неотъемлемым правом евреев.

В Палестине Бегин служил некоторое время переводчиком в британской армии. К 1943 г. он возглавил «Иргун» и ушел в подполье, чтобы бороться с англичанами. В 1946 г. за его голову давали сначала восемь, а потом пятьдесят тысяч долларов. Получивший кличку «беспощадный очкарик», Менахем усиленно разыскивался за террористическую деятельность, проявлявшуюся, среди прочего, в казнях захваченных британских офицеров в качестве возмездия за смерть агентов «Иргуна» в английских тюрьмах. Самой известной акцией стал взрыв одного крыла гостиницы «Царь Давид» в Иерусалиме, от которого погибли девяносто человек, в том числе много британских офицеров и несколько работников — арабов и евреев. Самой позорной операцией стало нападение боевиков «Иргуна» на арабскую деревню Дир-Ясин, когда погибли двести мужчин, женщин и детей. Два месяца спустя раздраженный действиями «Иргуна» и опасавшийся развертывания гражданской войны Бен-Гурион приказал подразделениям «Хаганы» открыть огонь по боевикам «Иргуна», находившимся на борту судна, груженного оружием и боеприпасами.

Со времени создания государства Израиль в 1948 г. до своего прихода на пост премьер-министра двадцатью девятью годами позже Бегин возглавлял лояльную оппозицию лейбористским правительствам Давида Бен-Гуриона, Леви Эшкола, Голды Меир и Ицхака Рабина. Собрав под свои знамена сефардских, или восточных, евреев, Бегин построил мощную политическую партию на основе ортодоксальных религиозных верований и библейской идеологии, а не социалистических и либеральных идеалов. Премьер-министр Бегин рассматривал Западный берег Иордана, захваченный во время войны с арабами в 1967 г., как земли Иудеи и Самарии из Ветхого Завета. Его правительство считало своим долгом перед верующими строить поселения на этих землях. Такое спорное решение вызвало сопротивление со стороны многих членов Партии труда и осуждение со стороны ООН. Бегин объявил всему миру, что Израиль не нуждается ни в чьем благословении своих действий и что Израиль законен потому, что он существует.

Пустыни же Синайского полуострова не были частью библейского Большого Израиля. Когда президент Садат подтвердил свою готовность «обменять мир на землю», Бегин уже с нетерпением ждал переговоров. После шестнадцатимесячных трудных переговоров с помощью президента Джимми Картера 26 марта 1979 г. были подписаны Кэмп-Дэвидские соглашения. Мир с Египтом наконец был достигнут.

И все же остальные арабские страны не давали Израилю жить в мире. За каждым террористическим актом следовало жестокое возмездие. Когда Бегин чувствовал угрозу безопасности Израиля, его реакция была немедленной. В 1981 г. премьер-министр приказал разбомбить иракский атомный реактор близ Багдада, остановив на долгие годы предпринятые Саддамом Хусейном исследования по созданию атомного оружия. За тот удар Бегин подвергся широкой критике. Но только подумайте, как могла бы закончиться «Буря в пустыне» в 1991 г., если бы у Саддама была бомба!

Бегин аннексировал Голанские высоты, также захваченные во время войны 1967 г. Он изменил денежную единицу страны с израильского фунта на шекель — монету, которой пользовались древние израильтяне. По его требованию израильский парламент — кнессет объявил Иерусалим вечной и неделимой столицей страны.

После убийства Садата отношения с Египтом претерпели охлаждение, особенно после вторжения израильской армии в Ливан в 1982 г. Полагаясь в основном на советы своего министра обороны Ариэля Шарона, Бегин приказал уничтожить базы террористов на самой границе. Ливанская война растянулась на долгие месяцы и привела израильтян в пригороды Бейрута и к оккупации, которой никто не желал. Когда ливанские христианские военизированные формирования устроили бойню в лагерях палестинских беженцев Сабра и Шатила, вырезав сотни человек, израильские военные были огульно обвинены в том, что не защитили должным образом эти лагеря.

Проблемы с собственным здоровьем, смерть жены в 1982 г. и отчаяние в связи с бесполезностью ливанского конфликта побудили Бегина в 1983 г. уйти в отставку. До своей смерти в 1992 г. он вел уединенный образ жизни, редко выходя из дома — только ради посещения могилы жены или участия в семейном торжестве. После смерти его славили как борца с партизанами, добившегося мира с Египтом и бескомпромисно защищавшего отечество.

Еще слишком рано, разумеется, оценивать в полной мере влияние Бегина на историю Ближнего Востока и мира в целом. И все же Менахем Бегин дал ясно понять, что его народ никогда больше не потерпит никакого мирового диктата, сам будет определять свою судьбу, что бы и кто бы там ни думал. Этот борец за Сион и основатель мощного политического движения был первоклассным оратором, одевался очень строго и все принимал близко к сердцу. Он не мог и не желал отделять свои убеждения от своих чувств. И делал крайние заявления ради крайних целей. Мир должен был ясно понять, что он подразумевает и почему он имеет в виду то, что говорит. Его мнение очевидно: Израиль, нация выживших, останется здесь навсегда. Если бы не мужество, проявленное Бегином в Кэмп-Дэвиде, премьер-министр Рабин и министр обороны Шимон Перес не смогли бы начать в 1993 г. переговоры с Ясиром Арафатом и Организацией освобождения Палестины.

АННА ФРЕЙД
(1895—1982)

Анна Фрейд была самой младшей из шести детей Зигмунда и Марты Фрейдов. Ее рождение совпало с революционным открытием ее отцом значения снов — сердцевины его психоаналитической теории. Она стала постоянной спутницей, помощницей и наследницей творчества отца. Вместе с Мелани Клейн Анна, по мнению многих, была основательницей психоаналитической детской психологии.

Подобно своему отцу Анна использовала свой детский опыт для развития психоаналитических теорий. Хотя она росла под присмотром матери Марты и тети Минны Бернайс, ее няня — католичка по имени Жозефина Силарц стала для нее, по словам самой Анны, «главным опекуном», или «психологической матерью». Однажды маленькая Анна потерялась на ярмарке в Вене. Когда ее нашли, она бросилась в объятия не матери и тетки, но своей любимой Жозефины.

Зигмунд Фрейд питал особые чувства к своей младшей дочери, которую называл по тогдашней венской моде Аннерл. Она станет его близкой спутницей на всю жизнь (так и не выйдя замуж), личной помощницей и секретарем — Корделией для своего короля Лира, его Антигоной. Под его влиянием Анна, которой не исполнилось еще и двадцати лет, представила свои работы в Венское психоаналитическое общество (ее первый научный труд касался подавления фантазий и грез), она также подверглась анализу на кушетке Зигмунда и начала практиковать психотерапию.

В начале 1920-х гг. Анна устроила семинар по детскому поведению (Kinderseminar), который стал «питомником» для известных детских психоаналитиков. В том числе для Эрика Эриксона, Дороти Бурлингэм и Маргарет Малер, которые, в свою очередь, обучили несколько поколений студентов.

В то время обозначился раскол между двумя теориями детского анализа (который все еще разделяет многих). Так называемая британская школа, основанная Мелани Клейн, применяла уже устоявшиеся концепции психоанализа взрослых к детям без какого-либо изменения. Предложенная же Анной Фрейд «континентальная» ветвь детской психологии настаивала на подходе, более приспособленном к детскому развитию.

В период между двумя мировыми войнами Анна помогала отцу совершенствовать его теории. Ее исследование психологии субъекта мысли, того, как сознание защищается от опасности, имело большое значение.

После аншлюса — захвата нацистской Германией Австрии в 1938 г. семья Фрейдов бежала в Англию. В следующем году Зигмунд умер от рака. Анна и Бурлингэм открыли в лондонском районе Хэмпстед курс и клинику детской терапии в яслях, созданных во время Второй мировой войны для детей, потерявших родителей в ходе бомбардировок. Две женщины применили свой опыт в яслях Хэмпстеда для развития новой области психоаналитической детской психологии, используя оригинальные средства диагностики.

Хотя значительную часть своей жизни она потратила на развитие и совершенствование теорий отца, Анна Фрейд разрабатывала также новые подходы к пониманию развития ребенка. Ее концепции основывались как на теоретических, так и на клинических исследованиях.

Глубокая озабоченность Анны Фрейд интересами детей привела ее в 1960-х гг. к разработке в юридической школе Йельского университета принципов усыновления, опеки над детьми и процедуры развода, основанных на психоаналитических исследованиях и клинической практике. Благодаря, главным образом, ее влиянию американские суды принимают сегодня во внимание значение *психологического* родителя при рассмотрении семейных споров.

ЦАРИЦА ЕСФИРЬ

(V в. до н.э.)

Некоторые историки уверяют, что ее никогда не было. Роду она была незнатного и к тому же чужестранка. Греческий историк Геродот рассказывает, что царь Ксеркс женился на некой Амнестрии (имя, близкое по звучанию к вавилонской Есфирь). Есфирь не упоминается в других древних текстах, кроме, разумеется, Священного Писания и нескольких святых свитков.

Жила она или нет, но ее история, отмечаемая ежегодно в празд-

ник Пурим, наставляла человечество на протяжении двадцати пяти столетий. Ненависть к людям только потому, что они другие, — самое позорное чувство, грех, наказуемый только мраком смерти.

История Есфири рассказывает не только об антисемитизме. Этот обманчиво простенький рассказ, почти сказка, повествует о том, как добро побеждает зло благодаря мудрости великого человека и очарованию и необычайной храбрости красивой женщины. Веками обладающие творческим воображением ученые размышляли над скрытым смыслом ее истории.

То ли изгнав, то ли умертвив свою царицу Астинь за ее отказ танцевать обнаженной перед его друзьями, Артаксеркс искал новую спутницу среди юных девушек своего царства. Есфирь стала фавориткой Артаксеркса, царицей всей Вавилонии. Дядя Есфири Мардохей спас царя от заговорщиков-убийц. Аман Амаликитянин стал главным вельможей при царе. Оскорбленный отказом Мардохея кланяться ему, Аман убедил царя в том, что в его царстве живет такой народ — плененные израильтяне, которые подчиняются собственным законам, говорят на своем языке, не признают правления Ксеркса и поэтому должны умереть, должны быть истреблены поголовно. По настоянию Мардохея Есфирь с большим риском для себя устроила несколько пиршеств для царя и Амана. Она сумела убедить своего повелителя, и тот приказал отдавать царские почести Мардохею (за раскрытие им заговора убийц) и удовлетворил желание Есфири остановить направленные на геноцид планы Амана, пока они не начали осуществляться. Аман угодил на виселицу, уготованную Мардохею, и последовала кровавая баня для семьи и сторонников Амана. Таково было ветхозаветное возмездие за попытку уничтожения Богом избранного народа.

Нам всегда следует помнить из истории, что после Есфири не было ни одной смелой царицы, которая спасала бы евреев от притеснений и истребления во времена римских войн, крестовых походов, испанской инквизиции, устроенной Хмельницким бойни в Польше, погромов в России и нацистского Холокоста. Тит, крестоносцы, Торквемада, цари и Гитлер не обращали внимания на урок, преподанный историей Есфири человечеству. В пору перечисленных тираний не было ни одной искусной дворцовой интриги с целью спасти от избиения бесчисленное множество невинных. Но их зло исчерпало себя, их первоначальные победы обернулись поражениями перед лицом народа, навсегда отказавшегося признавать каких-либо идолов вместо своего единого и истинного Бога.

Отсутствие какой-либо ссылки на божество в истории Есфири

было замечено иудейскими мудрецами. В разгар великих притеснений евреи часто задавались вопросом: почему Бог не явил Себя, чтобы спасти свой народ, или не показал хоть какое-то свидетельство Своего расположения. Комментатор Талмуда Раши отмечал, что при жизни Есфири имело место «небесное помутнение», что Бог отошел от дел человеческих, но все же позволял людям страдать от последствий собственных действий.

Глубоко человечный романист и голос справедливости Эли Визель в своих «Мудрецах и мечтателях» с болью пересказал историю Есфири. Его очаровала наивность истории, но беспокоило множество значений сюжета и мотиваций персонажей. По мнению Визеля, история Пурима не просто повествует о притеснениях, а скорее содержит зов к нашей памяти. Мы обязаны всегда помнить, о чем в ней идет речь, и учиться сохранять наше будущее.

После изгнания из Испании в 1492 г. евреи в гетто Европы продолжали задаваться вопросом, почему их народ спасовал перед жестокостью инквизиции. Мардохей не кланялся Аману. Раввины же напоминали евреям, что Мардохей посоветовал Есфири скрыть свое еврейское происхождение. Пурим при всей своей легкомысленной радости и пьяном разгуле несет в себе мощную идею. Аман пытался истребить всех евреев. Как тогда они были рассеяны по всей Вавилонской империи и потому на них легче было охотиться, так они были рассеяны по Европе во времена диаспоры. Одна из главных причин создания государства Израиль заключалась в объединении еврейского народа в своем отечестве, чтобы никогда не стать жертвами новых Аманов.

МАРТИН БУБЕР
(1878—1965)

Давид Бен-Гурион, первый премьер-министр Израиля, называл Мартина Бубера «метафизической данностью в своем собственном классе, истинным человеком духа». Он родился в Вене при императоре Франце Иосифе; учился в Австрии, Швейцарии и Германии; преподавал в университетах Франкфурта и Иерусалима. Сионист, журналист, теолог, эксперт по хасидизму, святой покровитель иудейских и христианских интеллектуалов, знаток Библии, политический лидер Мардохай Мартин Бубер, как он был известен израильтянам, был выдающимся еврейским философом XX в. После его смерти великий писатель и учитель Авраам Джошуа Гешель назвал само

существование Бубера его «величайшим вкладом». Его знаменитый биограф Морис Фридман писал, что Бубер имел дело с «бессмысленностью, поддерживая в темноте живую субстанцию веры». Он был человеком которого любили.

Величайшим даром Бубера человечеству была его концепция «диалога». Его экспрессивная книга «Я и Ты» (1923 г.), рожденная скорее из религиозного чувства, нежели из абстрактной философии, показала, как человек относится к своему миру. Он предложил две формы отношений: «Я и Ты» и «Я и Это». Отношение «Я и Ты» — единственное истинно открытое средство общения. Все увиденное или прочувствованное, сказанное или услышанное — обоюдно, взаимосвязано, здесь. Это истинный диалог, «ведущийся всем существом». Связь «Я и Это» лишена всех перечисленных качеств. Она сводится к объекту, никогда не является истинным диалогом, закрыта. Количество технического знания увеличивается материально через отношение «Я и Это». Такое отношение необязательно порочно, но эгоистично в своем накоплении данных. Оно плодит знание, а отношение «Я и Ты» — чистейшее откровение.

Буберова философия диалога привела его к «еврейскому гуманизму», который подчеркивает божественную роль еврейского народа среди наций. Общаясь непосредственно друг с другом и с «Вечным Ты» — Богом, люди могут понять, что свято в их повседневной жизни. В пылу групповой ненависти евреи и арабы должны разрешить свои проблемы во имя общего блага, обретя через взаимопонимание свободу развиваться так, как они желают в отдельности. Буберова политика сотрудничества и взаимопонимания с арабскими соседями Израиля была спорной в его время, но ее правильность была доказана историей.

Он рос в атмосфере обязательности и учености. Воспитывал его дед — известный талмудист Соломон Бубер. После учебы в Вене, Лейпциге, Цюрихе и Берлине Бубер стал активным сионистом. В 1898 г. он принял участие в Третьем сионистском конгрессе и получил известность как поборник пропаганды сионистских идеалов. Некоторое время он редактировал сионистский еженедельник «Ди Вельт» и подал в отставку, когда его идеи культурного развития были отвергнуты более политизированными последователями Теодора Герцля. Затем основал еврейское издательское общество и приступил к изучению хасидизма.

Первоначально экстатическое движение хасидов привлекло его внимание своими красочными народными легендами и богатой историей. Его «Рассказы раби Нахмана» (1906 г.) и «Легенда о Ваале-Симе» (1908 г.) стали литературной классикой. Бубер первым привлек мировое внимание к красотам и величию мистических чудес ранних хасидов. Позже в сочинениях «Во имя всего святого» (1941 г.), «Хасидизм и современный человек» (1943 г.) и «Истоки и значение хасидизма» (1945 г.) Бубер переключит свое внимание с легенды на ее актуальность в современной жизни.

После увлечения первыми пересказами хасидизма Бубер вернулся более подготовленным к общественной жизни. Во времена массовой и скорой ассимиляции в Германии он читал студентам лекции о возвращении к иудейской жизни, оказав влияние на целое поколение (особенно на философа Франца Розенцвейга). Поддерживая движение за национальную войну, Бубер все же основал Еврейский национальный комитет для оказания помощи евреям в оккупированных немцами странах Восточной Европы. В то же время он начал проповедовать свою особую версию древнееврейского гуманизма. Он подчеркивал важность создания в Палестине общества, преданного идеалам совместного проживания, мира и жизненно важных ценностей. Его друг Густав Ландауэр, министр культуры и образования в Баварской социалистической республике после Первой мировой войны, разделял многие из идей Бубера. Ландауэр был убит контрреволюционными солдатами. На протяжении 20-х гг. идеалистическая политика Германии стремительно погибала под натиском безумия нацистской тирании.

Главным литературным достижением Бубера в 20-е гг. стал новый перевод Библии на немецкий язык (в соавторстве с Розенцвейгом). Они подходили к Библии как к устной истории, утратившей свою непосредственность в ранних педантичных записях. Завершенный после смерти Розенцвейга Бубером в 1961 г. перевод оказался очень живым и непосредственным. Для Бубера читатель был не объектом манипулирования, а тем, с кем можно вместе насладиться разоблачительной историей.

Работа Бубера профессором иудейской религии и этики во Франкфуртском университете закончилась в 1933 г., когда к власти пришли нацисты. Евреям по всей Германии было запрещено посещать государственные школы. В период нарастания все более порочных расовых и религиозных запретов Бубер стал директором бюро еврейского образования в Германии.

В 1938 г. Бубер эмигрировал в Палестину, успев избежать ужасов Холокоста. Он получил должность профессора социальной философии в Еврейском университете, где преподавал вплоть до 1951 г. Он продолжал активно участвовать в политической и культурной жизни Израиля до своей смерти в 1965 г., часто поддерживая немодные взгляды, опиравшиеся на его уникальные этические ценности.

Кое для кого он остается маэстро еврейского экзистенциализма. Его влияние на неееврейский мир, пожалуй, больше всего проявилось в глубоком воздействии на таких ведущих протестантских теологов, как Рейнхольд Нибур, Пауль Тиллих и Карл Барт. В Бубере — скорее всемирном философе, нежели просто еврейском мыслителе — восхищала его точка зрения на то, что отношение «Я и Вечный Ты» благоприятствует жизни в диалоге, вере как активному, а не пассивному участию и открытости перед Богом во всем, что мы делаем.

ДЖОУНАС СОЛК
(1914—1995)

До 1950-х гг. эта болезнь была настоящим бедствием для юных людей, жестоко атакуя их, делая крепкие мышцы дряблыми, вызывая внезапные и болезненные параличи, а часто и смерть. Полиомиелит, шире известный как «полио», — искалечивающее и потенциально смертельное заболевание, которое во время эпидемии 1952 г., например, убило 3. 300 человек из 57 626 заболевших.

В 1960-е гг. в обстановке рекламной шумихи, радостных поздравлений и споров две группы ученых во главе с Джоунасом Солком и Альбертом Сабиным, используя разные подходы и неистово сталкиваясь друг с другом, разработали вакцины, которые позволили в основном искоренить полиомиелит в промышленно развитых странах. Открытие вакцины от полио заметно улучшило общественное здравоохранение. Дети теперь могли расти в беготне по дому, двору или школе, свободные от страха перед широко распространенной и страшно изнурительной болезнью.

Под эгидой Национального фонда борьбы с детским параличом исследователь медицинского факультета Питтсбургского университета Солк объявил в 1953 г. о создании сыворотки из мертвого вируса, введение которой путем инъекции иммунизировало реципиента от заражения полио. Объявление Солка на семь лет опередило внедрение Сабиным оральной вакцины живого вируса, которая нашла более широкое применение и доказала свою максимальную эффективность в борьбе с полио.

Но именно заявление Солка стимулировало медицинское сообщество сделать нечто бесповоротное и длительное, чтобы покончить с этим ужасным бедствием. В доказательство надежности своей вакцины Солк сначала вколол ее себе, жене и своим трем детям. Вскоре стало очевидно, что сыворотка эффективна в предохранении от вируса. Затем сыворотка была опробована на детях, изуродованных полиомиелитом, и в приюте для умственно отсталых детей. Сегодня подобные методы экспериментирования, скорее всего, были бы признаны незаконными. В 1954 г. тот же фонд субсидировал массовое опробование вакцины почти на двух миллионах школьников. К 1955 г. была доказана пригодность вакцины, и она стала общепринятой формой иммунизации до появления в 1960 г. оральной вакцины Сабина.

Солк родился в Нью-Йорке в семье рабочего-швейника. Прекрасно учился в университете этого города и в аспирантуре его медицинского факультета. Солк также учился в Мичигане и работал у известного вирусолога Томаса Френсиса-младшего, вместе с которым помог разработать одну из первых серийных вакцин против гриппа.

В 1947 г. Солк присоединился к исследователям Питтсбургского университета, где и сделал свое великое открытие. Он продолжал разрабатывать вакцины против гриппа, но был привлечен к работе по предотвращению распространения полио. Два года спустя, доктор Джон Эндерс получил Нобелевскую премию за культивирование в Гарвардской лаборатории вируса полиомиелита в пробирке с тканями обезьяны. Находка Эндерса оказалась эффективным средством массового производства вирусных штаммов, необходимых для создания вакцины Солка.

Было выделено три типа вирусов полио. Вырастив эти штаммы в среде пробирки Эндерса, Солк умертвил их формальдегидом. Выделив вакцину из этой смеси, он вкалывал своим пациентам достаточное количество сыворотки мертвого вируса для выработки иммунитета.

Вакцина принесла Солку мировую известность. Гонорар за вакцину был использован на улучшение ее действенности и в других медицинских исследованиях. В 1963 г. для развития науки он создал Институт Солка в Калифорнии и проработал его директором до 1985 г. Позже он проводил опыты по созданию вакцины из мертвых вирусов для ВИЧ-инфекции, стараясь вовлечь в борьбу с этим ужасным заболеванием такие же многонациональные силы, которые он возглавлял при создании сыворотки от полиомиелита.

Солк скончался от сердечного приступа в 1995 г.

ГЕНРИ КИССИНДЖЕР

(род. 1923)

Будучи несомненно одним из тех американцев, которые вызывали наибольшие споры во второй половине двадцатого века, Генри Киссинджер руководил внешней политикой своей страны во время эскалации вьетнамской войны и затем вывода американских войск из Вьетнама, во время вторжения в Камбоджу, нормализации отношений с Китаем и разрядки в отношениях с Советским Союзом. За исключением Хаима Соломона, Киссинджер был самым влиятельным евреем политиком в истории США. Многие оспаривают благотворность его деятельности.

Хейнц Альфред Киссинджер родился в немецком городе Фюрт в первые годы Веймарской республики. Его отец Людовик был школьным учителем, гордившимся тем, что он немец, интеллектуалом с чувством собственного достоинства. От матери Паулы стеснительному и прилежному сыну явно передались остроумие и практический подход.

Нацисты пришли к власти, когда Хейнцу исполнилось десять лет. Его недоверие к людям и его мрачное восприятие истории человечества несомненно связаны с его юностью, проведенной в еврейских религиозных школах, когда он не смел посещать даже футбольные матчи из опасения быть избитым фашиствующими хулиганами. Вместе с родителями он бежал в поисках безопасности в Нью-Йорк до того, как в Холокосте погибли оставшиеся родственники. Обосновавшись в общине немецких евреев в Вашингтон-Хейтс на северной оконечности Манхэттена, Хейнц стал Генри и посещал среднюю школу им. Джорджа Вашингтона, а затем городской колледж.

Вторая мировая война прервала его учебу, но предоставила ему удивительно благоприятные возможности и обогатила его жизненный опыт. Армейский офицер Фриц Крамер, немец по происхождению, но ярый антифашист, угадав особые способности и блестящий ум Киссинджера, освободил его от службы в пехоте и нашел ему более подходящее применение в контрразведке. На военной службе в качестве адъютанта генерала и затем коменданта немецкого города Крефельд Киссинджер познакомился с функционированием американской правительственной и военной структур (и удостоился «Бронзовой звезды»).

Вернувшись после войны в Штаты, Киссинджер поступил в Гарвардский университет. Под опекой еще одного могущественного человека — профессора Уильяма Янделя Эллиота Киссинджер постигал философию и историю. Еще раньше он приобрел репутацию человека, любившего напыщенные высказывания и тяжеловесное многословие. Его курсовая работа о значении истории на старшем курсе побила все рекорды Кембриджа по своему объему и глубине.

Он был образцовым студентом Гарварда, что стало основой его успехов на дипломатическом поприще. Будучи еще выпускником, он организовал Гарвардский международный семинар, на который были приглашены многие из будущих лидеров (его впоследствии тесные связи с премьер-министром Японии Ясухиро Накасонэ, президентом Франции Валери Жискаром Д'Эстеном и израильским Йигалом Аллоном датируются тем временем). Киссинджер также основал журнал «Конфлюэнс» в котором сотрудничали Ханна Арендт, Джон Кеннет Голбрейт, Пол Ниц и Макджордж Банди.

Докторскую диссертацию Киссинджер написал — что и не удивительно — о князе Меттернихе и о достижении мира после наполеоновских войн. По мнению доктора Киссинджера, проблемы мира после Ватерлоо перекликались с эпохой «холодной войны». Пока другие разрабатывали концепции запрещения ядерных испытаний, он размышлял над «реальной политикой» Меттерниха и маркиза Каслри в 1812—1822 гг. Гарвардский профессор испытывал трепет от понимания Меттернихом дипломатии как имеющей свои корни в ограниченности личности. Киссинджер восхищался и «железным» канцлером Пруссии Бисмарком, сумевшим унизить французов, объединив свою страну в мировую державу. Киссинджер предпочитал мнение Бисмарка о том, что внешняя политика должна основываться не на чувствах, а на военной, экономической и политической силе.

До своего назначения в 1968 г. советником президента Ричарда Никсона по вопросам национальной безопасности Киссинджер заложил фундамент своего влияния в Гарварде, возглавив Программу оборонных исследований в Центре международных отношений (где разрабатывал академические теории контроля за вооружениями) и написав бестселлер о тактическом применении ядерного оружия (который поначалу и привлек к нему внимание Никсона). Работал в Совете по международным отношениям (где выдвигал идеи ведения ограниченных ядерных войн — так называемую теорию гибкого реагирования — и прогрессивного устрашения) и специальным консультантом вечного кандидата в президенты — губернатора Нью-Йорка Нельсона Рокфеллера (которому он подсказал новую, открытую политику в отношении вызывавшего тогда ненависть Китая).

Генри Кэбот Лодж рекомендовал его Никсону, который уже читал книги и журнальные статьи профессора. Никсон и Киссинджер — два весьма эмоциональных и застенчивых человека на протяжении пяти бурных лет руководили из Белого дома внешней политикой США в обход государственного департамента. Оба они явно чувствовали, что не пользуются той поддержкой, которую политика войны Линдона Джонсона встречала в американском народе. Во время их пребывания в должности принятие внешнеполитических решений было закрыто от общественности, ибо они часто предпочитали полагаться на обман и обструкцию. Оба чувствовали, что войну во Вьетнаме нельзя выиграть, но американское присутствие в регионе призвано было обеспечить почетный мир. Важнее было другое: «почетный» мир (пустые слова для миллионов камбоджийцев и вьетнамцев, которым еще предстояло умереть) доказал бы, что Америка — внушающий доверие и надежный защитник свободы, каковым она выставляла себя.

Большое влияние на американскую внешнюю политику оказывало следующее мнение Киссинджера (впервые четко сформулированное во время вьетнамского конфликта): прежде чем впутывать страну в какую-либо крупную внешнеполитическую акцию, следует сначала просчитать ее долгосрочные последствия и заручиться поддержкой как можно большего числа граждан. Он чувствовал, что большая трагедия администрации Джонсона состояла в том, что ей не удалось определить такие долгосрочные цели.

Опора Никсона и Киссинджера на силу вкупе с доверием оказалась эффективной в нормализации отношений с Китаем. Исторический визит Никсона в КНР был, вероятно, самым важным и разумным шагом американской внешней политики со времени одобрения администрацией Трумэна плана Маршалла. Однако бесстрастный реализм мировоззрения Киссинджера привел к дипломатии, движимой силой, но не отмеченной американским идеализмом и моралью. Киссинджер рассматривал международные отношения только с точки зрения их последствий для баланса сил и влияния, а не как фактор добра или американских ценностей.

Его личность и идеалы обусловили уникальный стиль переговоров, который вскоре получил название «челночная дипломатия». Его паранойя и страх перед американским общественным мнением привели к длившейся четырнадцать месяцев тайной бомбардировке Камбоджи, к страшной бомбардировке Ханоя на Рождество и к созданию «сантехнического подразделения» для установления утечки в государственном департаменте. Отрицание им своей еврейской национальности (Никсон никогда не забывал о религии Киссинджера и называл его — судя по ставшим известными магнитным записям из Белого дома — «мой еврейчик») могло заставить его задержать оказание помощи Израилю во время Войны Судного дня. Никсон же, напуганный ограниченным воздушным мостом между Советским Союзом и Сирией, приказал срочно доставить военную технику израильтянам.

Киссинджер признает другие крупные успехи Никсона на первых переговорах об ограничении стратегических вооружений (ОСВ-1) и в подписании мирного договора с Северным Вьетнамом (хотя война растянется до вывода американских войск в 1975 г., несмотря на назначение Киссинджера — первого еврея на этом посту — государственным секретарем и на получение им Нобелевской премии мира). И все же их наследие продолжает вызывать беспокойство. Большинство их политических установок отражало их характеры. Внешне блестящие стратеги и тактики, они оба не поддержали движения за права человека, опиравшееся на неограниченные демократические ценности, которые не могли понять эти, по сути, авторитарные личности. Скрытный Киссинджер отказывался давать пресс-конференции на протяжении почти всего первого срока президентских полномочий Никсона из страха, что журналисты высмеют его грубый немецкий акцент и прозовут его доктором Стрейнджлавом*.

---

* Доктор Стрейнджлав (Strangelove) — герой сатирического фильма знаменитого американского режиссера Стэнли Кубрика «Доктор Стрейнджлав, или Как я научился не волноваться и полюбил бомбу» (1963). Это ярый милитарист, развязавший атомную войну. (Прим. ред.)

Выжив в обстановке нацистских гонений, Киссинджер стремился к порядку, но часто за счет американских ценностей и морали. Тайная война, за которой последовало вторжение в Камбоджу, расширила вьетнамский конфликт и создала вакуум власти, который убийцы, называвшие себя «красными кхмерами», заполнили кровавым террором и лагерями смерти.

Киссинджер слишком часто не понимал важности местных политических и этнических тенденций и потому поддерживал, например, шаха Ирана в попытке защитить интересы США, пренебрегая стремительно разраставшимся движением исламских фундаменталистов во главе с аятоллой Хомейни.

Киссинджер был первым проводником официальной американской дипломатии в европейском стиле. Его слишком холодный реализм обусловил весьма распространенное мнение о том, что внешнеполитическое могущество США имеет свои пределы. Разрядка в отношениях с Советским Союзом означала чаще всего сотрудничество, опиравшееся в основном на стратегию сдерживания и устрашения. Четкая позиция Киссинджера, выраженная в концепции баланса сил, даже будучи чуждой открытой демократии, сохраняет большое, хоть и спорное влияние.

ВИЛЬГЕЛЬМ СТЕЙНИЦ

(1836—1900)

Задолго до Бобби Фишера, Бориса Спасского, Сэмюэла Решевского, Савелия Тартаковера, Акибы Рубинштейна и Эмануэля Ласкера величайшим и первым чемпионом мира по шахматам стал вспыльчивый и неприветливый еврей Вильгельм Стейниц. Ласкер, возможно, остается самым удачливым шахматистом всех времен, Тартаковер — одним из величайших учителей шахмат, а Фишер — человеком, сделавшим шахматы всемирным увлечением. Стейниц же был первым шахматистом, признанным чемпионом мира, основоположником принципов современных шахмат и первым, кто придал этой игре поистине международное звучание.

Он родился в Праге, еще мальчиком изучал Талмуд и на третьем десятке переехал в Вену. Забросив занятия математикой, Стейниц играл в шахматы где только мог. Приехав в качестве представителя Австрии на английский шахматный турнир 1862 г., он остался в Лондоне, зарабатывая на жизнь шахматами. В 1866 г. Стейниц встретился в матче с великим Адольфом Андерсеном — мастером так называемого остро отточенного стиля и благородным романтиком. Стейниц победил в восьми партиях против шести Андерсена. Поскольку Андерсен считался лучшим в целом свете шахматистом, Стейниц провозгласил себя чемпионом мира. Он постоянно давал понять, кто он такой. Утверждая, что удерживал свой титул на протяжении двадцати восьми лет, Стейниц посвятил большую часть этого периода совершенствованию новых идей, возобновил участие в турнирах, но воздерживался от матчей на звание чемпиона, пока не был уверен в отточенности своей техники.

Его соперниками до Ласкера были Цукерторт и Михаил Чигорин. Последний широко известен как основатель русской школы шахматной игры и почитается до сих пор. Родившийся в Риге и говоривший на немецком языке Иоганн Цукерторт был человеком высокой культуры, профессиональным музыкантом и лингвистом. Оба соперника коренным образом отличались от Стейница. Он был самым неприязненным человеком в истории шахмат. Любая тривиальность приводила в ярость великого Стейница. Коллеги просто терпеть его не могли.

Хотя Стейниц, казалось, наслаждался своим отвратительным характером, он все же взял за правило «играть с доской», а не с противником. Шахматы были для него абстрактной наукой. Чувства и мотивы противника, утверждал Стейниц, не имеют значения. Важно прежде всего то, что происходит на шахматной доске.

Противники боялись не только его взрывного характера, но еще больше его упорной защиты и неизбежной атаки. Более двух десятилетий большинство шахматистов не могли постичь, что он делал. Стейниц отбросил романтическое представление, будто наибольшее значение имеет изобретательность. Он предпочитал сидеть в засаде, готовя стремительный прорыв на королевском фланге. Стейниц разработал весьма эффективные стратегии обороны, предусматривавшие накапливание мельчайших преимуществ для подготовки финальной, жестокой и стремительной атаки. Во многих отношениях Стейниц символизировал конец шахмат как благородного спорта. Он доказал, что успеха можно добиться только в результате надежного преимущества. Для него имела значение каждая фигура. Любая пешка может убить. Его теории закрытых, выгодных для обороны позиций в корне изменили игру.

Стейниц популяризировал свои методы, написав внушительный шахматный трактат и редактируя и распространяя международный шахматный журнал (Ласкер последует примеру Стейница и напишет стандартную книгу об этой игре). После почти двадцатилетнего господства в английских шахматах в 1883 г. Стейниц рискнул отправиться в США в надежде разбогатеть там. Однако американцы мало интересовались шахматами (Хароль Шёнберг в своей со-

держательной книге «Гроссмейстеры» сообщает, что во всем штате
Вайоминг нашли всего «одного шахматиста»), и Стейниц едва сводил концы с концами. Все же он сумел в 1886 г. привлечь внимание к повторному матчу за чемпионский титул с Цукертортом. Матч
проходил несколько недель в трех городах и пробудил даже больший, нежели подвиги уроженца Нового Орлеана Пола Морфи (величайшего американского шахматиста предшествовавшего Стейницу поколения), интерес американцев к шахматам (состоявшийся
позднее матч Стейница и Чигорина имел такое же воздействие на
русских). Стейниц, конечно же, опозорил Цукерторта (что привело, как поговаривали, к быстрому ухудшению здоровья и смерти Цукерторта через два года).

В 1894 г. двадцатипятилетний сын немецкого кантора Эмануэль
Ласкер нанес поражение Стейницу, которому уже исполнилось пятьдесят восемь, и завоевал его титул. Стейниц продолжал играть и
вносить ценный вклад в шахматную литературу. К 1899 г. он потерял интерес к игре, сошел с ума, был помещен в одну из нью-йоркских больниц для душевнобольных и умер в нищете в 1900 г. Опасаясь умереть, как Стейниц, без гроша в кармане, Ласкер поставил
себе за правило защищать свой чемпионский титул только за как
можно большие гонорары. Нынешними высокими ставками мастера шахмат обязаны печальной судьбе Стейница.

АРТУР МИЛЛЕР
(род. 1915)

Театр, как форма развлечения, призван собирать людей в общественном месте ради испытания общих переживаний. Древние греки использовали театр как диспут глубоко прочувствованной грусти и смеха. Боги и благородные правители земли изображались в эпических трагедиях и очень смешных комедиях, в которых катарсис достигается через слезы и хохот. На протяжении столетий менялось значение театра для сменявшихся поколений — от свободного времяпрепровождения до религиозного хеппенинга. Отчасти Шекспир, позже в значительной степени Ибсен и Стриндберг были озабочены общественными делами, отношениями людей.

Родившийся в 1915 г. в Нью-Йорке Артур Миллер стал самым выдающимся в XX в. глашатаем «театра озабоченных». В реалистических пьесах, искусно игравших со временем, зачастую с фантастическим результатом, Миллер стремился создать — как он сам ее называл — «драму всего человечества».

Каким образом любой из нас остается верным себе и внимателен к любимым, безнадежно вкалывая каждый день ради выживания в этом мире? Как наша пожизненная работа сказывается на нашей жизни? Почему люди вдруг сходят с ума, упиваясь ненавистью и угнетением? Когда жертва должна противостоять мучителю? Можем ли мы компенсировать тот вред, который причиняем друг другу и самим себе?

Все эти (и многие другие) вопросы задавал Миллер. Его пьесы часто отвечают на них с невыносимым, но отражающим правду жизни унынием. То, что Миллер требует от нас реакции, увеличивает его воздействие, ибо его театр никогда не был мимолетной прихотью (перефразируя слова Айры Гершвина, можно сказать: если Гибралтар рухнет, то погребет нас). Нет ничего легкого в работе Миллера, разве что исключительная доступность его слов. Он говаривал: чтобы стать хорошим драматургом, человек должен писать, прислушиваясь к тому, как говорят люди. Персонажи Миллера по большей части кажутся реальными людьми, открывающими нам свои мысли в словах и поступках. Драма заключается в их затруднительном положении, о котором рассказывают они сами или их поступки.

Герой его шедевра «Смерть коммивояжера: частные беседы в двух актах и реквием» Вилли Лоумэн — величайший и характерный персонаж Миллера. Впервые поставленный и восторженно принятый в 1949 г. с замечательным составом исполнителей (Ли Дж. Кобб, Милдред Даннок и Артур Кеннеди; режиссер — Элиа Казан) «Коммивояжер» удостоился Пулитцеровской премии и других наград. Пьесу ставили во многих странах и на многих языках, в том числе в Китае с автором в роли режиссера. Это бесспорно самая известная и заметная пьеса из когда-либо написанных драматургами-евреями.

Вилли Лоумэн является мировым символом и одним из самых значительных персонажей в истории трагедии. Он знаменателен не только той жалостью, которую вызывает у нас, но и обличением нашего капиталистического общества. Вилли всей душой верит в американскую мечту. Если вкалываешь вовсю, играешь по правилам и оберегаешь твои дружеские связи, значит, добьешься успеха. Миллер показывает, как жизнь Лоумэна обернулась трагическим фарсом. Вилли даже не понимает, что обманывает самого себя (вплоть до своего самоубийства в финале пьесы). Его отзывчивость отпугивает людей, ему уже редко удается продать что-либо, и втайне от верной жены он содержит женщину для деловых поездок. Только убив себя ради страховки, он смог победить обладавшую им систему и возместить тот вред, который он причинил своей семье.

В «Коммивояжере» Миллер освободил драму от ограничений, накладываемых условностью и реальностью. Временные ценности и психологические акценты драмы Ибсена и Стриндберга были расширены и перекроены в пьесе Миллера. Нас заманивают в мысли и мир Вилли с помощью блестяще скроенного сюжета и язвительного языка.

До «Коммивояжера» Миллер писал пьесы, еще будучи студентом старших курсов Мичиганского университета, для тогдашнего Федерального театра и радиовещательных компаний Си-би-эс и Эн-би-си. Его первая успешная пьеса на Бродвее «Все мои сыновья» (как и «Коммивояжер», она рассказывает о человеке и двух его сыновьях) была сырой, несовершенной и все же волнующей прелюдией к его величайшей работе. Миллер использовал приобретенную на радио технику в «Коммивояжере» и более поздних пьесах, чтобы изменить ожидания зрителей и их восприятие времени.

Впервые поставленное в Нью-Йорке в 1953 г. «Суровое испытание» стало ответом Миллера на маккартизм. Огорченный тем, что его друг и коллега Казан был вынужден назвать кое-какие имена во время слушаний в комитете палаты представителей по расследованию антиамериканской деятельности (КРАД), а сенатор Джозеф Маккарти совершал злодеяния «во имя свободы», Миллер продемонстрировал необычайное мужество и верность лучшим американским традициям сопротивления деспотизму. В своей примечательной автобиографии Миллер писал, что слушания в КРАД строились как особый, почти религиозный ритуал. От обвиняемого требовали назвать товарищей по коммунистической партии. После формулирования обвинений комитет обычно отпускал свидетелю все грехи и позволял обвиняемому вернуться к нормальной жизни. Хроника «Суровое испытание» напоминает нам, что личное достоинство и борьба с теми, кто пытается унизить нас, жизненно важны для сохранения нашей человечности.

В других пьесах — «Воспоминания о двух понедельниках», «Вид с моста», «После грехопадения», «Это случилось в Виши», «Цена» и «Американский хронограф» и киносценариях «Неприспособленные» и «Стараясь выиграть время» — Миллер рассматривает многие темы из впервые поставленных в «Коммивояжере» и «Суровом испытании». Две работы, «Неприспособленные» и «После грехопадения», — как известно — тесно связаны со второй женой Миллера — Мэрилин Монро. Главные роли в «Неприспособленных» сыграли — кроме Монро — Кларк Гейбл (его последний фильм), Монтгомери Клифт, Илай Фаллах и Телма Риттер, а режиссером был Джон Хьюстон. Когда фильм «Неприспособленные» только вышел на экран, он не принес кассовых сборов и положительных отзывов критики, а ныне считается великим произведением благодаря тщательному исследованию отчаяния, неосуществленных желаний и потребности в любви. Пьеса «После грехопадения» продолжает вызывать споры (главным образом из-за огромной любви, которую публика все еще питает к Мэрилин), но остается образцом великолепной техники, поскольку действие происходит «в уме, мысли и памяти» главного персонажа Квентина, в котором многие видят самого Артура Миллера. Это произведение отнюдь не обычная театральная пьеса, а волнующее и беспощадное исследование отношений Квентина с Магги (Мэрилин?) и самим автором.

Творчество Миллера проецируется в далекое будущее, ориентируя драматургов в эмоциональном и формальном плане точно так же, как его самого ориентировали Ибсен и Стриндберг. Его глубокое проникновение в самые тревожные перспективы человеческого существования должно предостеречь нас в смысле того, что мы можем сделать друг для друга и в конечном счете для нас самих.

ДАНИЭЛ МЕНДОЗА
(1764—1836)

Английский еврей португальского происхождения Даниэл Мендоза был первым великим спортсменом-евреем и новатором в развитии научного бокса. Удерживая без единого поражения британскую боксерскую корону с 1789 по 1795 гг., Мендоза внушал страх как своими быстрыми кулаками, так и умелым использованием всего боксерского ринга.

До Мендозы бои боксеров-профессионалов выигрывали самые большие и самые сильные. Здоровенные мужланы колотили друг друга голыми костяшками раунд за раундом, пока на ногах не оставался только самый мощный, обладающий самыми хорошими легкими и самым крепким подбородком.

Мендоза был маленьким по боксерским меркам: весил 160 фунтов и ростом был пять футов семь дюймов. Дабы компенсировать свои размеры, он выработал систему защиты лица и корпуса, бокового передвижения и новаторски использовал удары прямой левой для достижения преимущества. Бойцовское искусство Мендозы было столь внушительным, что, несмотря на свой малый рост и вес, он на протяжении многих лет прорубал кровавую просеку среди своих менее сообразительных и менее поворотливых противников.

Прозванный современниками «Свет Израиля», Мендоза как бы заново изобрел бокс как спорт, в котором главное — не нанесение мощных ударов, а стратегия. Как и каждого ловкого боксера после него, Мендозу обоснованно критиковали за трусость, за неспособность обмениваться ударами на равных с другими боксерами. Его внимание к манере противника держать руки и искусная адресовка собственных ударов вдохновили в начале девятнадцатого века другого боксера-еврея — Датча Сэма на изобретение апперкота. После удачного турне по Ирландии Мендоза основал боксерскую школу, воспитавшую многих ирландских чемпионов.

Мендоза вырос в Ист-Энде — беднейшем и опаснейшем районе английской столицы. После первых боев, выигранных с незначительным преимуществом, он принялся разрабатывать побеждающее сочетание обороны и нападения, с отступлением при слишком близкой угрозе и переходом в ближний бой при малейшей возможности использовать свое мастерство. Как Мухаммед Али, бесспорно один из величайших боксеров всех времен, дважды победил в трех схватках Джо Фразиера, так и главный противник Мендозы Ричард Хамфрис по прозвищу «Джентльмен бокса» — по его собственным словам — «уделал еврея» в двадцать девятом раунде боя, но потерпел поражение во второй и третьей схватках (продлившихся соответственно пятьдесят две и пятнадцать минут).

Мендоза лишился чемпионской короны в 1795 г., когда еще один «джентльмен» Джим Джексон выдрал гладкие волосы с его головы, зажав ее в мертвой хватке и безжалостно отколотив ее. Мендоза попытался вернуться на ринг в сорок два и пятьдесят шесть лет с переменным успехом (за двести лет до Джорджа Формена!).

Умер Мендоза в семьдесят два года, успев революционизировать профессиональный бокс пропагандой своих концепций научного бокса, особенно среди любителей. Ему не было равных до появления «Джентльмена Джима» Корбетта.

Назовем других евреев чемпионов: Эйб Эттелл — чемпион мира в полулегком весе с 1902 по 1912 гг.; Джеки Берг (Иуда Бергман) чемпион во втором полусреднем весе среди юниоров в начале 30-х гг. двадцатого века; «Сражающийся» Левинский — король в полутяжелом весе во время Второй мировой войны; Макси Розенблюм — необычайно колоритный чемпион в полутяжелом весе; Барни Росс (Барнет Расовский) — чемпион в легком и — среди юниоров — во втором полусреднем весе во время Депрессии, и истинный наследник Мендозы — великий Бенни Леонард (Веньямин Лейнер), который был умнейшим боксером, величайшим чемпионом в легком весе, владевшим самым примечательным научным мастерством в истории бокса. Подобно Мендозе все перечисленные чемпионы и многие другие боксеры-евреи (похожие на своих ирландских, итальянских, чернокожих и испаноязычных братьев) занимались этим спортом ради спасения от гонений, бедности и угнетения. Такие боксеры-евреи, как Мендоза и Леонард, привнесли в бокс оригинальные приемы и подходы, которые сохраняют свое значение.

ЭММА ГОЛЬДМАН

(1869—1940)

Известная миллионам американцев перед Первой мировой войной как «Красная Эмма», она была в те времена женщиной, которой больше всего опасались в США. Анархистка и одна из основательниц движения за права женщин, иммигрировавшая из России еврейка Эмма Гольдман проповедовала свободную любовь, политические покушения, равноправие женщин (до и после предоставления им права голоса), агрессивную оппозицию всеобщей воинской повинности, капиталистическому угнетению и регулированию деторождения. Она высвободила феминизм XX в. из викторианских оков ради — как она сама это называла — «истинной эмансипации», свободы собственного «я». Она была самым великим агитатором начала XX в. вплоть до Ленина.

В отличие от многих более поздних феминисток, она черпала свои уникальные идеи не только из собственных интеллектуальных способностей. Идеология Эммы выросла непосредственно из ее беспокойной, активной и захватывающей жизни: ей пришлось бежать из России от жестокого отца, работать на предприятии с потогонной системой, планировать казнь крупного промышленника, редактировать анархический журнал, ухаживать за больными и любить мужчин гораздо старше или гораздо младше себя, которые пленяли ее воображение или пробуждали ее сексуальность.

Гольдман считала брак чем-то вроде убийства (влиятельная христианская феминистка и сторонница регулирования рождаемости Маргарет Сэнджер называла его «самоубийством»). Эмма, однако, не могла жить без мужчин и в отличие от других радикальных феминисток настаивала на том, что жизнь женщин станет только лучше, если они достигнут большего взаимопонимания с мужчинами. Последние должны были поменять свое отношение не только к женщинам, но и к отцовству и к роли матери в семье. По ее мнению, мужчины могли работать и одновременно быть отцами.

После неудачного раннего брака с фабричным рабочим в Рочестере ее всю жизнь влекло к мужчинам. Образ Эммы Гольдман — неопрятной матери семейства с пронзительными глазами за стеклами очков опровергался тщательно одетой женщиной, постоянно утверждавшей, что быть феминистской не значит быть некрасивой. И феминистке не вредно повеселиться. Ее давний друг и любовник-приживала Александр, Саша Беркман, обругал ее за то, что она поставила на стол срезанные цветы, и она выгнала его из своей в остальном бесцветной квартиры, крикнув, что статус революционера и рабочего не означает, что ему противопоказано хоть немного красоты.

Когда стальной магнат Генри Клей Фрик (основавший позже нью-йоркскую «Коллекцию Фрика») приказал наемным головорезам стрелять в бастовавших рабочих, Эмма подготовила вместе с Сашей покушение на него. Саша ранил его, и Эмме пришлось скрываться. Сашу приговорили к двадцати пяти годам тюремного заключения. Эмма начала выступать с зажигательными речами и после знаменитого выступления на Юнион-сквер в Нью-Йорке была арестована и осуждена на год за призывы к мятежу.

В тюремной лечебнице она ухаживала за больными и, увлекшись медициной, после своего освобождения поехала (с помощью нового любовника, Эдуарда Брейди) в Вену учиться на медицинскую сестру (и даже посещала уроки доктора Зигмунда Фрейда). Через год она вернулась и обнаружила, что разочаровалась в своих радикальных друзьях. Их речи уже не казались ей уместными.

Отказавшись от профессии медсестры (и от Брейди), Эмма открыла салон красоты, специализировавшийся на массаже головы и шеи. Начала издавать журнал «Мать Земля», призывавший к освобождению земли для всех людей. Ее анархистское прошлое слилось с ее феминистскими заботами. Ее интересовало, почему женщины отличаются от мужчин и как следует понимать эти различия. Эмма утверждала, что изучение различий не принижает женщину, не делает ее менее значимой, чем мужчина.

Эмма вступила в широко разрекламированную связь с врачом по имени Бен Рейтман, который немало своего времени отдавал безработным. Сообщения о связи в рамках «свободной любви» «Короля бродяг», как называли Рейтмана, с «Королевой анархистов» стали развлекательным чтивом для тех, кто смеялся над деятельностью Эммы.

Несмотря на свою активную общественную и профессиональную жизнь, она совершала турне по Америке, выступив в общей сложности в почти четырех десятках городов, пропагандируя свою особую смесь анархизма и равноправия женщин. К 1910 г. она стала ведущей анархисткой и феминисткой Америки и опубликовала ряд эссе, излагавших ее убеждения.

После освобождения Саши из тюрьмы в 1919 г. они основали «Лигу против воинской повинности», протестуя против участия США в Первой мировой войне. Эмма и Саша были арестованы за свою деятельность и депортированы из страны. Ей не разрешили вернуться в Америку до конца ее жизни, и оставшиеся ей двадцать один год она скиталась по Европе и Канаде. Увлеченная поначалу русской революцией, позднее Эмма считала ее всего лишь еще одним проявлением борьбы за власть.

Эмма Гольдман обязана своим устойчивым влиянием не своей политической деятельности, а скорее своей активной роли первооткрывательницы наряду с такими женщинами, как Сенгер, Флоренс Найтингейл, Эмили Дейвис, Джозефин Батлер, Элизабет Блэкуэлл и Каролайн Нортон, которые, по словам Маргарет Форстер, стояли у истоков активного феминизма в XIX — начале XX в.

МОЗЕС МОНТЕФЬОРЕ
(1784—1885)

Сын евреев-иммигрантов из Италии Мозес Монтефьоре в Англии XIX в. стал преуспевающим биржевым маклером (будучи зятем Натана Ротшильда), а затем и доверенным лицом королевы Виктории. В 1840 г. сэр Мозес возглавил первые в еврейской истории международные усилия против антисемитизма, проявившегося в злобном обвинении евреев Дамаска в ритуальном убийстве. Организовав группу представителей ведущих западных стран, Монтефьоре добился освобождения большинства евреев, обвиненных в преступлении, которого не совершали (двое умерли от жестоких пыток сирийцев).

Выйдя в молодом возрасте в отставку после успешной военной и деловой карьеры, Монтефьоре посвятил оставшиеся ему многие годы жизни улучшению условий жизни евреев по всему свету. Хотя многие его успехи оказались преходящими, сэр Мозес показал пример, которому следовали потом Бенджамин Дизраэли и другие еврейские руководители. Еврей мог успешно конкурировать не только в международных финансах (что доказали Ротшильды), но и в мировой политике и дипломатии. С помощью таких просвещенных современных стран, как демократическая Англия, евреи могли позаботиться о себе.

Монтефьоре родился в Ливорно (Италия). Когда он был еще маленьким, его родители

приехали ненадолго в Лондон и остались навсегда. Молодой Мозес приобрел свой первый деловой опыт в качестве ученика в оптовой бакалейной торговле. Он стал одним из двенадцати «маклеров-евреев» Лондонской биржи. Работал на Натана Ротшильда, а затем (благодаря браку с Джудит Коэн, написавшей уже в качестве миссис Монтефьоре первое руководство светского поведения на английском языке и ставшей предвестницей Эмили Пост) стал его другом. Служил в территориальной армии в графстве Суррей и развозил депеши во время Наваринского сражения. И только в сорок лет приступил к реализации своего истинного призвания — спасения евреев от гонений по всему свету.

В молодые годы он не следовал предписаниям своей религии. В 1827 г., после своего первого из семи посещений Палестины, Монтефьоре начал получать удовольствие от ритуалов (даже построил в своем имении собственную синагогу и в своем окружении убивал приносимых в жертву животных). По иронии судьбы, активный борец с обвинениями в ритуальных убийствах знал из повседневной жизни положительные ценности, которые приносит строгое соблюдение иудейского закона.

Многие авторы (в том числе Пол Джонсон в «Истории евреев») описывали Монтефьоре как последнего из так называемых почтенных евреев, высокий общественный и деловой статус которых позволял им браться за международные дипломатические усилия по спасению гонимых евреев. Его дружба с королевой Викторией началась, когда она была еще юной девушкой. В 1837 г. королева присвоила ему звание рыцаря за службу шерифом Лондона. По ощущениям Джонсона, королева проявила повышенный интерес к еврейской истории и культуре из большого уважения к личности Монтефьоре.

Другой крупный британский руководитель (сначала военный министр при Веллингтоне, затем министр иностранных дел при Грее, Мельбурне и Расселе и, наконец, премьер-министр Англии) виконт Пальмерстон верил, что, помогая возвращению евреев в Палестину, ускорит возвращение Мессии. В течение ряда десятилетий Пальмерстон был большим сторонником еврейского дела. Монтефьоре заручился помощью Пальмерстона в создании коалиции европейских государств (при поддержке американского президента Мартина Ван Бурена) по освобождению брошенных в тюрьму евреев, ложно обвиненных в том, что убили одного капуцина и выпили его кровь. Дамасское дело было ранним вариантом позорного дела Дрейфуса во Франции, но скорее вопросом международной силовой политики, нежели только старомодным антисемитизмом. Стремившиеся к господству на Ближнем Востоке французы злонамеренно подогревали антисемитские настроения и пытались предотвратить какое-либо расследование. Известный французский адвокат-еврей Адольф Кремье выступил против циничной позиции своего правительства, став союзником Монтефьоре. При поддержке Пальмерстона и английского правительства Монтефьоре и Кремье уговорили сирийского правителя Мехмета Али освободить измученных пытками заключенных и предотвратить тем самым международный кризис.

На протяжении следующих сорока лет Монтефьоре использовал свое влияние на британское Министерство иностранных дел в борьбе с антисемитизмом. Многие из его благородных усилий дали ничтожные результаты. В Италии еврейского мальчика Эдгардо Мортару похитили католики, пожелавшие обратить его в христианство. Монтефьоре направил протест в адрес Папы Пия IX и итальянского правительства, но ничего не добился (мальчик стал набожным христианином, взял себе имя Папы и в конце концов стал профессором теологии и канона в Риме). В 1863 г. при поддержке британского Министерства иностранных дел Монтефьоре убедил султана Марокко гарантировать безопасность марокканских евреев. Стоило же сэру Мозесу вернуться в Англию, как султан отозвал свой указ, обусловив долгие десятилетия преследования местных евреев.

Несмотря на незначительные успехи его кампаний, Монтефьоре служил своеобразным символом как для евреев, так и для неевреев. С угнетением необходимо бороться, предпочтительно дипломатическими методами, но всегда решительно. Евреи учились у Монтефьоре тому, что можно организовывать мощные группы, призванные улучшить условия жизни своего народа. Поддержка, которую сионисты получили позже со стороны английского лорда Балфура и других в деле создания еврейского государства, несомненно имела одним из своих истоков и достойный пример одного из величайших представителей викторианской эпохи — сэра Мозеса Монтефьоре.

ДЖЕРОМ КЕРН
(1885—1945)

Грандиозная постановка в 1927 г. Цигфельдом «Плавучего театра», написанного Джеромом Керном и Оскаром Хэммерстейном II, стала поворотным пунктом в истории американского музыкального театра. С тех пор каждый театральный композитор и либреттист испытывал воздействие вплетения ими драмы в музыкальную ткань. В «Плавучем театре» есть песни и музыкальные моменты, которые способствуют развитию действия и обогащают пьесу, делая ее персонажей более яркими и человечными людьми, за которых мы переживаем и волнующая жизнь которых оказывается важной для нас.

Хотя сам Джером Керн великодушно заявил, что Ирвинг Берлин «и есть американская музыка», его собственное влияние на целые поколения композиторов неизмеримо больше. Берлин был несравненным мелодистом, способным писать поразительные и незабываемые песни с простым и очевидным содержанием. И все же именно к Керну обращались за советом и вдохновением Джордж Гершвин, Ричард Роджерс, Харолд Арлен и многие другие. Керн отошел от европейской (в частности, венской) модели оперетты, господствовавшей в американском музыкальном театре в начале XX в., в пользу вполне экспрессивного стиля, связанного не просто с развлечением, а с театром. Гершвин признавал, что его народная опера «Порги и Бесс» не была бы написана, если бы не было такого образца, как «Плавучий театр». Почти «бесшовное» вплетение поздним Роджерсом песен в драматургический контекст почти полностью позаимствовано у Керна (при ключевой помощи Хаммерстайна, соавтора сначала Керна, а затем и Роджерса). Музыкальные постановки Алана Джея Лернера и Фредерика Лоева, Леонарда Бернстайна и Стивена Зондгейма также являются прямыми наследниками «Плавучего театра». Только в большой опере Эндрю Ллойда Веббера ослабело влияние Керна. Излишества Ллойда Веббера — это возвращение к эффектности ради эффектности, к театру как парку развлечений, Варьете Зигфелда без «Плавучего театра».

Достижения Джерома Керна сохраняют свое значение благодаря его пристальному вниманию к чувствам, к развитию характера и к американским музыкальным стилям. Он первым из театральных композиторов использовал джаз, регтайм, фольклор, оперу и народную песню в одном сказочно выразительном стиле, постоянно увязанном с театральным воздействием.

Керн родился в Нью-Йорке, вырос в Ньюарке, в штате Нью-Джерси, и учился музыке у матери, которая уже в десятилетнем возрасте привела его на бродвейский мюзикл. После успешного сочинения музыки к школьным спектаклям Керн бросил школу, чтобы посвятить все время музыкальному образованию. При этом он последовал по привычному для молодых американских композиторов пути и отправился на короткое время в Германию. По возвращении посещал Нью-Йоркский музыкальный колледж (правда, всего несколько месяцев).

В восемнадцать лет он начал писать отдельные песни для мюзиклов других композиторов. К началу Первой мировой войны он сочинил несколько десятков песен для написанных чужих шоу. Одна из них — «Они не поверили мне» — признается сегодня как первая поистине характерная песня современного музыкального театра. Эта песня, значительно более сложная по мелодии и гармонии, чем песни, написанные по европейскому образцу такими его современниками как, Виктор Герберт и Рудольф Фримл, послужила моделью для многих песенников.

Во время войны у Керна появилось немало возможностей сочинять музыкальные шоу полностью для небольшого нью-йоркского театра «Принцесс». Свою заинтересованность в содержательных песнях он распространил и на содержательные шоу, когда песни и музыка к спектаклям полностью вписывались в драматургию (даже когда они оказывались поверхностными). До Керна драматургическое действие обычно внезапно прерывалось для быстрого, часто никак не связанного с сюжетом песенно-танцевального номера, после которого возобновлялось развитие действия. Хотя вплетение Керном музыки в драму не было новостью, оно стало таковой для популярного музыкального театра. Со времен Моцарта европейская опера близко подошла к проблеме интеграции песни и драмы разными путями, достигнув своей кульминации в чистом восприятии шедевра импрессионизма конца XIX в. — оперы Клода Дебюсси «Пеллеас и Мелизанда». В Америке же популярный музыкальный театр вырос из водевиля, мелодраматических пьес и европейской оперетты, т.е. из тех форм, которые уделяли мало внимания чему-либо, кроме развлечения.

«Плавучий театр» является как раз тем редким произведением, которое объединило все исторические элементы и предложило нечто совершенно новое. Плавучий театр — это спускающееся по реке судно, на котором даются старомодные музыкальные и драматургические представления. Но плывущие на нем актеры отличаются сложными характерами, не являются шаблонными фигурами, которыми кажутся на первый взгляд. Времена меняются, обнажаются старые предубеждения белых и черных, становится очевидной нескончаемая жестокость. Это музыкальное шоу скользит по направлению к очистительному завершению — примирению, раскаянию и признанию, что «старушка Река все течет и течет».

Керн и Хэммерстайн рассказывают не только обычную историю двух молодых исполнителей главных ролей, делающих вид, что любят друг друга, необычно расходящихся, когда его карточные долги обрекают семью на нищету, и примиряющихся только в преклонном возрасте. Это еще и история смешанного брака, история певицы кабаре, мулатки Джули, тоскующей по своему мужчине в превосходной песне «Билл» и жертвующей своей карьерой, чтобы помочь в нужде молодой подруге. Постановка в Варьете Цигфелда популярного шоу с подобной историей, несмотря на костюмы, большое судно «Американа» и другие атрибуты, была революционной, и мы можем только похвалить авторов за их мужество и дальновидность.

После «Плавучего театра» Керн в основном отошел от сцены, чтобы посвятить больше времени своей семье. В 1930-х и 1940-х гг. он написал несколько «хитов» к голливудским фильмам, в том числе такие утонченные песни, как «То, как ты выглядишь сегодня ночью» и «Последний раз, когда я видел Париж». По многим его шоу были сняты фильмы, прежде всего «Плавучий театр» с Ирен Данне,

Хелен Морган (примечательно, первая исполнительница роли Джули), Полем Робсоном и Хэтти Макдэниель. Хотя кое-кто называл его расистским, шоу (особенно его блестящий первый акт) сохраняет свое мощное послание. Подобно «Приключениям Гекльберри Финна» Марка Твена в оперетте рассматриваются проблемы предубеждений и смешанного брака в самом центре Америки. Сам факт того, что постановка Цигфелда, обычно озабоченного лишь чрезмерной фривольностью, затронула столь важные темы, показал, что мюзикл может нести какую-то идею, а не просто развлекать. Мюзиклы Роджерса и Хэммерстайна с легкостью вытекли из вод, приведенных в движение «Плавучим театром».

В 1945 г. у Керна случился инсульт, когда он прогуливался по нью-йоркской улице. Поскольку у Керна не оказалось никаких документов, безымянную жертву доставили в городскую больницу на острове Уэлфэр. Друзья разыскали его и перевели в лучше оборудованную клинику, где через несколько дней он умер на глазах у Оскара Хэммерстайна, так и не выйдя из комы.

БОРИС ПАСТЕРНАК
(1890—1960)

«Его дух наполнял весь наш дом», — записал российский поэт и романист Пастернак о друге семьи и наставнике, графе Льве Толстом. Этот дух Толстого, по правде сказать, дух заботы о человеке, дух терпимости, сострадания, глубокого понимания мотивов и надежд жил в мрачные ночи сталинского террора в Борисе Пастернаке.

Запад помнит его главным образом по его последнему крупному произведению — роману «Доктор Живаго» (и прежде всего по экранной версии Дэвида Лина). Русские же славят его жизнь за великую поэзию, созданную в золотой век Владимира Маяковского и Сергея Есенина после революции 1917 г. и позже, после Второй мировой войны.

Удостоенный в 1958 г. Нобелевской премии по литературе за свое творчество в целом, достигшее кульминации в «Живаго», Пастернак вынужден был отказаться от нее из опасения быть изгнанным из России. Даже униженный властями, Пастернак подобно своему соотечественнику Дмитрию Шостаковичу остается убедительным символом силы художественной правды и мужества во мраке злейшей тирании. Почти вся его поэзия и роман «Живаго» проникнуты безудержным лиризмом и человечностью.

Пастернак рос в Одессе и Москве. Его мать, концертмейстер (ученица выдающегося российского пианиста и композитора еврея Антона Рубинштейна) Роза Кауфман отказалась от перспективной карьеры ради семьи. Его отец Леонид Пастернак был крупным художником-импрессионистом и иллюстратором (в том числе «Воскресения» Толстого). Кроме Толстых его родители дружили с великими музыкантами, композиторами, романистами и поэтами своего времени, в том числе с Сергеем Рахманиновым, Александром Скрябиным и Райнером Марией Рильке.

Поначалу Пастернак думал, что тоже станет композитором. Одним примечательным летом его семья сняла дачу по соседству со Скрябиным. Пастернак был очарован колоритными гармониями и приводившими в экстаз мелодиями, доносившимися через лужайку из дома прославленного соседа. Во время долгих прогулок с отцом и Скрябиным он впитывал в себя реакцию двух тонких художников на природу и внимательно выслушивал их разные мнения по вечным вопросам. Скрябин побуждал Бориса сочинять музыку и уговаривал его отказаться от изучения права ради философии. Изучая философию в Марбургском университете (в Германии), Борис впервые влюбился и начал писать стихи.

Пастернак был очевидцем ряда важнейших событий XX в. в российской истории. В ходе одной демонстрации во время первой русской революции 1905 г. его ударил конный казак (позже он расскажет об этом в «Докторе Живаго»). В 1910 г. вместе с отцом он поспешил на железнодорожную станцию Астапово, чтобы проститься с Толстым, умершим накануне ночью.

Перед Первой мировой войной Пастернак присоединился к группе писателей, называвшей себя «Центрифуга». В литературных схватках в кафе и на городских площадях молодые авторы, принадлежавшие к разным группам — футуристов, символистов и имажинистов, имитировали в искусстве гражданскую борьбу, развернувшуюся на улицах России. Пастернак подружился с Маяковским и познакомился с крестьянским поэтом Есениным (будущим мужем Айседоры Дункан). И Маяковский, и Есенин были охвачены революционной лихорадкой. Пастернак же благодаря — по его словам — своему замедленному мышлению не поддался ложному революционному пафосу. Он также не последовал за родителями в Берлин, когда они эмигрировали в начале 1920-х гг., раздраженные стремительно ухудшавшимися условиями жизни в России. Пастернак чувствовал потребность остаться на своей любимой родине. Отвергнув кровавую бойню революции и последовавшую тиранию, Есенин и позже Маяковский покончили с собой. Пастернак тем временем продолжил свое спокойное и чуткое исследование состояния человека.

Его ранняя проза и поэзия поражали своей прозрачностью. Творчество Пастернака отражает его музыкальное воспитание, очаровательный спокойный лиризм, ясно и просто выраженный, но всегда весьма утонченный.

Он предпочел тихо прожить сталинскую эпоху, сначала в роли библиотекаря, потом переводчика. Шекспир в его переводах широко ставился по всему Советскому Союзу.

В 1934 г. Сталин опубликовал литературный манифест, потребовав тотального контроля над всей литературой и указав писателям, как следует думать. Вознаграждались только социалистический реализм и воспевание коллективной работы и великого вождя Сталина. Осуждалась свободная мысль, выраженная индивидуально. Жестокие чистки привели к гибели великих умов. В то время как многие из друзей Пастернака становились жертвами, он встретил женщину, которую позже, в «Докторе Живаго» назовет Ларой, приписав ей свое спасение от ошеломляющего отчаяния тех мрачных лет.

Во время Второй мировой войны Пастернак снова начал писать стихи. Поначалу, во избежание цензуры, на патриотические темы, затем на более личные. После войны, когда Сталин вновь установил контроль над литературой, Пастернак вернулся к переводам. И все же он продолжал втайне работать над романом о поэте — романом, который завершался поэзией. Эта эпопея рассказывала о враче, который вырос в комфортных условиях царизма, писал поэмы, стал очевидцем великой войны и жестокой революции, влюбился в таинственную женщину, возродил свой поэтический пыл и канул в вечность в советской пустоте. Пастернак писал автобиографическую прозу, и «Доктор Живаго» стал во многих отношениях его собственной историей.

Его великая современница, русская поэтесса Анна Ахматова заметила как-то, что Пастернак всегда демонстрировал детски непосредственное воображение. Он не рекламировал собственное «я» подобно революционным поэтам Маяковскому и Есенину. Лиризм не следует путать с историей или использовать для защиты истории. Поэзия, растущая из подсознания, закаленная чутким, почти светящимся чувством, несомненно переживет ГУЛАГ, чистки и предательства. Как однажды Толстой сказал отцу Бориса — всем деньгам, собственности и империям суждено исчезнуть, но искусство не может умереть, если в нем содержится хоть крупица правды.

ГАРРИ ГУДИНИ

(1874—1926)

Великий драматург и критик Джордж Бернард Шоу однажды язвительно заметил, что наряду с Иисусом и Шерлоком Холмсом Гарри Гудини был одним их трех самых известных людей в мировой истории. Колкость Шоу вполне могла соответствовать истине в период, чуть больший двенадцати лет, включавший Первую мировую войну.

Гарри Гудини — бросавший вызов смерти «Самоосвободитель», легендарный «Чудотворец», «Чемпион мира по побегам из тюремных камер и Король замков», был величайшим из циркачей в золотой для них век, страшно популярным эстрадником, первопроходцем массовых зрелищ и ловкого использования саморекламы. Подобно П.Т. Барнуму, Джону Л. Салливану, Энрико Карузо и Саре Бернар в их областях, Гудини был бесспорным и уникальным мастером своего дела, внушавшим благоговение цирковым артистом, демонстрирующим умение освобождаться от цепей и т.п., знаменитостью и героем, вызывавшим повсюду шумное одобрение.

Сын венгерского раввина, Гудини родился в Будапеште. Примечательно, что он родился в один год с Уинстоном Черчиллем, Арнольдом Шёнбергом, Хаимом Вейцманом, Шарлем Ивом, Гербертом Гувером, Сомерсетом Моэмом, Гульельмо Маркони, Гертрудой Стайн и Робертом Фростом. Настоящим именем Гудини было Эрик Вейш, и он сменил его на Эрих Вейс после иммиграции его семьи в штат Висконсин (его отец откликнулся на объявление о том, что маленький городок Эпплтон нуждался в раввине).

Пока другие мальчишки играли в мяч или ловили лягушек, Эрих учился освобождаться от оков или проделывать опасные трюки на трапеции в заднем дворе. Он был очарован фокусниками и представлениями бродячих цирков, посещавших городок. Эрих изучал «оригинальный жанр» по книгам и брошюрам и подражал великому французскому иллюзионисту XIX в. Роберу Удену, известному как автор и волшебник-знаток вечных тайн и секретов.

Раввин Вейс был человеком грубым и сварливым и потерял работу в Эпплтоне, оттолкнув от себя крошечный приход. Семья переехала в город Милуоки и погрузилась в отчаянную нищету. В двенадцатилетнем возрасте Эрик убежал из дома искать счастья в качестве артиста. Отказавшись от родного отца, он принял «отцовство» Удена, чуть видоизменив его фамилию и превратившись, словно по волшебству, в Гудини. Поначалу с одним другом, а затем с братом Тео (по прозвищу Рывок) он работал на ярмарках, доступных всем выставках, в магических представлениях, моралите и на подмостках.

В 1890-х гг. во время выступлений на Кони-Айленде он познакомился со своей будущей женой Бес, расстался с Рывком (который преуспевал, хотя и оставался в тени брата, под псевдонимом Хардин) и приготовил совместный с супругой номер под общим псевдонимом «Гудини». Они приобрели у одного старого иллюзиониста «магический сундук», из которого попеременно исчезали и в котором появлялись вновь, будь то со свободными или со скованными руками, в колдовской «Метаморфозе».

Гудини не уставал учиться у мастеров по замкам, решив узнать все возможные комбинации и механические конструкции замков. Нанося по замкам определенные удары, пряча отмычки на теле, изгибая собственное тело невообразимым образом или смещая свои необычно подвижные суставы, Гудини научился освобождаться от любых наручников или смирительных рубашек.

Он стал знаменитостью, когда бросал вызов властям каждого города, который посещал в своих турне. Гудини предлагал крупную сумму тому, кто сможет запереть его и удержать пленником. В начале XX в. он отправился в Европу, где ни Скотланд-Ярд, ни полиции Пруссии и Баварии, ни тайная полиция царя Николая II не смогли удержать под замком «Короля наручников». Он высвобождался каждый раз, когда полицейские предпринимали новую попытку. Его слава росла сначала медленно, потом стремительно. Когда его, закованного в наручники и запертого в упаковочной клети, бросили в Ист-ривер, Гудини поднялся из воды свободным и готовым продолжить представление перед восхищенной публикой в принадлежавшем Хаммерштейну «Ресторане на крыше».

Когда его номер стал широко известным, он готовил новые сенсационные трюки, чтобы пощекотать нервы своим поклонникам, вроде «Бидона с молоком» и «Камеры для китайской пытки водой» (его помещали вниз головой в камеру заполняемую водой, и он, казалось, сверхчеловеческим усилием спасался от неминуемой гибели). Он совершал турне по Европе, Канаде и США, привлекая к себе всеобщее внимание как самый знаменитый исполнитель трюков в мире.

Смерть матери в 1913 г. вызвала у него глубокую депрессию. Гудини охватило стремление победить смерть. Его хоронили заживо, и он выбирался из удушающей земли. Желая поговорить с покойной матерью, он старался познакомиться с выдающимися спиритами, одним из которых был автор Шерлока Холмса сэр Артур Конан Дойл. Одновременно Гудини возглавил «крестовый поход» против шарлатанов, зарабатывавших на горе сирот с помощью фальшивых сеансов и фиктивным воскресением из мертвых.

После выполнения патриотического долга по развлечению войск во время Первой мировой войны недолгое участие в немом кино и исполнение новых номеров (вроде «Исчезающего слона») не смогли вернуть к нему то восторженное внимание, которое он привлекал ранее. Когда Гудини умер в 1926 г. от перитонита, вызванного ударом в живот, полученным от введенного в заблуждение поклонника, его уже затмили такие кинозвезды, как Чарли Чаплин, Рудольфо Валентино и Дуглас Фэрбенкс, в наступившую эпоху, когда не хватало терпения для сложных и медленно протекавших номеров умеющих освобождаться от оков цирковых артистов. Гудини оставил Бесс и некоторым друзьям закодированные послания, которые обещал передать им из жизни после смерти. Однако так и не было никаких сверхъестественных явлений призрака Гарри Гудини.

Помимо своего неизбывного значения для иллюзионистов и артистов, умеющих освобождаться от оков, Гудини известен еще и тем, что первым стал великой популярной суперзвездой, использовавшей средства массовой информации для достижения наибольшего при-

знания. Манипулируя прессой, показывая публике все более сенсационные номера и подавая их в обертке мнимой артистичности,
Гудини создал массовое зрелище. До сих пор поражает его умение
выбраться из ледяной реки, из неприступных тюрем и запертых на
замки контейнеров. То, как он управлял вниманием публики, как
бы запирая массу людей в свои мощные тиски и освобождая свою
аудиторию только в последний момент, когда казалось, что смерть
уже стучится в дверь, было удивительным и представлялось бесче-
ловечным. То, что мальчик-иммигрант и вечно странствовавший сын
раввина Гарри Гудини смог совершать благодаря своему острому уму
и превосходной физической подготовке, было одновременно американской историей успеха и еврейской сказкой. Гудини символизировал необычную способность своего народа выживать даже тогда,
когда нет выхода.

ЭДВАРД БЕРНАЙС
(1891—1995)

> Тот, кто формирует общественное
> мнение, сильнее того, кто издает законы.
>
> *Авраам Линкольн*

Эдвард Л. Бернайс, племянник Зигмунда Фрейда (основателя психоанализа), — общепризнанный отец «связей с общественностью». В желании провести разграничительную линию между своей областью деятельности и службами по связям с прессой Бернайс попросил своего друга Генри Л. Менкена дать следующее определение «связей с общественностью» в его книге об американском варианте английского языка: «Занятие обществоведа, дающего клиен-

ту или нанимателю рекомендации по общественной позиции и мерам по привлечению на свою сторону той части публики, от которой зависит жизнеспособность клиента или нанимателя». Вместе с такими первопроходцами, как Айви Ли, Карл и Джон Хилл, Бернайс помог формированию современного (для двадцатого века) общественного мнения, оказавшего большее влияние на культуру, нежели многие из политиков и корпораций, которые он представлял.

На протяжении своей необычайно долгой карьеры Бернайс стремился поднять сферу связей с общественностью на тот же профессиональный и этический уровень, который обычно приписывается адвокатам или архитекторам. Он хотел, чтобы его называли «советником по связям с общественностью», и был профессиональным консультантом, который, исходя из глубокого понимания мотиваций человека, управлял общественным мнением.

Среди клиентов Бернайса были «Балле Рюс» Сергея Дягилева, «Метрополитен-Опера», Энрико Карузо, «Проктер энд Гэмбл», президент Калвин Кулидж, Генри Форд, «Конде Наст Пабликейшнс», Давид Сарнофф из Эн-би-си, Уильям Рейли из Си-би-эс, Мак Тракс (повлиял на строительство между штатами первых автомагистралей, обеспечивших экономическое объединение страны), банановая компания «Юнайтед Фрут», «Эмерика Тобэкоу», объединение «Юнайтед Брюэрс» (пиво из пивнушек пришло в супермаркеты и дома), Национальная ассоциация содействия прогрессу цветного населения (НААКП), Американский союз за гражданские свободы (АСЛЮ) и Колумбийский университет. Работа Бернайса для указанных лиц и организаций революционизировала американский образ жизни и средства массовой информации. Он видел (и пережил) тоталитарные режимы, а нацистский пропагандистский аппарат доктора Йозефа Геббельса позаимствовал и использовал многие из его методов убеждения общественности в чудовищных целях.

Семейное древо Бернайса было таким же впечатляющим, как и люди, которых он направлял долгие годы. Его мать Анна (Фрейд) Бернайс была сестрой Зигмунда Фрейда, его кузина Анна Фрейд — дочерью Зигмунда и великим детским психологом, а его дочь Энн Бернайс — прекрасным романистом и женой Джастина Каплана — удостоенного Пулитцеровской премии автора уникальной биографии Уолта Уитмена.

Он родился в Вене; когда ему минул год, семья переехала в Нью-Йорк. Его отец был богатым торговцем зерном. Эдвард посещал среднюю школу и колледж сельского хозяйства Корнеллского университета (возможно, чтобы доставить удовольствие отцу).

Он рано понял, что лучше всего ему удается влиять на людей. Из всех тех, о чьем влиянии рассказывается в настоящей книге, Бернайс был единственным, кто зарабатывал на жизнь на своем умении добиваться от людей нужного отклика. Он, разумеется, не был самым великим евреем всех времен, но был, возможно, самым удачливым евреем нового времени, профессия которого была придумана для того, чтобы влиять на других.

Впервые он попробовал силы в сфере связей с общественностью, помогая одному актеру поставить пьесу о передаваемой половым путем болезни, которая в то время была запрещенной темой. Бернайс добился аншлага, убедив отцов города в том, что их участие и спонсорство помогут столь необходимому половому воспитанию.

Во время Первой мировой войны Бернайс рекламировал театральные события (в основном балетные и оперные постановки). Желая помочь военным усилиям США, он поступил на службу в Управление военной информации при президенте Вильсоне. Во время последовавшей за перемирием Парижской мирной конференции Бернайс писал агитки, восхвалявшие роль Америки в «войне, призванной покончить со всеми войнами».

Вместе со своей будущей женой Дорис Флейшман Бернайс открыл собственную контору, которую назвал сначала «рекламным бюро», а позже «советом по связям с общественностью». Поскольку Бернайс всегда давал свои советы на основе глубокого и тщательного исследования, его контора процветала. Самые известные из его первых кампаний проводились для производителей сеток для волос Вениды и мыла «Пэ энд Джис Айвори». Бернайс прислушивался к общественному мнению, например, по охране труда (работницы с длинными волосами, заключенными в сетки, подвергались меньшей опасности несчастного случая на производстве, чем даже коротко подстриженные женщины) или образованию (общенациональное соревнование детей по изготовлению фигурок из мыла «Айвори» превратило его в массовый товар).

Бернайс получил широкую известность в 1929 г., организовав празднование в Дирборне, в штате Мичиган, пятидесятилетия изобретения электрического света Томасом Эдисоном. Финансировал мероприятие Генри Форд, участвовали сам гениальный изобретатель, президент Гувер, мадам Мари Кюри и Джон Д. Рокфеллер.

Опубликованная Бернайсом в 1923 г. книга «Формирование общественного мнения» стала первым и наиболее влиятельным изданием в истории связей с общественностью. В том же году Бернайс стал первым преподавателем в своей профессии, прочитав курс лекций в Нью-Йоркском университете.

ЛЕОПОЛЬД АУЭР
(1845—1930)

Для многих талантливых евреев в XIX — начале XX в. занятие музыкой было единственным способом бежать из гетто. Великий скрипач и мэтр Леопольд Ауэр стал маяком надежды и гордости для маленьких еврейских мальчиков с фамилиями Эльман, Цимбалист, Хейфец, Мильштейн и многих других, жаждавших избежать гонений. Ауэр воспитал целую плеяду скрипачей, которые господствовали в струнной музыке более ста лет. Как ни один другой музыкант в истории Ауэр установил нормы и технику исполнения, которые преобладают до сих пор в музыке и педагогике.

Ауэр также олицетворял невероятное влияние музыкантов-евреев, которое началось в XIX в. с Феликса Мендельсона, Йожефа Иоахима и Антона Рубинштейна. Оно продолжилось в первой половине XX в. с Йозефом Хофманом, Иосифом Левиным, Леопольдом Годовским, Вандой Ландовской и Артуром Шнабелем и в более недавние времена с Артуром Рубинштейном, Йожефом Сигети, Рудольфом Серкиным, Владимиром Горовицом, Бенни Гудменом, Эмануэлем Фейерманом, Давидом Ойстрахом, Иегуди Менухином, Исааком Штерном, Мстиславом Ростроповичем, Владимиром Ашкенази, Ицхаком Перлманом и Марри Перахией.

Ауэр родился в Венгрии в семье маляра. Рано проявил музыкальные способности и с восьми лет учился игре на скрипке в Будапештской консерватории. Продолжил образование в Вене, а затем в Ганновере у Йожефа Иоахима. Еврей и друг детства великого немецкого композитора Иоганнеса Брамса, Иоахим во многих отношениях был предтечей Ауэра. Подобно последнему, он сотрудничал с известными композиторами и вдохновлял их на создание значительных оркестровых и камерных произведений. Он также учил будущих выдающихся музыкантов, которые передавали будущим поколениям его чисто классический подход к исполнению.

Иоахим организовал дебют Ауэра в девятнадцать лет с оркестром «Дома одежды» в Лейпциге, служившего в то время витриной для музыкантов. Далее последовала работа концертмейстером оркестров Дюссельдорфа и Гамбурга. В Лондоне он познакомился и играл с великим российским композитором и пианистом, евреем Антоном Рубинштейном, который в 1868 г. порекомендовал его на место Генрика Венявского профессором Петербургской консерватории и придворным скрипачом царя. В России Ауэр прожил сорок девять лет.

Без малого полвека, проведенные Ауэром в России, совпали с пробуждением российской музыки после многовекового пренебрежения. После освобождения крепостных, примерно совпавшего по времени с прибытием Ауэра в Россию, начали модернизироваться ее общество и промышленность. Русская школа композиторов, включавшая Модеста Мусоргского, Николая Римского-Корсакова, Александра Бородина и очень оригинального Петра Ильича Чайковского, создала произведения большой ритмической силы и лирической красоты. Чайковский даже собирался посвятить Ауэру свой концерт для скрипки с оркестром (который Ауэр отверг, посчитав его неуклюжим и слишком вычурным). Позже Ауэр признал свою ошибку, отредактировал и исполнил этот шедевр.

Первым учеником Ауэра, привлекшим внимание всего мира, был Миша Эльман, ставший образцом для еврейских мальчиков, которые также жаждали выступать перед царем. Самым знаменитым его учеником был Яша Хейфец, широко признанный, подобно Никколо Паганини ранее, как величайший скрипач своего столетия. Ауэр прививал своим ученикам (обычно хорошо обученным и готовым к завершающим урокам Ауэра) уникальное чувство стиля и интерпретации, а также манеру держать смычок, получившую известность как «русский хват смычка».

В 1917 г. Ауэр перебрался в Америку, где обучил новое поколение исполнителей на струнных инструментах в знаменитом Музыкальном институте Кертиса в Филадельфии. Невероятное наследие Ауэра, заключавшееся в его дружбе с величайшими композиторами и музыкантами его времени, в том числе с Францем Листом, Джоаккино Россини, Гектором Берлиозом, Брамсом, Чайковским, Александром Глазуновым, Анри Вьётаном, Иоганном и Ричардом Штраусами и многими другими, было передано его ученикам, отличавшимся вкусом и глубиной.

Ауэр умер в Германии в 1930 г. в возрасте восьмидесяти пяти лет. Его желание быть похороненным в США было выполнено: его останки поместили в Мавзолей Фернклиффа в Хартсдейле, штат Нью-Йорк.

Можно услышать отзвуки влияния Ауэра, слушая большинство из крупных оркестров и исполнителей на струнных инструментах Европы и Америки. Виртуозность, всегда сдерживаемая хорошим вкусом; сентиментальность, управляемая ясной экспрессией, и никогда не иссякающий богатый и чистый штрих — таковы музыкальные качества, к которым сегодня стремятся большинство музыкантов и которые в конечном счете являются производными уроков великого Ауэра.

МЭН РЕЙ
(1890—1976)

Родившись Эммануилом Радницким в 1890 г. в Филадельфии, Мэн Рей был одним из самых великих художников XX в. — фотографом, живописцем, скульптором, философом, писателем, коллажистом и создателем предметов искусства. Он был лидером дадаистов-сюрреалистов, господствовавших в европейском искусстве 1920-х гг., и продолжает сегодня оказывать влияние на все области искусства. Вместе со своим соратником по творчеству и другом всей жизни, великим французским художником Марселем Дюшаном Мэн Рей создал нечто вроде антиискусства. Он находил художественный смысл и язвительный юмор в обычных вещах, якобы случайно собранных вместе, но всегда с серьезным намерением.

Сын еврея иммигранта, занимавшегося пошивом жилеток, Эммануил вырос в Бруклине. По окончании мужской средней школы, он принял награду как ученик, отличившийся в английском языке (сочинение по «Листьям травы» Уолта Уитмена), в нетрадиционной ярко-красной рубашке. С началом нового столетия Нью-Йорк постепенно становился домом для таких выдающихся художников, как представители Ашканской школы — туземной формы социального реализма, рисовавших городские

сценки в почти докубистском стиле. Мэн Рей подвергся воздействию великого европейского искусства того периода, посещая выставки работ Огюста Родена и других в «Галерее 291», принадлежавшей американскому еврею Алфреду Стиглицу — фотографу-новатору, поддерживавшему новейшие художественные движения, и будущему мужу американской художницы Джорджии О'Кифф. Он также проводил долгие часы в большом Бруклинском музее, изучая коллекцию старых мастеров. Хотя Мэн Рей окажется в авангарде одного из поистине авангардных движений художников в истории, он оставался верным традиции и свойственной ей дисциплине.

В 1913 г. в Нью-Йорке открылась Международная выставка модернистского искусства, более известная как «Армори-шоу». На ней были выставлены работы Ашканской школы — полотна Поля Сезанна, Андре Дерена, Франсиса Пикабии, Константина Бранкузи, Жоржа Брака и Пабло Пикассо. Наибольшие же споры вызвала картина Дюшана «Обнаженная, спускающаяся по лестнице». Это полотно было попыткой покончить с изображением натуры в реалистической манере. Обнаженная была скорее изображена в почти падающих деревянных планках; другие называли это седельными сумками. Дюшан считал, что подобные формы содержат «выражение времени и пространства через абстрактное представление движения». Мэна Рея поразили талант и мысли художников, выставленных в «Армори».

Вскоре в доме общего друга Мэн Рей познакомился с Дюшаном во время теннисного матча. Они начали делиться идеями, формируя друг у друга понимание того, каким должно быть искусство и чем оно должно заниматься. Примерно в то же время в Швейцарии родилось — как бурная реакция на бойню Первой мировой войны — движение, которое возглавил румынский еврей-поэт Тристан Тцара (настоящее имя Сами Розеншток, родился в Бухаресте). Показав «нос» всему миру, дадаисты стремились освободить художественное изображение от всех правил. Все было возможно и выполнимо, правил нигилизм. Дадаизм («да, да») берет свое начало в кабаре и весело высмеивает общепринятые ценности. Дюшан, Рей и Пикабия объединились в США в группу, позже названную «Нью-Йоркские дадаисты». Примером их художественных решений того времени может служить выбор Дюшаном писсуара и Реем ничего не отражавших зеркал и ничего не приводящих при нажатии в действие кнопок в качестве предметов искусства. Мэн Рей также начал экспериментировать с простенькой фотокамерой, снимая сначала собственные полотна в кубистском стиле, а затем делая фотопортреты. Он стал фотографировать то, что не хотел живописать. Раздуваемые ветром простыни на бельевой веревке в заднем дворе создали полные смысла формы и движения. Портреты можно было делать через плечо, заставая врасплох объект фотографирования.

Не в состоянии содержать себя и ради избавления от несчастливого брака в 1921 г. Рей перебрался из Нью-Йорка в Париж, ставший ему домом почти на полвека. Свободный человек Эммануил стал покинувшим родину художником Мэном Реем. Вступив в союз с Тцарой и основателем нового течения — сюрреализма поэтом Андре Бретоном, Мэн Рей скоро произвел впечатление своими разнообразными и виртуозными способностями на влиятельных художников и критиков. Сюрреализм стал повальным увлечением в Париже, когда художники применили открытия Фрейда в области психологии к художественной экспрессии. Сюрреалисты считали, что фантазии мира подсознания обладают более важной реальностью, чем реальная жизнь. Человек может освободить воображение, только используя подсознание.

Дадаизм скрывал в своем неистовом гневе и бунтарстве разрушительный фактор. Сюрреализм, с другой стороны, был более позитивным движением, стремившимся освободить выразительность, обнажая самые глубокие и сокровенные чувства человека. Подобно дадаизму он сторонился здравого смысла и морали. Дадаисты считали искусством мятеж (позже Граучо Маркс напоет: «Что бы это ни было, я против этого!», популяризируя дадаизм). В противоположность ему сюрреалисты хотели создать великое искусство из своих величайших фантазий, обычно строившихся на реалистических формах.

Вкладом Мэна Рея в мировое искусство того периода стало соединение дадаизма и сюрреализма, пропущенное через уникальное американское воображение. Он создавал предметы нового художественного звучания — прикреплял фотографию глаза к метроному или использовал инструменты в качестве мужской и женской форм. Сам Мэн Рей считал живопись своим истинным призванием, но его фотографии и экспериментальные киносъемки принесли ему наибольший успех. Его короткометражные фильмы провоцировали бунты. И все же он стал любимым фотографом великих художников своего времени. Его снимки манекенщиц освободили коммерческую фотографию от традиционных ограничений. Выразительность современной коммерческой рекламы обязана своей свободой в основном Мэну Рею. Экспериментируя с самим фотографическим процессом, он усовершенствовал фотогеничные рисунки или — как он их называл — «лучеграфии». Играя световым воздействием на экспонированную пленку путем затенения или открытия проявляющейся фотографии, Мэн Рей создал новую форму искусства, обладающую поразительной изысканностью и непосредственностью. После него никогда уже не будет пределов тому, что может делать фотограф.

БЕННИ ГУДМЕН
(1909—1986)

Известный в народе как «король свинга» (а среди музыкантов его эпохи по инициалам «БГ»), Бенни Гудмен был больше чем просто великий кларнетист и руководитель джаз-оркестра. БГ создавал ансамбли, известные своей удивительной сплоченностью и интеграцией (как в музыкальном, так и в расовом плане). Он пользовался огромным общественным влиянием, поскольку принимал чернокожих музыкантов в свои джаз-банды во времена сильнейшего фанатизма и сегрегации. Гудмен делал крупные заказы величайшим композиторам своей эпохи, в том числе Беле Барто-

ку, Паулю Хиндемиту и Аарону Копленду, исполнял и записывал произведения Леонарда Бернстайна, Игоря Стравинского, Иоганнеса Брамса, Карла Марии фон Вебера и многих других. Его виртуозные соло стали для кларнетистов примером для подражания. Гастролируя, БГ познакомил со своим уникальным классическим свингом аудитории в Азии и России, подняв свою особую манеру джазового исполнения на международный уровень.

Бенджамин Гудмен родился в Чикаго, в штате Иллинойс 30 мая 1909 г. Его родители, иммигранты из Восточной Европы, приводили трех своих сынов в синагогу на специальные музыкальные программы. Младшему из трех братьев Бенни дали играть на кларнете, поскольку он был легче трубы и тубы, которые отдали старшим братьям. В двенадцать лет он начал учиться по-настоящему у первого кларнетиста Чикагского симфонического оркестра. Великий джазовый музыкант навсегда останется отмеченным строгой классической подготовкой, полученной в подростковом возрасте. Такая подготовка отличала его от многих джазовых музыкантов того времени, некоторые из которых были самоучками, прошли так называемую школу сильных ударов — одноразовых выступлений в маленьких городках и тавернах. Еще подростком БГ играл во многих местных танцевальных оркестрах и познакомился с крупными джазистами, в том числе с великим трубачом Биксом Бейдербеком.

Под влиянием музыкантов из Нового Орлеана, совершавших вояжи в «Город ветров» (Чикаго) на увеселительных судах, игра Гудмена обрела зрелость и разнообразие, необходимые ему, чтобы отважиться на выступления сначала в Лос-Анджелесе, а затем и в Нью-Йорке. Совпавшие с Депрессией первые пять лет (1929—1934) в Нью-Йорке Гудмен работал без договора и заявил себя маэстро популярной музыки. Работа «свободным художником» включала игру в оркестровых ямах в бродвейских шоу, радиошоу и сеансах звукозаписи. Премьера в 1930 г. мюзикла Джорджа Гершвина «Безумная» блистала не только инженю Джинджер Роджерс и дебютом Этель Мерман, но и оркестром в яме, в котором играли будущие титаны джаза Джимми Дорси, Джек Тигарден, Гленн Миллер, Ред Николс, Джин Крупа и Бенни Гудмен. Вообразите, как звучал тот оркестр!

В 1933 г. Гудмен познакомился с молодым Джоном Хэммондом — независимым и состоятельным джазовым импресарио и критиком. Эта встреча станет поворотным пунктом в истории американской популярной музыки (и в жизни Гудмена — он женится на сестре Хэммонда). Хэммонд помогал профессиональному становлению Гудмена и подбирал джазистов для его ансамблей. Все чаще ими становились американские негры. Годом позже БГ собрал свой первый постоянный джаз-банд. Он нанимал таких выдающихся аранжировщиков, как Флетчер Хендерсен и Бенни Картер, для создания новых стилей оркестровки в рамках энергичных джазовых ритмов, которые люди начали называть «свингом». Целые группы инструментов играли как единое целое. Началась новая эра музыкальной аранжировки.

Профессиональные музыканты приходили в экстаз, слушая джаз-банд Гудмена, и поражались точности, напору и музыкальности его исполнителей. Когда банд играл в танцевальном зале «Паломар» в Лос-Анджелесе в августе 1935 г., свинг вступил в эпоху расцвета. Эту музыку можно было слушать, под нее можно было танцевать и просто «беситься». Она была столь увлекательной, что никто не мог устоять перед ней. В оркестре БГ играли великие музыканты, черные и белые, многие из которых позже создавали собственные оркестры. Среди них упомянем Зигги Элмена, Гарри Джеймса, Лайонела Хэмптона, Тедди Уилсона, Пегги Ли и Чарли Кристиана.

Потрясая радиослушателей и публику танцевального зала, Гудмен одновременно решает создавать камерные джазовые ансамбли для применения в малых и более интимных аудиториях техники и стиля, опробованных с большим оркестром. Сначала в составе трио с ударником Крупой и пианистом Уилсоном, затем квартета с вибрафонистом Хэмптоном (позже в составе секстета, септета и т.п.) комбо Гудмена стали первопроходцами импровизаторского стиля джаза, который непосредственно подвел к революции бибопа в послевоенную эпоху.

Привлечение Гудменом элегантного стилиста Тедди Уилсона в качестве своего пианиста стало первым национальным примером интеграции в популярной музыке. Когда позже к ансамблю присоединился Лайонел Хэмптон, дело было не в том, что еще один черный музыкант играл с белыми, а в присоединении самого блестящего исполнителя на вибрафоне. За десять лет с лишним до того, как были интегрированы бейсбол и армия, джаз-банды Бенни Гудмена набирали лучших исполнителей независимо от их расовой принадлежности.

Гудмен сломал также барьеры касательно места проведения музыкальных выступлений. В 1938 г. он выступил со своим оркестром в Карнеги-холле. Тот сказочный концерт был записан под бурные аплодисменты. Девочки-подростки танцевали в проходах. Классический музыкальный бастион элитной культуры опустился на землю, чтобы взмыть ввысь.

Вторая мировая война разрушила обаяние свинга для американской публики. Музыка свинга помогла освободить молодежь от уныния Депрессии. Война развернула музыкальное настроение сначала в сторону патриотизма, а затем к спокойно звучавшей и привязанной скорее к балладе вокальной музыке, нежели к инструментальному джазу. Появились такие новые джазисты, как Чарли Паркер и

Диззи Гиллеспи, творившие более интеллектуальную, доступную лишь избранным музыку, под которую мог танцевать только мозг человека.

Гудмен отреагировал, отойдя от популярной музыки и перейдя к исполнению классического репертуара. Он был первым великим джазистом, успешно совершившим такой переход, и до сих пор служит примером для таких джазовых артистов, как трубач Уинтон Марсалис и флейтист Джемс Голуэй, с легкостью выступающих во многих стилях. Расовые и музыкальные барьеры просто не существовали для остроумного виртуоза Бенни Гудмена. Значение имела только замечательная музыкальность.

СТИВЕН СПИЛБЕРГ

(род. 1947)

Его фильмы видели больше людей, чем фильмы любого другого режиссера. Ни один другой режиссер не снял столько развлекательных и насыщенных действием фильмов. Возможно, только Уолт Дисней проявил больший талант, чем Стивен Спилберг, обращаясь к самой широкой аудитории. Предлагаемые Спилбергом зрелища обращены ко всему миру. Его фильмы были дублированы более чем на дюжину языков и представляют большей части света все лучшее из американского кино.

Спилберг является представителем необычайного поколения режиссеров. Вместе с Мартином Скорсезе, Фрэнсисом Фордом Копполой, Оливером Стоуном и Джорджем Лукасом Спилберг (единственный еврей в этой первой группе) господствовал в коммерческом кино США со времени ошеломляющего успеха в 1975 г. его кишащих акулами «Челюстей».

Еще подростком Спилберг учился у Алфреда Хичкока. Подобно английскому мастеру Спилберг обладает сверхъестественной способностью вовлечь свою аудиторию непосредственно в действие, происходящее на экране. Многие сравнивали ощущения от просмотра его фильмов с теми, которые они испытывали на «русских горках». В самом деле, среди самых популярных аттракционов в двух парках развлечений «Мир Диснея» и «Юниверсал Студиоз» называют «Трюк Индианы Джонса», «Челюсти» и «ИТ-инопланетянин».

Критики обрушивались на Спилберга за его мелодраматические инстинкты и сентиментальность. Мучительность многих сцен в «Пурпурном цве-

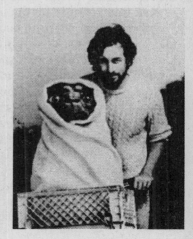

те» разрушает подобную критику. Его «излишняя сентиментальность» порой так уместна, основательна и утешительна.

Спилберг рассказывает о своих талантах с мальчишеским изумлением. Когда кадры в его фильмах кажутся ему красивыми или внушающими благоговейный страх, великий режиссер расслабляется и позволяет зрителям сидеть, разинув рот. В «Парке юрского периода» (втором по доходности фильме после «ИТ-инопланетянина») генетически выведенный брахиозавр с ревом поднимается на задние лапы, чтобы пожевать верхние листья гигантского дерева. Это колоссальное зрелище доказало зрителю гениальность Спилберга в умелом построении образа. Чаще, чем другие киношники, он точно передает свое намерение с искусной прозрачностью и щекочущей нервы величественностью.

В его фильмах всегда поражает выбор места действия. Жестокость хищной Большой Белой (акулы), выслеживающей человека-жертву, представляется еще ужаснее в прозрачном свете и теплых океанских брызгах летом на полуострове Кейп-Код. Фильм «Индиана Джонс и Храм Судьбы» захватывает еще больше своим местом действия: перегретыми помещениями в кишащем гангстерами Шанхае и роскошной зеленью Индии, сожженной в прах религиозным фанатизмом. Доброжелательное и уникальное создание из дальнего космоса («ИТ-инопланетянин») встречает себе пару в лице наивного мальчика, живущего с матерью, братом и маленькой сестренкой на улице с типовой застройкой в растущем пригороде. Космический пришелец знакомится с мальчиком, лишенным пространства. Прогулка на велосипеде освобождает обоих от ограничений, накладываемых детством и обществом.

Как ни странно, но фильмы Спилберга, как и ряда других великих режиссеров, не отличаются запоминающимися сценариями. Не так легко припомнить и то, что говорят персонажи его фильмов. В памяти остается живость его зрительного ряда. Он рассказывает серьезные истории с помощью серьезных кинематографических средств, и действие победно развивается под величавую музыку Джона Уильямса. В этом плане Спилберг оказывается ближе всех к советскому режиссеру, еврею «наполовину» Сергею Эйзенштейну. Последний бесспорно был прямым предтечей Спилберга в использовании широкомасштабных зрительных образов, сопровождаемых нарастающими симфоническими акцентами (музыку к «Александру Невскому» и «Ивану Грозному» написал Сергей Прокофьев, ставший главным образцом для Уильямса).

Сильное коммерческое чутье Спилберга побудило его создать на студии «Уорнер Бразерс» (с помощью своей компании, получившей название по его первому фильму «Иноходь») новое поколение полюбившихся детям мультипликационных персонажей и фантастические телевизионные шоу, к сожалению, слабые из-за его неучастия в их режиссуре.

Его фильмы показывают виртуозное владение кинематографическими средствами. Спилберг — один из величайших мастеров в истории кино. Он всегда находит угол съемки, фокус, краски, наиболее подходящие для желаемого выражения чувств и характеристики персонажей. Чаще всего его фильмы отличаются свежестью, возникающей не только из магических специальных эффектов. Они служат кладезем кинематографических приемов и методов, которые непременно повлияют на целые поколения молодых кинематографистов.

Часто истории Спилберга рассказываются как бы с позиции ребенка (не важно, молод или нет главный герой). В «Империи Солнца» ужасы военных действий в Тихом океане во время Второй мировой войны пересказаны мальчиком, оторванным от родителей японской оккупацией. Закадычным другом Индианы был маленький мальчик во втором из его триллеров, но ни один ребенок не веселился еще так, как доктор Джонс. В «Инопланетянине» большинство видов открывается с высоты ребенка и странный мир пригородной Америки рассматривается пришельцем из космоса ростом не более трех футов.

Судя по всему, в детстве Спилберг здорово развлекался, снимая домашнее кино и заработав прозвище официального фотографа семьи. После учебы в Калифорнийском колледже в Лонг-Биче он снял серию невыразительных художественных фильмов, завершенную в возрасте двадцати трех лет коммерчески прибыльной «Иноходью» (спаренный в национальном прокате с отвратительной «Любовной историей»). Работа Спилберга над телевизионными пьесами отточила его техническое мастерство на слабых сценариях. Телефильм «Дуэль» и его первый полнометражный художественный фильм «Экспресс в Сахарную страну» создали ему первоначальную репутацию особо одаренного ремесленника. Когда руководство студии «Универсал» рискнуло поручить молодому режиссеру постановку «Челюстей», родилась легенда индустрии развлечений (вместе с огромными прибылями).

Спилберг использовал свое влияние, чтобы помочь более молодым режиссерам обрести собственный голос (таким, как Роберту Земекису — режиссеру серии «Назад в будущее»), в основном не зависимый от руководства крупных студий. Пока еще рано гадать, окажут ли фильмы самого Спилберга длительное влияние. Ни один другой режиссер не снял больше него блокбастеров. Немногие художники оставили такой большой след на популярной культуре.

Только Стивен Спилберг мог поставить «Список Шиндлера». Для большинства людей фильм «Унесенные ветром» изображает Гражданскую войну в Америке. Вслед за воспоминаниями Примо Леви и Эли Визела, оперной и камерной музыкой композитора «образцового гетто» Виктора Ульмана (погибшего в Аушвице) получивший Оскара «Список Шиндлера» останется жизненно важным свидетельством эпохи. Благодаря виртуозному владению камерой, невиданному со времени немого кино (сравнима лишь работа Д.У. Гриффита), беспримерной непринужденности в общении с талантливыми актерами и отказу сентиментальничать и оберегать публику от самой мрачной действительности Спилберг создал величайший фильм о самой страшной катастрофе в еврейской истории.

МАРК ШАГАЛ
(1887—1985)

И изрек Бог все слова сии, говоря:

Я Господь, Бог твой, Который вывел тебя

Из земли Египетской, из дома рабства; да не будет у тебя других богов пред лицом Моим.

Не делай себе кумира и никакого изображения того, что на небе вверху, и что на земле внизу, и что в воде ниже земли...

Исход 20, 1—4.

До Камиля Писсарро, Хаима Сутина, Жака Лифшица, Амедео Модильяни и Марка Шагала не было великих художников-евреев. Библейский запрет изобразительного искусства подавлял какие бы то ни было творческие порывы изобразить образы живыми красками. Евреи мастеровые могли вырезать львов из дерева для украшения священных ковчегов или делать витражное стекло мрачных цветов, но не позволялись ни портреты аристократов, ни пасторальные сцены, и вообразить нельзя было классических обнаженных, раскинувшихся в траве.

Один из грандов импрессионизма, Писсарро бесспорно повлиял на своих великих преемников Поля Гогена и Поля Сезанна. Однако наследие Писсарро было слишком большим, не всегда изысканным, а в его последние годы часто оказывалось шаблонным и повторяющимся.

Некоторые критики сходным образом характеризовали и творчество Шагала, и все же его ранний период был поистине необычайно выразительным, уникальным по своей вдохновенности и чем-то большим, нежели просто искусством. Работы Шагала передавали в живописи безнадежно утраченную культуру восточноевропейских месте-

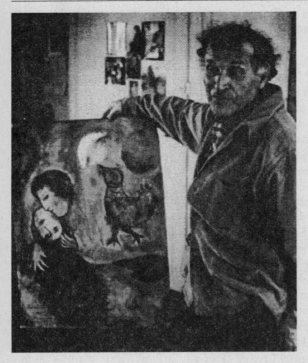

чек, ее самую чистую суть. В его картинах надменно улыбающиеся синие коровы вечно летают над соломенными крышами домов. Деревенские жители празднуют свадьбу, навсегда собранные вместе на праздничном костре, а жених и невеста, стоящие под балдахином, поднимаются почти за пределы картины. Искусство Шагала сохранило на все времена бесследно исчезнувший мир.

В своей мягкой манере Шагал символизировал индивидуальное сопротивление художника политическому угнетению и господству искусства так называемых авангардистов. Он считал негодными научные подходы к искусству. Импрессионизм и строго геометрический кубизм были «чужды» ему.

В первые годы независимости Израиля Шагал стал также международным символом процветающего еврейского художественного творчества. В отличие от Писсарро или Модильяни, которые никогда не занимались еврейской темой, Шагал явно стремился создать из опыта своей юности в России еврейское искусство — сверкающе новое и современное. (Единственными художниками, которых в этом смысле можно сравнить с Шагалом, были швейцарский композитор Эрнест Блох, сочинивший среди прочего большую рапсодию «Шеломо» для виолончели с оркестром, посвященную царю Соломону, и трогательное «Богослужение»; автор новелл и драматург Шолом-Алейхем и Нобелевский лауреат романист Исаак Башевис Зингер). Фрески и витражи Шагала на библейские темы для церквей во Франции, Швейцарии, Покантико-Хилсе, Нью-Йорке; для Медицинского центра «Гадаса» и кнессета в Израиле, Ватикана, нью-йоркской

«Метрополитен-Опера» и Секретариата ООН представляют собой публичные свидетельства его гуманистической, полной любви и утешения позиции.

Шагал родился в Лиозно под городом Витебском в царской России, и его настоящая фамилия была Сегал (великий американский композитор Аарон Копленд также проследил свои корни до Витебска). Отец Шагала проработал тридцать лет разнорабочим на селедочном складе. Он так и не сумел оценить удивительные способности сына. Марк поступил сначала в хедер (начальную религиозную школу для маленьких детей), затем в государственную школу. Когда его друг высказал восхищение его работами, Шагал уговорил мать оплатить его уроки у местного портретиста.

В 1906 г. Шагал рискнул поехать в Санкт-Петербург учиться в Императорском обществе поддержки искусств. Позже он познакомился с евреем Львом Бакстом — театральным художником, оформлявшим спектакли «Русского балета» Дягилева, и некоторое время учился у него (в классе Бакста рядом с ним стоял великий танцор Вацлав Нижинский, почему-то решивший, что и он может живописать). Получив стипендию от одного адвоката, Шагал смог выехать из России на четыре года плодотворной работы в Париже. Приобщившись к жизни французской богемы перед Первой мировой войной и к сокровищам Лувра, Шагал почувствовал себя свободным. Во Франции он стал великим художником российско-еврейского происхождения. Его особый вид экспрессионизма — лиричный, фантастичный, рожденный на плодородной витебской почве — проявился в исступленно ярких красках его полотнищ. Шагал бесспорно стал одним из величайших и влиятельнейших художников-колористов XX в.

После персональной выставки в Берлине в 1914 г. Шагал вернулся в Витебск, был призван на службу в императорскую армию и в ходе массового дезертирства российских солдат в конце войны оставил свою штабную должность. Когда в 1917 г. пришли к власти большевики, Шагала назначили комиссаром Витебска по изящным искусствам. Его полотна выставлялись в Зимнем дворце в Петрограде. Его рекламировали как великого художника советской Новой эры. Однако его индивидуализм оказался слишком теплым и человечным для холодного конформизма развивавшегося социалистического реализма, и его сняли с поста комиссара.

После новаторской работы в Еврейском государственном театре в Москве в 1922 г. Шагал вместе с женой и дочерью бежал из России. Его имя было уже хорошо известно в Западной Европе, и он получил финансирование со стороны влиятельного еврейского биржевика Поля Касирера и француза Амбруаза Вояра, заказавших ему офорты на библейские темы. К 1930-м гг. Шагала признали в Европе как одного из величайших современных живописцев. В 1937 г. нацисты запретили его творчество, уничтожили часть его полотен и включили другие в свою позорную выставку «Дегенеративное искусство» (на которой высмеивалась также музыка Курта Вейля) в Мюнхене. В 1941 г. по приглашению нью-йоркского Музея современного искусства опасавшиеся нацистской угрозы Шагалы бежали в Америку.

После Второй мировой войны Шагал стал благодаря своим удивительным витражам и пользовавшимся большим спросом литографиям одним из самых знаменитых художников в мире. Однако на протяжении многих оставшихся ему лет жизни он не поддался воздействию послевоенных движений — от абстрактного экспрессионизма до поп-искусства и фотографического реализма — и не изменил в сколько-нибудь значимой степени направления и философии своего искусства (за исключением разве что применения цвета). Нельзя сказать, что Шагал повлиял на целые поколения художников, как, например, Пикассо. Как Шолом-Алейхем и Исаак Башевис Зингер не изменили художественной литературы, сочиняя свои произведения в манере Кафки и Гертруды Стайн. Тем не менее шедевры Шагала затрагивали его народ глубокой религиозностью, чувством юмора и магией, почти хасидской страстью к экстазу. Он навсегда обогатил мировую культуру видениями своего Витебска, фантасмагорического и все же всеми узнаваемого местечка, угнездившегося в сердцевине еврейской души.

БОБ ДИЛАН
(род. 1941)

Сын Битти и Эйба Циммерманов Роберт Аллен родился в городе Дулуте, в штате Миннесота, перед самым вступлением Америки
во Вторую мировую войну. Бобби рос в соседнем Хиббинге — засе-
ленном в основном христианами маленьком городке Среднего За-
пада. Как и в большей части Америки, люди имели доступ к культуре через радио, нарождавшееся телевидение и кино. Фильмы «Бун-
тарь без идеала» Джеймса
Дина и «Дикарь» Марлона
Брандо побудили впечат-
лительного юного Цим-
мермана изменить свою
одежду и свое отношение к
обществу. Будучи личнос-
тью весьма творческой,
писавшей поэмы и учив-
шейся играть на фортепиа-
но, гитаре и гармонике,
Бобби увлекся рок-н-рол-
лом 1950-х гг., наслаждался ночными передачами
Джони Кэша, Джерри Ли
Льюиса и Маленького Ри-
чарда и подражал им.

Тот первоначальный
рок переменил всю его
жизнь — он хотел стать
только звездой рок-н-рол-
ла. В средней школе и во
время недолгой учебы в
университете Миннесоты
Боб опробовал свой номер

в маленьких клубах и кофейнях. Его музыка была примитивной — не задабривающей легкой диетой Тэба Хантера и Фабиана, а стихийной и пронизывающей, расплывчатой, но резкой. Он сменил свою фамилию на «Дилан» в честь великого и мятежного уэльского поэта Дилана Томаса. Еврей от рождения, Циммерман стал кельтом Диланом. Вскоре Боб также признает, что только в фольклорной музыке, а не в рок-н-ролле смог он найти свое истинное музыкальное и артистическое призвание и завершить свою столь желанную личную метаморфозу.

Не будучи «симпатягой» подобно многим звездам рока своего поколения, Дилан чувствовал особое влечение к грубо скроенным народным песням Вуди Гатри. Превратившись в своеобразного Вуди-подростка, идущего к славе, Дилан пел скрипучим и резким голосом, непреклонным в пренебрежении мягким тембром. В чисто американской речи-песне он заново интерпретировал почти классическую народную музыку Гатри, Пита Сигера и других с весьма волнующей изобретательностью. В конце второго и начале третьего десятка Дилан начал сочинять музыку, и его первой завершенной работой стала хвалебная «Песня Вуди».

Он начал выступать в ныне ставшем мифическим клубе «Фольклорный город Гердеса» в Гринвич-Виллидже в Нью-Йорке. «Фольклорный город» был очагом послевоенной народной музыки, где еженощно импровизировали вместе Джуди Коллинс, Питер Ярроу, Пол Стуки, Мэри Трэверс, Ричи Хейвенс, Том Пэкстон, Фил Охс и Баффи Сейнт-Мари. В то время большинство из них жили в нищете, в постоянном поиске еды. Выступления Дилана в «Фольклорном городе» привлекли внимание крупного производителя грампластинок (и зятя Бенни Гудмена) Джона Хэммонда. Важная роль последнего в развитии американской народной музыки хорошо известна по работе с такими художниками, как Билли Холидей и Брюс Спрингстин. Хэммонд вместе с компанией «Колумбия Рекордс» издал в 1962 г. первый альбом Дилана. Годом позже, в двадцать три года, Боб Дилан сочинил «Цветущий на ветру». Эта песня, будучи популяризированной группой «Пит, Пол и Мэри», стала знаковой для целого поколения.

В начале 1960-х гг. Дилан стал национальным поющим поэтом протеста, завоевав свою репутацию актуальными поэтическими комментариями касательно условий нашей жизни. Его сочинение «Времена, которые они меняют» 1963 г. отразило важные шаги, сделанные к освобождению человека, и утрату наивности в те бурные дни, когда Джон Кеннеди еще был президентом, а Вьетнам был известен главным образом географам.

Дилан шокировал поклонников народной музыки, когда выступил на Ньюпортском фольклорном фестивале в 1965 г. с электрической гитарой в сопровождении рок-группы. Его «Мистер исполнитель на тамбурине» и «Подобно катящемуся камню» провозгласили слияние фольклора с роком. Неугомонный на протяжении всей своей карьеры и никогда не придерживавшийся долго однородного стиля, Дилан снова изменил свой стиль (после того, как едва не разбился на смерть на мотоцикле и лишился трудоспособности почти на два года в конце 1960-х гг.), соединив музыку кантри и вестерн с фольклором и роком. Этот стиль смягчился в 1970-е гг., когда музыка Дилана стала более личной, сосредоточенной на собственных переживаниях. Он не прекращал исследовать иные веяния, и его уникальное творчество испытывало влияние латиноамериканской, карибской и негритянской музыки.

Частная жизнь Дилана отражала его творческие поиски. Рожденный евреем, он флиртовал с заново возникшим фундаменталистским христианством начала 1980-х гг., чтобы вернуться позже к ортодоксальному иудаизму (он был, например, связан с Любавичским хасидским движением и его харизматическим главным раввином Менахемом Шнеерсоном).

Стремление Дилана к сочетанию разных стилей оказало влияние на многих звезд народной музыки. Подобно Джону Кейджу в классической музыке и джазисту Диззи Гиллеспи, Дилон не позволял себе ограничиваться какими-либо нормами, а стремился выразить в очень личной (порой донкихотской) манере ярость и ненависть, меланхолию, надежды и желания современной жизни.

БЕРНАРД БЕРЕНСОН
(1865—1959)

Будучи, возможно, величайшим искусствоведом в истории, во всяком случае, самым крупным в деле пробуждения общественного понимания итальянского Ренессанса, Бернард Беренсон начинал бедным мальчиком в Восточной Европе и завершил свой долгий жизненный путь во дворце под Флоренцией самым признанным знатоком в мире. Его произведения «Венецианские художники Ренессанса», «Эстетика и история», «Рисунки флорентийских художников» и крупный литературный труд «Итальянские художники Ренессанса» дали

характеристику не только величайших шедевров величайших мастеров, но и их стилей, композиции и исторического контекста, в котором они творили. Получая от американских и английских коллекционеров щедрые вознаграждения за поиск и установление подлинности крупных произведений искусства, Беренсон был своим собственным величайшим творением, абсолютно цивилизованным человеком. Вместе со своим партнером по бизнесу, британским торговцем предметами искусства Джозефом Дювином Беренсон получал огромные гонорары за удостоверение ценности произведений искусства для заинтересованных, но необученных покупателей.

Сага Беренсона начиналась в небольшом городке близ Вильнюса в Литве. Бутримонис был типичным восточноевропейским местечком, подобным бесчисленным деревням в черте оседлости. Мальчики изучали иудаизм, наслаждаясь запутанностью и сложностью Талмуда и не обращая особого внимания на окружающий их мир. В 1875 г. семья Беренсонов эмигрировала в Бостон. Имея скромную начальную подготовку, он за несколько лет в основном самостоятельных многочасовых занятий в публичной библиотеке вырос до студента латинского факультета Бостонского университета, а затем и преподавателя Гарварда.

Либеральные и состоятельные бостонцы были очарованы способностями и духовными качествами Беренсона. Получив стипендию (финансируемую Изабеллой Стюарт Гарднер) для поездки в Европу, он подпал под влияние флорентийца Джованни Морелли, проповедовавшего новый канон художественной критики, основанный на научных методах. Беренсон посетил все церкви и музеи, которые смог найти в Италии, систематически «записывая» в своей энциклопедической памяти работы великих и не очень великих маэстро.

Его жизнь изменил и выбор подруги — замужней женщины по имени Мэри Костеллоу. Пораженная интеллектом и остроумием Беренсона Мэри оставила мужа-адвоката и отца двух ее детей. Беренсон просветил ее в вопросах искусства, и она ответила тем, что организовала их семью в пару самых популярных в Европе специалистов в искусстве. Старая благодетельница Беренсона Гарднер воспользовалась их услугами для собирания дивной частной коллекции полотен Ренессанса.

Беренсоны начали работать на других состоятельных людей, не жалевших денег на самый уважаемый вид собственности того времени — частную художественную коллекцию. Не раз обманутые мошенниками от искусства, не скованными этическими нормами, состоятельные коллекционеры и учреждения увидели в Беренсонах единственный надежный источник экспертной оценки. Отвергая всю жизнь мир коммерческого искусства (его биограф Эрнст Сэмюэлс вспоминал, что Беренсон называл этот мир «свинской торговлей»), он извлекал огромные прибыли из гонораров, полученных за услуги поставленным в тупик меценатам. С помощью своего партнера Дювина Беренсон составил многие из великих частных коллекций, которые позже попали в крупные американские музеи изящных искусств.

Обретенное богатство позволило Беренсонам приобрести в пригороде Флоренции виллу под названием «И Татти». Частный дом стал центром международной торговли произведениями искусства. Ненасытный коллекционер книг Беренсон затратил огромные усилия на собирание десятков тысяч томов своей библиотеки. Она была завещана Гарвардскому университету и стала краеугольным камнем Института «И Татти», известного также как Центр изучения итальянского Ренессанса.

Беренсон жил в «И Татти» как князь эпохи Ренессанса. Его дворец стал центром европейской культуры со своими учениками — такими, как будущие великие искусствоведы Кеннет Кларк и Мейер Шапиро, как литературные гиганты Сомерсет Мом, Джон Стейнбек, Мэри Маккарти и Эдит Уартон, как государственные деятели Гарри Трумэн и Уолтер Липмен. В атмосфере фашистского и затем смертельного нацистского преследования он оставался в Италии на протяжении всей войны и каким-то образом пережил Холокост (в отличие от вымышленного персонажа Аарона Ястрова, которого Герман Вук в своих романах «Ветры войны» и «Война и память» как бы «срисовал» с Беренсона и «убил» в огне Аушвица). После войны Беренсон прожил еще четырнадцать лет, оставаясь истинным эстетом, прославленным своим блистательным умом и культурой, а его научные методы служили главным примером для целых поколений искусствоведов.

ИЛЬЯ МЕЧНИКОВ
(1845—1916)

Илья Ильич Мечников — эмбриолог, бактериолог, патолог, иммунолог, зоолог и антрополог, один из основоположников сравнительной патологии, эволюционной эмбриологии, иммунологии и микробиологии; создатель научной школы; член-корреспондент (1883) и почетный член (1902) Петербургской АН, лауреат Нобелевской премии (1908) — родился 3(15) мая 1845 г. в имении Панасовка, в деревне Ивановка, что на Украине, неподалеку от Харькова.

Илья был четвертым по счету сыном и последним из пятерых детей у своей матери, в девичестве Эмилии Львовны Невахович. Эмилия Львовна происходила из купеческого сословия. Ее отец — богатый еврей, принявший в последние годы жизни лютеранство, — переехал в Петербург, отошел от дел и занялся философией и литературой. Он был вхож в литературные круги столицы, знаком с Пушкиным и Крыловым.

Отец будущего ученого — Илья Иванович Мечников — служил офицером войск царской охраны в Санкт-Петербурге, был человеком образованным, но увлекающимся. До переезда в украинское поместье большую часть приданого жены и имущества семьи он проиграл в карты.

Детство Мечникова прошло в имении отца Панасовка, где у него с малых лет пробудились любовь к природе и интерес к естественным наукам, который формировался под влиянием студента-медика, который был домашним учителем у старшего брата Льва. В 1856 г. Илья Мечников поступил сразу во 2-й класс Харьковской гимназии.

Учась в гимназии, Мечников проявил выдающиеся способности. В шестом классе он перевел с французского книгу Груве «Взаимодействие физических сил», а в 16 лет написал критическую статью на учебник по геологии, которая была опубликована в московском журнале.

В 1862 г. Мечников оканчивает с золотой медалью гимназию и решает отправиться в Германию, в Вюрцбургский университет, чтобы изучать структуру клетки. Но по прибытии в Германию он узнает, что занятия начнутся только через 6 недель. Обескураженный холодным приемом со стороны русских студентов и квартирных хозяев, Мечников возвращается в Россию и поступает в Харьковский университет.

Из поездки Мечников привез книгу Чарлза Дарвина «Происхождение видов», оказавшую большое влияние на формирование его эволюционно-материалистических взглядов.

Осенью 1863 г. Илья Мечников подает заявление с просьбой отчислить его из университета. Он решает ускорить процесс обучения и, подготовившись самостоятельно, заканчивает университетский четырехгодичный курс естественного отделения физико-математического факультета за два года.

В течение последующих трех лет он занимается подготовкой своей кандидатской диссертации, изучает эмбриологию беспозвоночных животных в различных лабораториях Европы. Летом 1864 г. Мечников отправляется на остров Гельголанд в Северном море, где было изобилие морских звезд, выбрасываемых на берег, которые ему были необходимы для исследований.

Финансовое положение молодого ученого было сложным, но при помощи знаменитого хирурга Пирогова Мечникову удалось стать профессорским стипендиатом. Он получил стипендию на два года — по 1600 рублей в год, что позволило ему целиком посвятить себя науке.

В 1865 г. Мечников переехал для продолжения исследований в Неаполь, где познакомился с русским зоологом А.О. Ковалевским. Это знакомство, переросшее в многолетнюю дружбу, определило направление научной деятельности Мечникова. На берегу Неаполитанского залива Мечников и Ковалевский начали изучать эмбриональное развитие морских беспозвоночных. Эти исследования, подчиненные главной идее — доказательству единства происхождения всех групп животных, — положили начало науке эволюционной эмбриологии.

Ко времени возвращения в Россию в 1867 г. Мечников получил важные результаты. Изучив развитие головоногих моллюсков, он сделал обобщение: в эмбриональном развитии беспозвоночных формируются те же зародышевые листки, что и у позвоночных животных. Это открытие легло в основу его магистерской диссертации, которую Мечников защитил в Петербургском университете в 1867 г.

А изучая ресничных червей планарий, Мечников впервые в 1865 г. обнаружил феномен внутриклеточного пищеварения. Вместе с Ковалевским Мечников в 1867 г. получает премию имени К. Бэра, присуждаемую Академией наук за работы по эмбриологии, и избирается доцентом Новороссийского университета.

Тогда же из-за чрезмерно напряженной работы у него стали болеть глаза. Это недомогание беспокоило его в течение последующих пятнадцати лет, почти не позволяя работать с микроскопом.

В 1867 г. Мечников защитил докторскую диссертацию об эмбриональном развитии рыб и ракообразных и получил докторскую степень Петербургского университета, в котором начал преподавать зоологию и сравнительную анатомию.

В Петербурге Мечников сдружился с семьей Бекетовых, в доме которых часто бывала Людмила Васильевна Федорович, больная туберкулезом, его будущая жена, с которой Мечников обвенчался в 1869 г.

В день свадьбы из-за одышки невеста не могла на своих ногах пройти расстояние от экипажа до алтаря церкви. Бледную, с восковым лицом невесту внесли в церковь в кресле. Мечников надеялся, что его любовь и забота смогут исцелить больную жену. Началась изнурительная борьба с болезнью и финансовой нуждой. Но через четыре года, несмотря на лечение за рубежом, жена Мечникова умерла от туберкулеза на Мадейре.

После смерти жены и резкого ухудшения зрения, которое вообще ставило под вопрос его занятий наукой, Мечников пришел в отчаяние и попытался покончить с собой, выпив морфий. Доза морфия оказалась слишком большой, и его вырвало.

В 1870 г. Мечников переезжает в Одессу, где начинает читать зоологию студентам университета в Одессе. В 1875 г., работая в Одессе, он женится во второй раз на студентке Ольге Белокопытовой, которая была на тринадцать лет его моложе. Когда жена заразилась брюшным тифом, Мечников, боясь, что жена может умереть раньше его, снова попытался покончить с собой, введя себе бактерии возвратного тифа. Но, тяжело переболев, он все же выздоровел. Как ни странно, эта болезнь повлияла на ученого благотворно: его зрение резко улучшилось, а характерный для Мечникова пессимизм почти исчез.

В 1881 г. Мечников ушел в отставку в знак протеста против репрессивных действий правительства начавшихся после убийства Александра II, он уезжает в Италию и поселяется в Мессине.

«В Мессине, — вспоминал Мечников позднее, — совершился перелом в моей научной жизни. До того зоолог, я сразу сделался патологом».

Главное открытие Мечникова, которое изменило ход всей его жизни, было связано с наблюдениями над личинками морской звезды. В 1882 г., изучая в Италии морские звезды, Мечников заметил, что их подвижные клетки окружают и поглощают чужеродные тела. Наблюдая под микроскопом за подвижными клетками (амебоцитами) личинки морской звезды, ученый открыл, что эти клетки, захватывающие и переваривающие органические частицы, не только участвуют в пищеварении, но и выполняют в организме защитную функцию. Это предположение Мечников подтвердил простым и убедительным экспериментом. Введя в тело прозрачной личинки шип розы, он через некоторое время увидел, что амебоциты скопились вокруг занозы. Клетки либо поглощали, либо обволакивали инородные тела «вредных деятелей», попавшие в организм, Мечников эти клетки назвал фагоцитами, а само явление фагоцитозом, от греческого слова «фагейн» — «есть». И в следующем, 1883 г., Мечников сделал в Одессе доклад на съезде естествоиспытателей и врачей «О целебных силах организма».

Мечников обнаружил, что не только у морских звезд, но и у каждого живого организма есть эти особые защитные клетки-фагоциты, у человека ими являются лейкоциты — белые кровяные тельца. Опираясь на данное открытие, Мечников предложил рассматривать болезнь как борьбу между фагоцитами и болезнетворными микробами. Однако эта идея была настолько нетрадиционна, что вначале мало кто из ученых ее принял.

Но Мечников не первым заметил, что лейкоциты у животных и человека пожирают вторгшиеся чужеродные организмы, включая и бактерии. Однако в то время ученые полагали, что этот процесс поглощения служит для того, чтобы распространять чужеродные вещества по организму через кровеносную систему. Мечников это мнение опроверг: лейкоциты, подобно фагоцитам, выполняют именно защитную или санитарную функцию в организмах.

В 1886 г. Мечников вернулся в Одессу, где возглавил созданную им совместно с Н.Ф. Гамалея первую в России и вторую в мире бактериологическую станцию, которая должна была заниматься изготовлением вакцин и прививок против бешенства, борьбой с саранчой и т.д. Однако недолго он выдержал многочисленные упреки в том, что у него нет медицинского образования. Из-за препятствий, чинившихся ему властями, Мечников отказался от заведования станцией. У него созрело решение покинуть Россию и искать пристанища за границей.

В 1887 г. Мечников выехал в Германию, а осенью 1888 г., по приглашению Луи Пастера, переехал в Париж и организовал в Пастеровском институте лабораторию. В течение последующих 28 лет Мечников работал там, исследуя фагоциты. Он писал многочисленные статьи в журналы, читал лекции по бактериологии в Пастеровском институте, популяризировал открытия института.

В последние годы своей научной деятельности Мечников пытался с позиций биолога и патолога создать «теорию ортобиоза, т.е. правильной жизни, основанную на изучении человеческой природы и на установлении средств к исправлению ее дисгармоний...». Считая, что старость и смерть наступают у человека преждевременно, Мечников особую роль в этом процессе отводил микробам кишечной флоры, отравляющим организм своими токсинами.

Мечников верил, что с помощью науки и культуры человек в состоянии преодолеть противоречия человеческой природы (в том числе и между ранним половым созреванием и возрастом вступления в брак) и подготовить себе счастливое существование. А при естественном переходе «инстинкта жизни» в «инстинкт смерти» и бесстрашный конец. Эти взгляды им изложены в книгах «Этюды о природе человека» (1903) и «Этюды оптимизма» (1907).

В «Этюдах о природе человека» Мечников доказывал, что для нормального пищеварения необходимо употреблять кисломолочные продукты, прежде всего простоквашу, заквашенную с помощью болгарской палочки. Мечников знал, что в Болгарии есть местности, где многие жители доживают до ста и более лет, и что они питаются в основном простоквашей. Отсюда он сделал вывод, что палочки молочной кислоты оказывают благотворное влияние на организм. Они уничтожают бактерии в пищеварительном тракте человека, защищают от самоотравления и тем обеспечивают долгую жизнь.

Мечников предложил и рецепт промышленного производства йогурта, но он не запатентовал свое изобретение и не получил за него никакого вознаграждения.

Если в молодости Мечников был глубоким пессимистом, то чем старше он становился, тем более жизнеутверждающим и радостным делалось его мироощущение. Свои философские взгляды Мечников изложил в тех же «Этюдах о природе человека» и «Этюдах оптимизма», а также в статье «Мировоззрение и медицина». Но религиозный и идеалистический строй мыслей и чувств был ему чужд. Не удивительно, что Мечников и Лев Толстой при их встрече в Ясной Поляне в 1909 г., широко освещавшейся русской прессой, по существу, не нашли общего языка.

Веря в безграничные возможности науки, «которая одна может вывести человечество на истинную дорогу», Мечников свое мировоззрение называл «рационализмом» («Сорок лет искания рационального мировоззрения», 1913). Мечников отвергал способность человека понять намерения природы, а тем более Бога: «Мы не можем постичь неведомого, его планов и намерений. Оставим же в стороне Природу и будем заниматься тем, что доступно человеческому уму».

По своим политическим убеждениям Мечников был либералом, противником всякого насилия. Он был знаком с А.И. Герценом, М.А. Бакуниным, П.Л. Лавровым, но не разделял их взглядов.

Лето Мечников обычно отдыхал на даче в Севре, а с 1903 г. переехал туда жить постоянно.

В 1908 г. Мечников совместно с немецким бактериологом Паулем Эрлихом был удостоен Нобелевской премии по физиологии и медицине «за труды по иммунитету». В приветственном слове в честь его награждения отмечалось, что открытие Мечникова является крупнейшим достижением в области иммунологии после работ Эдварда Дженнера, Луи Пастера и Роберта Коха.

Скончался Илья Ильич Мечников после нескольких инфарктов миокарда в Париже (2) 15 июля 1916 г., в возрасте семидесяти одного года.

Среди многочисленных наград и знаков отличия Мечникова — медаль Лондонского Королевского общества и степень почетного доктора Кембриджского университета, он являлся членом Французской академии медицины и Шведского медицинского общества.

Урна с прахом Мечникова, согласно его воле, хранится в библиотеке Пастеровского института.

ИСААК ЛЕВИТАН
(1860—1900)

О Исааке Левитане российский писатель Григорий Горин как-то заметил: «Исаак Левитан был великим русским художником. И сам о себе так и говорил... Когда ему говорили: но ты же еврей! Он говорил: да, я еврей. И что? И ничего. Умные люди соглашались, что он — великий русский художник и еврей!»

Исаак Ильич Левитан — один из крупнейших художников России конца XIX века, непревзойденный мастер русского «пейзажа настроения», родился 18(30) августа 1860 г., в небольшом литовском местечке Кибарты Ковенской губернии, ныне Кибартай (Литва), в бедной еврейской семье железнодорожного служащего. Несмотря на бедность, дед Левитана был уважаемым раввином селения Кибарты.

В начале 1870-х гг. Исаак вместе семьей переехал в Москву. В выборе жизненного пути Исаака решающую роль сыграл его старший брат — художник. Он часто брал мальчика с собой на этюды, на художественные выставки. Когда Исааку исполнилось 13 лет, он был принят в число учеников Училища живописи, ваяния и зодчества, где учился у В.Д. Поленова и А.К. Саврасова.

Отец и мать Исаака недолго прожили в Москве, оба умерли, оставив Леви-

тана с братом и двумя сестрами «на улице». Несмотря на то что в Училище живописи ваяния и зодчества Саврасов прочил Левитану славу француза Коро, а товарищи Исаака — братья Коровины и Николай Чехов — всякий раз затевали над его картинами споры о прелести подлинно русского пейзажа, жить в Москве было трудно и одиноко юному художнику. Ночевал Левитан в холодных классах художественного училища на Мясницкой, прячась там от сторожа по прозвищу «Нечистая сила». Сестра, жившая по чужим людям, изредка подкармливала его.

В 1879 г. полиция выселила Левитана из Москвы в дачную местность Салтыковку. Вышел царский указ, запрещавший евреям жить в русской столице. В ту пору Левитану было 18 лет. Он очень был беден, практически нищ.

Этой же осенью Левитан пишет «Осенний день. Сокольники». Это была первая его картина и единственный пейзаж художника, где присутствует человек, да и то женскую фигуру написал Николай Чехов. И после этой картины люди ни разу не появлялись на его полотнах.

«...По дорожке Сокольнического парка, по ворохам опавшей листвы шла молодая женщина в черном... Она была одна среди осенней рощи, и это одиночество окружало ее ощущением грусти и задумчивости. «Осенний день в Сокольниках» первая картина выдающегося русского художника Исаака Левитана, где серая и золотая осень, печальная, как тогдашняя русская жизнь, как жизнь самого Левитана, дышала с холста осторожной теплотой и щемила у зрителей сердце...» — так писал о творчестве Исаака Левитана известный советский писатель Константин Паустовский.

Левитан, как Пушкин и Тютчев, всегда ждал осени, как самого дорогого для него времени года. Даже весна на его полотнах своим настроением часто напоминала осенний день. Осень на картинах Левитана очень разнообразна. Невозможно перечислить все осенние дни, написанные им; Левитан создал около ста «осенних» картин, не считая этюдов.

Картина «Осенний день. Сокольники» экспонировалась на московской выставке и была куплена П.М. Третьяковым для его галереи. В то время Левитан еще учился и было ему 19 лет.

Годы учения в Училище живописи ваяния и зодчества заканчивались. В 1885 г. Левитан написал последнюю, дипломную работу — облачный день, поле, копны сжатого хлеба. Саврасов, взглянув на картину, написал мелом на изнанке: «Большая серебряная медаль». Преподаватели училища не любили и побаивались Саврасова. Вечно полупьяный и задиристый, напившись, он ниспровергал всех и вся, кричал о бесталанности большинства признанных художников. Неприязнь к Саврасову преподаватели переносили и на его любимого ученика — Левитана. К тому же еврей, по мнению многих преподавателей, не должен и касаться русского пейзажа — это дело коренных русских художников. Картину признали недостойной медали. Левитан даже не получил звания художника, ему дали диплом учителя рисования, что, впрочем, не помешало ему внести существенный вклад не только в российскую, но в мировую художественную культуру.

Левитан совершенно преодолел условности классицистско-романтического пейзажа, отчасти еще сохранившиеся у его современников художников-«передвижников». Левитановский «пейзаж настроения» при всей его натурной достоверности (Левитан всегда бережно сохранял исходный мотив и вносил в него лишь отдельные коррективы) обрел беспрецедентную психологическую насыщенность, выражая в пейзаже не что иное, как жизнь человеческой души, которая словно вглядывается в природу, а в той природе заключены неизъяснимые тайны бытия. И эти тайны отчетливо видны в левитановских картинах, но словами они невыразимы.

Отзываясь о лучших русских пейзажистах, художник Игорь Грабарь особо выделял творчество Левитана: «Он самый большой поэт среди них и самый большой чародей настроения, он наделен наиболее музыкальной душой и наиболее острым чутьем русских мотивов в пейзаже. Поэтому Левитан, вобравший в себя все лучшие стороны Серова, Коровина, Остроухова и целого ряда других своих друзей, смог из всех этих элементов создать свой собственный стиль, который явился вместе с тем и стилем русского пейзажа, по справедливости названного «левитановским».

Левитан стремился писать так, чтобы на картинах его был ощутим воздух, обнимающий своей прозрачностью каждую травинку, каждый лист. На его картинах все кажется погруженным в нечто спокойное, синеющее и блестящее. Левитан называл это «нечто» воздухом. Мы дышим им, чувствуем его запах, холод, теплоту, Левитан же ощущал его как безграничную среду прозрачного вещества, которое и придавало такую пленительную мягкость его полотнам.

В очерке «По поводу смерти А.К. Саврасова» (1897) Левитан так сформулировал свое творческое кредо: отказ от отношения к пейзажу «как к красивому сочетанию линий и предметов» с целью изображать «уже не исключительно красивые места», но «те интимные, глубоко трогательные, часто печальные черты, которые так сильно чувствуются в нашем родном пейзаже и так неотразимо действуют на душу».

Одна из существенных страниц биографии Левитана — его дружба с А.П. Чеховым. Антон Чехов и Исаак Левитан — ровесники. Судьбы их во многом схожи, они оба приехали в Москву из провинции. Сдружившись с художником Николаем Чеховым, братом писателя, Левитан затем подружился с Антоном Чеховым и со всей чеховской семьей, прожив три лета рядом с нею в бывшем курятнике.

«Когда я узнала Левитана, — вспоминала сестра Чехова Мария Павловна, — он жил на гроши, как и мой брат Николай... Ближе всего Левитан сошелся с нашей семьей уже после окончания школы, когда мы поселились в красивом имении Бабкине, под Москвой... С утра до вечера Левитан и брат были за работой... Левитан иногда прямо поражал меня, так упорно он работал, и стены его «курятника» быстро покрывались рядами превосходных этюдов... Левитан любил природу как-то особенно. Это была даже и не любовь, а какая-то влюбленность... Искусство было для него чем-то даже святым... Левитан знал, что идет верным путем, верил в этот путь, верил, что видит в родной природе новые красоты».

С Антоном Чеховым у Левитана установились своеобразные отношения. Они всегда поддразнивали друг друга, но те немногие высказывания и письма, которые дошли до нас, говорят о том, что Левитан открывал свою душу только Чехову.

В те годы Чеховы проводили каждое лето в селе Бабкине около Нового Иерусалима. Семья Чеховых была талантливой и шумной. Шуткам и насмешкам не было конца. С раннего утра за чайным столом уже начинались невероятные рассказы, выдумки, хохот, который не затихал до вечера. И больше всего шутили над Левитаном. Его постоянно обвиняли во всяческих смехотворных преступлениях и, наконец, устроили над ним суд. Антон Чехов, загримированный прокурором, произнес обвинительную речь, Николай Чехов изображал дурака-свидетеля. Александр Чехов — защитник — пропел высокопарную актерскую речь.

Особо подшучивали над Левитаном за его красивое еврейское лицо. В своих письмах Чехов часто упоминал о красоте Левитана. «Я приеду к вам, красивый, как Левитан», — писал он. «Он был томный, как Левитан».

Однако имя Левитана стало выразителем не только мужской красоты, но и особой прелести русского пейзажа. Чехов придумал слово «левитанистый» и употреблял его очень метко. «Природа здесь гораздо левитанистее, чем у вас», — писал он в одном из писем. Даже картины Левитана различались, — одни были более левитанистыми, чем другие.

Черты личности художника проступают в чеховском рассказе «Попрыгунья», (где отражен роман Левитана с художницей С.П. Кувшинниковой) и в «Чайке», где поступок Треплева, застрелившего чайку, воспроизводит аналогичный каприз Левитана-охотника.

Левитан жестоко обиделся на Чехова за рассказ «Попрыгунья». Ведь Кувшинникова — наивная и непосредственная — трогательно любила Левитана. Дружба с Чеховым была прекращена, а примирение шло долго и мучительно. И до конца жизни Левитан не мог простить Чехову этого рассказа.

Искусство Левитана как мастера пейзажа, умеющего превратить простой пейзажный мотив в образ природы всей России, достигает своего расцвета в «Березовой роще» (1885—1889). Та же сила обобщения возвышает произведения так называемого волжского периода художника: «Вечер на Волге» (1888); «Вечер. Золотой Плес» (1889); «После дождя. Плес» (1889); и тематически примыкающая к ним картина «Свежий ветер. Волга» (1891—1895). Все эти картины сегодня находятся в Третьяковской галерее.

Левитан создал и классические, непревзойденные образцы так называемого церковного пейзажа, где здания храмов вносят в природу умиротворение, как, например, «Вечерний звон» (1892). Летом 1890 г. Левитан едет в Юрьевец и среди многочисленных пейзажей и этюдов пишет вид Кривоозерского монастыря. Так рождается одна из лучших картин художника «Тихая обитель», где образ тихой обители и мостков через реку, соединявших ее с окружающим миром, выражают глубокие размышления художника о жизни. Эта картина произвела сильное впечатление на Чехова.

Глубокая гражданская скорбь звучит в картине «Владимирка» (1892), где на дороге, по которой гнали арестантов в Сибирь, едва видна одинокая фигурка странника. Владимирка — это большая дорога Владимирской губернии, ведущая на восток страны. И название картины — «Владимирка» — у людей того времени вызывало социальные ассоциации, заставляя вообразить вполне определенные картины жизни России. Картину «Владимирка» в 1894 г. Левитан принес в дар П.М. Третьякову для его галереи.

Большую роль в творчестве Левитана играют музыкальные, поэтические и философские ассоциации (он любил учение А. Шопенгауэра), но все же главное значение имели его личностная чувственность, влюбчивость и склонность к приступам черной меланхолии. Левитан очень остро переживал и собственное нездоровье (у него был врожденный порок сердца), и весь драматизм положения евреев в России. Поэтому, отчасти восприняв новации импрессионизма, Левитан редко отдавался чистой, радостной игре света и цвета, пребывая в кругу своих образов, овеянных мировой тоской.

Так, напоминая о бренности всего земного, внушает затаенную тревогу картина «Над вечным покоем» (1893—1894), которая была по духу особенна близка Левитану. «Над вечным покоем» заставляет задуматься над смыслом жизни и над ее быстротечностью. Левитан писал в одном из писем: «Вечность, грозная вечность, в которой потонули поколения и потонут еще... Какой ужас, какой страх! «В ней я весь, со всей своей психикой, со всем моим содержанием», — говорил об этой картине художник.

В картине «Над вечным покоем» с огромной силой выражена поэзия ненастного дня. Картина была написана на берегу озера Удомли в Тверской губернии. С косогора, где темные березы гнутся под порывистым ветром и стоит среди этих берез сгнившая бревенчатая церковь, открывается даль глухой реки, потемневшие от ненастья луга, громадное облачное небо. Тяжелые тучи висят над землей. Косые холстины дождя закрывают просторы. Никто из художников до Левитана не передавал с такой печальной силой бескрайние дали российского ненастья и человеческой тоски.

Левитан не был женат, у него не было детей. Слишком часто он был очень безрадостен, как безрадостна была история его народа, его предков. Иногда тяжелые мысли о своем народе целиком завладевали им, тогда у него наступали приступы болезненной депрессии — хандры, которая усиливалась от недовольства своими работами.

Во время хандры Левитан бежал от людей. Они все казались ему врагами. Левитан становился груб, дерзок, нетерпим. Он со злобой соскабливал краски со своих картин, прятался, уходил с собакой Вестой на охоту, но не охотился, а без цели бродил по лесам. В такие дни одна природа заменяла ему родного человека.

Два раза во время припадков депрессии Левитан стрелялся, но остался жив. Оба раза спасал его Чехов. Но хандра проходила, и Левитан возвращался к людям, снова писал, любил, верил, запутывался в сложности человеческих отношений, пока не настигал его новый удар депрессии. Чехов временами считал, что левитановская тоска была началом психической болезни, но он, конечно, ошибался.

Жизнь Левитана была относительно небогата событиями; путешествовать за границей он не любил. Он любил только среднюю Россию. Поездки же за границу, куда его отсылали врачи лечиться,

Левитан считал напрасной тратой времени. Жил Левитан преимущественно в Москве, работал также в Останкине (1880—1883), в различных местах Московской и Тверской губерний; в Крыму (1886, 1899), на Волге (1887—1890), побывал в Италии, Франции, Швейцарии и Финляндии (1890-е гг.). Но границы Финляндии, ее черная речная вода и мрачное море нагоняли на Левитана тоску. «Вновь я захандрил без меры и границ, — писал Левитан Чехову из Финляндии. — Здесь нет природы». В Швейцарии его поразили Альпы, но вид этих гор для Левитана ничем не отличался от видов крикливо размалеванных картонных макетов. В Италии ему понравилась только Венеция, где воздух полон серебристых оттенков, рожденных тусклыми лагунами. В Париже Левитан увидел картины Монэ, правда, не запомнил их. Только перед смертью он оценил живопись импрессионистов и понял, что он сам отчасти был их русским предшественником, и впервые с признанием упомянул их имена.

Бесправие преследовало Левитана всю жизнь. В 1892 г. его вторично выселили из Москвы, несмотря на то что он уже был художником со всероссийской славой. Ему пришлось скрываться во Владимирской губернии, пока друзья не добились отмены высылки.

В Москве какое-то время Левитан жил в меблированных комнатах «Англия» на Тверской, опять, как в юности, ненадолго вернулась нужда. Хозяйке за комнату он иногда платил не деньгами, а этюдами. Хозяйке его пейзажи часто не нравились. Ей хотелось увидеть на лугу породистую корову, а под липой парочку сидящих влюбленных, что было бы приятно для глаза. Некоторые критики о Левитане писали примерно то же самое, требуя, чтобы художник оживил пейзаж стадами гусей, лошадьми, фигурами пастухов и женщин.

Последние годы жизни Левитан проводил много времени около Вышнего Волочка на берегах озера Удомли. Там, в семье помещиков Панафидиных, он опять попал в путаницу человеческих отношений, стрелялся, но остался жив.

Тяжелая сердечная болезнь Левитана из года в год все прогрессировала, но ни он, ни близкие ему люди не знали об этом, пока она не дала первой бурной вспышки. Левитан не хотел лечиться, боялся идти к врачам, чтобы не услышать смертный приговор.

Незадолго до смерти он тосковал еще больше, чем в молодые годы. Все чаще он уходил в леса — жил он в лето перед смертью около Звенигорода, — и там его часто находили плачущим и растерянным. Он знал, что ни врачи, ни спокойная жизнь, ни исступленно любимая им природа уже не могли отдалить приближавшийся конец.

Однако приблизительно за пять лет до смерти у Левитана произошла вспышка радостного мироощущения. В дневнике А. Чехова есть запись, помеченная декабрем 1896 г.: «У Левитана расширение аорты. Носит на груди глину. Превосходные этюды и страстная жажда жизни». В эти годы, нося на груди глину, Левитан написал свои самые жизнеутверждающие вещи: «Март» (1895), «Весна, большая вода» (1897), достигая апогея жизнелюбия в предельно яркой и звучной картине «Золотая осень» (1895). И последняя, неоконченная картина «Озеро. Русь» (1900) наперекор смертельной болезни является едва ли не самым мажорным произведением художника.

В 1898 г. Левитан начал преподавать в том самом училище, в котором учился сам. Он мечтал создать Дом пейзажей — большую мастерскую, в которой могли бы работать все русские пейзажисты. В его пейзажной мастерской почти половина большой комнаты была отведена под уголок леса, в котором были ели, небольшие деревья с желтыми листьями, зеленый мох, дерн, кадки с папоротниками. Свет из окна падал так, как на лесной поляне. Часто Левитан привозил в мастерскую цветы. Он говорил своим ученикам, что цветы надо писать так, чтобы от них пахло не красками, а цветами.

Зимой 1899 г. врачи послали Левитана в Ялту. В то время в Ялте жил Чехов. Старые друзья встретились постаревшими и отчужденными. Левитан ходил, тяжело опираясь на палку, задыхался, всем говорил о своей близкой смерти. Он ее откровенно боялся и не скрывал этого, сердце болело уже почти непрерывно.

Ялта не помогла. Левитан вернулся в Москву и почти не выходил из своего дома в Трехсвятительском переулке. 22 июля (4 августа) 1900 г. Исаак Левитан умер.

Всего Левитан написал около 1000 картин и этюдов, лучшие из них находятся в Третьяковской галерее и Русском музее. В Плесе открыт Дом-музей Левитана.

ОСИП МАНДЕЛЬШТАМ
(1891—1938)

Осип Эмильевич Мандельштам — один из самых крупных поэтов России XX века — родился 3(15) января 1891 г. в Варшаве, в еврейской семье коммерсанта, впоследствии купца первой гильдии, промышлявшего обработкой кожи, Эмилия Вениаминовича Мандельштама. Отец, в свое время учившийся в Высшей талмудической школе в Берлине, хорошо знал и чтил еврейские традиции. Мать — Флора Осиповна — была музыкантшей, родственницей известного историка русской литературы С.А. Венгерова.

Детство и юность Осипа прошли в Петербурге, куда семья переехала в 1897 г. Поэт Георгий Иванов пишет о среде, формировавшей будущего поэта: «Отец — не в духе. Он всегда не в духе, отец Мандельштама. Он — неудачник-коммерсант, чахоточный, затравленный, вечно фантазирующий... Мрачная петербургская квартира зимой, унылая дача летом... Тяжелая тишина... Из соседней комнаты хриплый шепоток бабушки, сгорбленной над Библией: страшные, непонятные, древнееврейские слова...»

Мандельштам был европейским, германоориентированным евреем первой трети XX в. со всеми сложностями и изгибами духовной, религиозной, культурной жизни этого важнейшего отрезка европейской культуры. В «Краткой еврейской энциклопедии» мы читаем о поэте: «Хотя Мандельштам в отличие от ряда русских писателей-евреев не пытался скрывать свою принадлежность к еврейскому народу, его отношение к еврейству было сложным и противоречивым. С болезненной откровенностью в

автобиографическом «Шуме времени» Мандельштам вспоминает о постоянном стыде ребенка из ассимилированной еврейской семьи за свое еврейство, за назойливое лицемерие в выполнении еврейского ритуала, за гипертрофии национальной памяти, за «хаос иудейский» («...не родина, не дом, не очаг, а именно хаос»), от которого он всегда бежал».

Однако если мы внимательно перечтем автобиографическую повесть Мандельштама, то увидим, что этот «хаос иудейский» (у Мандельштама выражение это, кстати, не несет отрицательных смыслов) относится далеко не ко всему иудейству. «Хаосом иудейским» назван не иудаизм в целом, а конкретная сцена, следующая за описанием синагоги, из которой 9—10-летний Осип вернулся в некотором «чаду».

В 1899—1907 гг. Мандельштам учился в Тенишевском коммерческом училище, одном из лучших учебных заведений Петербурга того времени, увлекался эсеровским движением. 1907—1910 гг. он провел в Европе: в Париже посещал лекции на словесном факультете Сорбонны, два семестра проучился в Гейдельбергском университете, жил в Швейцарии, совершил поездку в Италию.

Вернувшись в Петербург, в 1911 г. Мандельштам поступил на отделение романских языков историко-филологического факультета Петербургского университета, но не окончил его.

В России Мандельштам интересуется религией (особенно напряженно в 1910 г.), посещает заседания Религиозно-философского общества. Но в стихах его религиозные мотивы целомудренно-сдержанны («Неумолимые слова...» о Христе, который не назван). Из стихов этих лет Мандельштам включил в свои книги менее трети. Но в 1911 г. он все же принимает крещение по методистскому обряду у протестантского пастора, что было «уступкой обстоятельствам, связанным с невозможностью из-за процентной нормы поступить в университет».

Первые его поэтические опыты — два стихотворения в традициях народнической лирики — были опубликованы в студенческом журнале Тенишевского училища «Пробужденная мысль» в 1907 г. Но подлинный его литературный дебют состоялся в августе 1910-го, в девятом номере журнала «Аполлон», где была напечатана подборка из пяти стихотворений.

Поначалу Мандельштам примыкал к поэтическому течению — символизм, посещал В.И. Иванова, посылал ему свои стихи. Но в 1911 г. Мандельштам сблизился с Н.С. Гумилевым и А.А. Ахматовой, и в 1913 г. его стихи «Notre Dame», «Айя-София» печатаются в программной подборке акмеистов.

Акмеизм для Мандельштама гораздо ближе символизма — это конкретность, «посюсторонность», «сообщничество сущих в заговоре против пустоты и небытия», преодоление хрупкости человека и косности мироздания через творчество («из тяжести недоброй и я когда-нибудь прекрасное создам»). Поэт уподобляет себя зодчему, почему первую свою книгу Мандельштам и называет «Камень» (1913, 2-е издание, значительно переработанное, 1916).

К Мандельштаму приходит известность в литературных кружках, он свой человек в петербургской богеме, задорный, веселый до ребячливости и самозабвенно-торжественный над стихами.

Раннее творчество Мандельштама неразрывно связано с акмеизмом, деятельностью «Цеха поэтов» и литературной полемикой между акмеистами и символистами. Ему принадлежит один из манифестов акмеизма — «Утро акмеизма» (написанный в 1913 г., но опубликованный только в 1919-м), провозгласивший ценность «слова, как такового» — в единстве всех его элементов — в противовес футуристическому отказу от смысла слова во имя звука, так и символистскому стремлению увидеть за конкретным образом его подлинную скрытую сущность.

К октябрьской революции 1917 г. Мандельштам относился как к катастрофе (стихи «Кассандре», «Когда октябрьский нам готовил временщик...»), однако вскоре у него возникает робкая надежда на то, что новое «жестоковыйное» государство может быть гуманизовано хранителями старой культуры, которые вдохнут в его нищету домашнее, «эллинское» (но не римское) тепло человеческого слова. Об этом его лирические статьи 1921—1922 гг.: «Слово и культура», «О природе слова», «Гуманизм и современность», «Пшеница человеческая» и другие.

В первые годы после революции 1917 г. Мандельштам работает в Наркомпросе. В 1919—1920 гг. (и позднее, в 1921—1922 гг.) он уезжает из голодного Петербурга на юг — Украину, Крым, Кавказ, — но от эмиграции отказывается.

В 1922 г. Мандельштам поселяется в Москве вместе с молодой женой Надеждой Хазиной (Н.Я. Мандельштам), с которой он познакомился 1 мая 1919 г. Она станет его опорой на всю жизнь, а после гибели поэта сохранит его литературное наследие.

Мандельштам обожал жену, называя ее своим вторым «я». А. Ахматова вспоминает: «Осип любил Надю невероятно, неправдоподобно. Когда ей резали аппендикс в Киеве, он не выходил из больницы и все время жил в каморке у больничного швейцара. Он не отпускал Надю от себя ни на шаг, не позволял ей работать, бешено ревновал, просил ее советов в каждом слове в стихах. Вообще я ничего подобного в своей жизни не видела».

К 1923 г. надежды поэта на быструю гуманизацию нового общества иссякают. Мандельштам чувствует себя отзвуком старого века в пустоте нового («Нашедший подкову», «1 января 1924»), и после 1925 г. на пять лет он вообще перестает писать стихи. Только в 1928-м выходят итоговый его сборник «Стихотворения» и прозаическая повесть «Египетская марка» (о судьбе маленького человека в провале двух эпох).

С 1924 г. Мандельштам живет в Ленинграде, а с 1928-го в Москве, он и жена практически бездомные, с вечно неустроенным бытом.

Начиная с середины 1924 г. Мандельштам, зарабатывая на жизнь, занимается переводами; пишет автобиографическую прозу «Шум времени» (1925), «Четвертая проза» (издана посмертно в 1966 году), выпускает сборник статей «О поэзии» (1928). И самого себя в те годы он так характеризует: «Чувствую себя должником революции, но приношу ей дары, в которых она не нуждается».

Всего при жизни Мандельштама вышло шесть его поэтических книг: три издания «Камня» (1913, 1916 и 1923 «Tristia» (1922 г., в переводе с греческого это слово означает «печаль, скорбное песнопение»); «Вторая книга» (сборник был издан в 1923 году в Берлине и был назван так М.А. Кузьминым) и «Стихотворения» (1928). В 1931—1932 гг. Мандельштам заключил договоры на сборники «Избранное» и «Новые стихи», а также на двухтомное собрание сочинений, но эти издания не состоялись.

После гибели поэта имя Мандельштама оставалось в СССР под запретом около 20 лет. Первое в СССР посмертное издание стихов Мандельштама было анонсировано в 1958 г., но вышло только в 1973-м — Мандельштам О. «Стихотворения», в большой серии «Библиотека поэта». (Впервые же собрание сочинений поэта было издано в США в 1964 г.).

В начале 1930-х гг. Мандельштам уже вполне принимает идеалы революции, но категорически отвергает власть, которая их фальсифицирует. В 1930-м он пишет свою «Четвертую прозу» — жесточайшее обличение нового режима, а в 1933-м — стихотворную «эпиграмму» на Сталина «Мы живем, под собою не чуя страны...». Внутренний разрыв с рабством официальной идеологии дает Мандельштаму силу вернуться к подлинному творчеству, которое у него

шло, за редким исключением, «в стол», не предназначаясь для сию-
минутной печати.

14 мая 1934 г. за «эпиграмму» «Мы живем, под собою не чуя страны...» и другие стихи Мандельштам был арестован в своей квартире.

> Мы живем, под собою не чуя страны,
> Наши речи за десять шагов не слышны,
> А где хватит на полразговорца,
> Там припомнят кремлевского горца.
> Его толстые пальцы, как черви, жирны,
> И слова, как пудовые гири, верны.
> Тараканьи смеются глазища
> И сияют его голенища.
> А вокруг его сброд тонкошеих вождей,
> Он играет услугами полулюдей.
> Кто свистит, кто мяучит, кто хнычет.
> Как подкову дарит за указом указ —
> Кому в пах, кому в лоб, кому в бровь, кому в глаз.
> Что ни казнь у него — то малина,
> И широкая грудь осетина.

А. Ахматова вспоминает: «Обыск продолжался всю ночь. Искали стихи... Осипа Эмильевича увели в 7 часов утра, было совсем свет-
ло... Через некоторое время опять стук, опять обыск. Пастернак, у
которого я была в тот же день, пошел просить за Мандельштама в
«Известия», я — к Енукидзе, в Кремль...»

Возможно, это заступничество известных поэтов и Николая Бу-
харина сыграло свою роль. Известен факт звонка Сталина Пастер-
наку, в котором предметом разговора был Мандельштам.

Резолюция Сталина была: «Изолировать, но сохранить». И вместо расстрела или лагерей — неожиданно мягкий приговор — ссылка
вместе с женой, Надеждой Мандельштам, в город Чердынь-на-Каме
Пермской области.

В Чердыни у Мандельштама были приступ душевной болезни и
попытка самоубийства. Он выбросился из окна больницы и сломал
себе руку.

Вскоре место ссылки было заменено на Воронеж, где Мандельштам пробыл до 1937 г. Стихи, написанные в этот период, по словам А. Ахматовой — «...вещи неизреченной красоты и мощи», со-
ставили «Воронежские тетради», опубликованные посмертно в 1966 г.

В Воронеже Мандельштам живет нищенски, сперва на мелкие заработки, потом на скудную помощь друзей и постоянно продолжает ждать расстрела.

Странная и неожиданная мягкость приговора вызвала в Мандельштаме подлинное душевное смятение, вылившееся в ряд стихов с открытым приятием советской действительности и с готовностью на жертвенную смерть: «Стансы» (1935 и 1937), так называемая «Ода» Сталину (1937) и другие. Но многие исследователи творчества Мандельштама видят в них только самопринуждение или «эзопов язык». Мандельштам временами надеялся, что «Ода» Сталину спасет его, но позже он говорил, что «это была болезнь», и хотел ее уничтожить.

После Воронежа Мандельштам почти год живет в окрестностях Москвы, по словам А. Ахматовой, «как в страшном сне». Этот сон оборвался в 1938-м.

После ссылки разрешения жить в столице Мандельштам не получил. Работы не было. И вдруг секретарь Союза писателей СССР Ставский, к которому безуспешно пытался попасть Мандельштам, но который так и не принял поэта, — именно он предлагает Мандельштаму и его жене путевку в Дом отдыха «Саматиха», причем на целых два месяца. А. Фадеев, узнав об этом, почему-то очень расстроился, но Мандельштам был несказанно рад.

30 апреля 1938 г. был подписан ордер на новый арест поэта. Мандельштама арестовали в том Доме отдыха, путевку в который ему так любезно предоставил человек, перед этим написавший... донос на поэта. Донос и стал причиной ареста. Судить же Мандельштама могли уже за одну его анкету: «Родился в Варшаве. Еврей. Сын купца. Беспартийный. Судим». 1 мая 1938 г. Мандельштама арестовали во второй раз.

«Ося, родной, далекий друг! — пишет мужу Надежда Мандельштам. — Милый мой, нет слов для этого письма, которое ты, может, никогда не прочтешь. Я пишу его в пространство. Может, ты вернешься, а меня уже не будет. Тогда это будет последняя память... (...)

Каждая мысль о тебе. Каждая слеза и каждая улыбка — тебе. Я благословляю каждый день и каждый час нашей горькой жизни, мой друг, мой спутник, слепой поводырь... (...)

Жизнь долга. Как долго и трудно погибать одному — одной. Для нас ли — неразлучных — эта участь? Мы ли — щенята, дети, — ты ли — ангел — ее заслужил? (...)

Не знаю, жив ли ты... Не знаю, где ты. Услышишь ли ты меня. Знаешь ли, как люблю. Я не успела тебе сказать, как я тебя люблю. Я не успела сказать и сейчас. Я только говорю: тебе, тебе...

Ты всегда со мной, и я — дикая и злая, которая никогда не умела просто заплакать, — я плачу, я плачу, я плачу.

Это я — Надя. Где ты?»

Это письмо Надежда Мандельштам написала мужу 28 октября 1938 г., оно уцелело случайно. В июне 1940 г. жене поэта вручили свидетельство о смерти Осипа Мандельштама. Согласно официальному свидетельству, Мандельштам умер в пересыльном лагере под Владивостоком «Вторая речка» 27 декабря 1938 г. от паралича сердца.

Помимо данной версии существовало еще и множество других. Кто-то рассказывал, что видел Мандельштама весной 1940 г. в партии заключенных, отправляющейся на Колыму. На вид ему было лет 70, и производил он впечатление сумасшедшего. По этой версии он умер на судне по дороге на Колыму, и тело его было брошено в океан. По другой версии — Мандельштам в лагере читал Петрарку и был убит уголовниками. Но это все легенды.

Мандельштама уничтожили физически, но не сломили нравственно. В нем до конца «росли и переливались волны внутренней правоты». Железный дух Мандельштама невозможно было согнуть, и он прекрасно все понимал про себя и свое Божье дело: «Раз за поэзию убивают, значит, ей воздают должный почет и уважение, значит, она власть».

«Когда я умру, потомки спросят моих современников: «Понимали ли Вы стихи Мандельштама» — «Нет, мы не понимали его стихов». — «Кормили ли Вы Мандельштама, давали ли ему кров? «— Да, мы кормили Мандельштама, мы давали ему кров». — «Тогда Вы прощены».

ИОСИФ БРОДСКИЙ
(1940—1996)

Иосиф Александрович Бродский — один из крупнейших поэтов второй половины XX века, лауреат Нобелевской премии по литературе (1978), переводчик, драматург.

Первая половина жизни Бродского прошла в Ленинграде. Родился Иосиф за год до начала войны, 24 мая 1940 г., и был единственным ребенком в семье. Отец будущего поэта работал фотокорреспондентом, в свое время окончил университет, служил на флоте. Мать работала кассиром и бухгалтером. В послевоенные годы семья жила очень бедно, как и большинство ленинградцев, в коммуналке, в квартире, которая до революции принадлежала Д. Мережковскому. Позже Бродский вспоминал: «Финансовое положение моей семьи было мрачным: существовали мы преимущественно на жалованье матери, потому что отец, демобилизованный с флота в соответствии с неким потусторонним указом, что евреи не должны иметь высоких воинских званий, никак не мог найти работу».

Пытаясь помочь родителям, Иосиф ушел из 8-го класса школы, чтобы работать на заводе. Учился в школе рабочей молодежи, однако аттестата об окончании школы не получил. Через год Бродский уволился с завода, где работал фрезеровщиком. Он решил стать врачом и пошел работать санитаром в морг, чтобы набраться околомедицинского опыта. Далее он часто менял работу: был внештатным корреспондентом газеты, техником-геодезистом, работал фотолаборантом, кочегаром в городской бане, грузчиком; побывал в геологических экспедициях в Якутии, на Беломорском побережье, на Тянь-Шане и в Казахстане.

Писать стихи Бродский начал поздно, уже после расставания со школой. Первые стихотворения им были написаны в геологической экспедиции в 1957 г.

Бродский усиленно занимается самообразованием, самостоятельно изучает языки — английский, польский, сербскохорватский; много читает польскую, английскую и американскую поэзию, классическую мифологию, религиозную философию. В это же время он занимается переводческой деятельностью, переводит английскую, американскую, польскую поэзию, с подстрочника — испанскую.

До эмиграции из СССР в официальных советских изданиях у Бродского было опубликовано всего четыре стихотворения, он печатался в журнале «Костер». В конце 1959 г. Бродский передал ряд своих произведений в первый самиздатовский журнал «Синтаксис», который начал выпускать Александр Гинзбург. После выхода третьего номера журнала Гинзбурга арестовали, Бродского вызвали в КГБ и сделали предупреждение. И еще у молодого Бродского до эмиграции публиковались стихи за границей в газете «Русская мысль» и «Новое русское слово».

К началу 1960-х гг. Иосиф Бродский сблизился с группой ленинградских поэтов, среди которых были Евгений Рейн (Бродский называл его своим учителем и другом), Анатолий Нейман, Дмитрий Бобышев, Александр Кушнер и другие. Бродский стал хорошо известен среди молодежи и в неофициальных литературных кругах как очень одаренный поэт и переводчик. Однако официальная, «большая» советская литература с самого начала категорически отвергала Бродского, давая ему случайные заработки лишь на стихотворных переводах.

Огромную роль в судьбе Бродского сыграло знакомство с Анной Ахматовой, которая хотела видеть в молодом поэте своего литературного преемника, сравнивая его по масштабу таланта с Мандельштамом. С Бродским Ахматова связывала надежды на расцвет русской поэзии. Один из своих поэтических сборников Ахматова подарила Бродскому с надписью: «Иосифу Бродскому, чьи стихи мне кажутся волшебными».

Неординарная и независимая личность Бродского не осталась не замеченной теми, кто был приставлен надзирать за литературой. После появления указа «Об усилении борьбы с лицами, уклоняющимися от общественно-полезного труда», Бродского, не числившегося тогда ни на какой определенной работе, в 1962 г. в первый раз вызвали в милицию и предупредили об ответственности за тунеядство. Но вскоре городские партийные и литературные власти решили на примере Бродского всем показать, чем может закончиться чрезмерный нонконформизм «свободных художников», почуявших дыхание «оттепели» 60-х.

В газете «Вечерний Ленинград» от 29 ноября 1963 г. появилась статья «Окололитературный трутень», подписанная Лернером, бывшим капитаном КГБ. В статье Бродский характеризовался как человек, не занимающийся общественно полезным трудом. 13 декабря правление Ленинградского союза писателей под руководством Александра Прокофьева отмежевалось от Бродского, чем фактически санкционировало его преследование.

Новый, 1964 г. Бродский встретил в психбольнице им. Кащенко в Москве, где он пытался укрыться от преследований. 5 января он выходит из больницы и скрывается «в подполье» — уезжает в Тарусу к своему другу В.П. Голышеву. На следующий день после возвращения в Ленинград, 13 февраля 1964 г., Бродского арестовывают на улице. А через месяц, 18 февраля 1964 г., состоялся суд.

Итак, суд...

Вопрос судьи. Чем вы занимаетесь?

Бродский. Пишу стихи.

Судья. У вас есть постоянная работа?

Бродский. Я думал, это настоящая работа.

Судья. Отвечайте точно.

Бродский. Я работал, я писал стихи.

Судья. Ваша специальность?

Бродский. Поэт. Поэт-переводчик.

Судья. А кто признал, что вы поэт? Кто причислил вас к поэтам?

Бродский. Никто. А кто причислил меня к роду человеческому?

Судья. А вы учились этому?

Бродский. Чему?

Судья. Быть поэтом. Не пытались закончить вуз, где готовят, учат?

Бродский. Я не думал, что это дается образованием.

Судья. А чем же?

Бродский. Я думаю, это от Бога...

> Ни страны, ни погоста
> Не хочу выбирать.
> На Васильевский остров
> Я приду умирать.

Твой фасад темно-синий
Я впотьмах не найду.
Между выцветших линий
На асфальт упаду.
И душа неустанно
Поспешая во тьму,
Промелькнёт под мостами
В петроградском дыму.
И апрельская морось,
Под затылком снежок.
И услышу я голос:
«До свиданья, дружок!»
И увижу две жизни
Далеко за рекой,
К равнодушной отчизне
Прижимаясь щекой.
Словно девочки-сестры
Из непрожитых лет
Выбегая на остров
Машут мальчику вслед.

«Бродский не является поэтом», — таким было решение суда. «Ущербность и болезненность, самолюбие недоучки, любителя порнографии — вот что выглядывает из каждой строчки стихах Бродского», — так оценили его поэзию «свидетели» на этом процессе: трубоукладчики и грузчики, пенсионеры и другие «ценители» таланта поэта.

Суд вынес приговор: 5 лет административной ссылки за тунеядство. Вскоре после суда у отца и матери Иосифа отобрали пенсию. Местом ссылки Бродского была назначена деревня Норинская Архангельской области, в 30 километрах от железной дороги, окруженная болотистыми северными лесами. В ссылке Бродский занимался самой различной физической работой. Относились к поэту в деревне все очень хорошо, и никто не подозревал, что этот вежливый «тунеядец» возьмет их деревню в историю мировой литературы.

Эти 18 месяцев, проведенных поэтом в ссылке принесли ему мировую известность. На Западе была опубликована запись судебного процесса, сделанная Фридой Вигдоровой, дело Бродского получило очень широкую огласку. Последовало множество протестов как в СССР, так и за рубежом. За Бродского вступились Ахматова, Твардовский, Чуковский, Шостакович, Паустовский, Жан Поль

Сартр и многие другие. Тогда власти сочли за лучшее освободить поэта из ссылки, где он пробыл полтора года, с мотивировкой, что приговор был излишне суров и следует ограничиться отбытым сроком.

Ко времени ссылки относятся новые публикации поэзии Бродского за рубежом: в журнале «Грани»; в 1965-м в США Глебом Струве и с его предисловием был выпущен сборник Бродского «Стихотворения и поэмы». В 1970-х гг. в Нью-Йорке вышла книга «Остановка в пустыне». Однако на родине и после ссылки Бродского по-прежнему не печатали, за исключением его переводов.

В своих стихах Бродский не затрагивал политических или социальных тем, однако не мог хотя бы вскользь не коснуться таких событий, как пресечение «пражской весны» 1968 г. или ввода советских войск в Афганистан.

Негласное противостояние поэта с властями закончилось тем, что его вызвали в КГБ и предложили эмигрировать. Возможен был путь компромисса, но Бродский этот путь отверг, и во избежание худшего в июне 1972 г. он покинул родину. Уехал без долгих сборов, в вельветовых тапочках и с двумя апельсинами в кармане. Ни отцу, ни матери так и не суждено было узнать, что их сын станет лауреатом Нобелевской премии.

За границей Бродский отправился в Австрию, к любимому им поэту У.Х. Одену, которого Бродский много переводил. Оден принял большое участие в судьбе Бродского, помог сделать первые шаги за границей, как-то обустроиться.

Свою вторую родину Бродский обрел в США, где почти в течение 24 лет он работал преподавателем в американских университетах, сначала в Большом Мичиганском и Колумбийском, Нью-Йоркском, в Квинсе — колледж (Нью-Йорк), а в 1980 г. принял постоянную профессорскую должность в «Пяти колледжах» в Массачусетсе.

Опыта преподавания у Бродского не было никакого. До отъезда из СССР он не только никогда не преподавал и не учился в университете, но даже и среднюю школу не окончил. Все свои колоссальные энциклопедические знания Бродский приобрел путем самообразования.

Американские студенты в большинстве своем имели поверхностное представление о европейской культуре и литературе, с чем невольно приходилось мириться американским профессорам. Но Бродский был не таков. С первых же занятий он предлагал своим слушателям восполнить пробелы в знаниях как можно быстрее, причем делал это в настойчивой форме. Одна из студенток Бродского вспоминала: «В первый день занятий, раздавая нам список литературы для прочтения, он сказал: «Вот чему вы должны посвятить жизнь в течение двух следующих лет». Список открывался «Бхагавадгитой», «Махабхаратой», «Гильгамешем» и Ветхим Заветом. Далее шел перечень 130 книг, включавший в себя Блаженного Августина, Фому Аквинского, Лютера, Декарта, Спинозу, Паскаля, Локка, Шопенгауэра, Данте, Петрарку, Боккаччо, Рабле, Шекспира, Сервантеса и т.д. Отдельным был список поэтов двадцатого века, который открывался именами Цветаевой, Ахматовой, Мандельштама, Пастернака, Хлебникова, Заболоцкого.

Занятия у Бродского были уроками медленного чтения текста. Глубина прочтения Бродским любого произведения была поразительной. Если он разбирал, допустим, стихотворение Пушкина, то к разговору о строке, строфе, образе или композиции привлекал тексты Овидия, Цветаевой или Норвида, а если Бродский читал Томаса Харди, то сопоставления могли быть с Вергилием, Пастернаком или Рильке. Причем поэтические тексты Бродский читал по памяти, даже без шпаргалки, удивляя слушателей своей поэтической эрудицией. Он блестяще знал и любил англо-американскую поэзию, умел завораживать американских студентов, разбирая тонкости англоязычной поэзии. Но при всей доброжелательности заниматься у Бродского было трудно из-за чрезвычайно высоких требований. Студенты, как ни странно, не бунтовали и прощали Бродскому то, что другим преподавателям не сошло бы с рук. Бродский любил преподавать и не оставил преподавательской деятельности даже тогда, когда финансовые проблемы отпали и деньги перестали интересовать: «Мне нравится преподавать, читать лекции».

В 1990 г. Бродский в Стокгольме сочетался браком с Марией Содзани, в июне 1993 г. у них родилась дочь — Анна Мария Александра, названная так в честь Анны Ахматовой, Марии и Александра Бродских — родителей поэта.

Но не только преподавательская, а главное, поэтическая судьба Бродского-изгнанника сложилась за границей тоже благополучно — его много печатали, критика никогда не обходила его своим вниманием.

Бродский, превосходно владея английским языком, пользовался им в своей эссеистике, но не изменил призванию русского поэта, продолжателя традиций Мандельштама, Цветаевой и Ахматовой. Слава Бродского год от года росла, регулярно выходили и переводились на иностранные языки сборники его русскоязычных стихов. Пытался он писать стихи и на английском, но неудачно. Зато его первый англоязычный сборник эссе «Less Than One» (1986) получил в США премию как лучшая критическая книга года, а в Англии был признан «лучшей прозой на английском языке за последние несколько лет».

В противоположность большинству сверстников-поэтов Бродский почти всегда отталкивался от социальной поэзии, утверждая приоритет эстетического даже пред этическим (позиция более западная, чем русская). Для Бродского поэзия — сугубо частное дело, позволяющее человеку сохранить «лица необщее выраженье» (цитата из Е.А. Баратынского, которого Бродский называл великим). Самому же Бродскому поэт мыслится «средством языка к продолжению своего существования. Язык же... к этическому выбору не способен» (Нобелевская лекция).

Бродский как-то говорил М.Б. Крепсу: «Язык — это важнее, чем Бог, важнее, чем природа... для нас как биологического вида». В качестве наиболее значимых для него поэтов в своей Нобелевской лекции Бродский назвал О.Э. Мандельштама, М.И. Цветаеву, А.А. Ахматову, американца Р.Л. Фроста (1874/1875—1963) и англичанина У.Х. Одена (1907—1973).

Поэзия Бродского достаточно рационалистична, хотя ранние его произведения более эмоциональны и мелодичны, чем поздние, многочисленные поэтические ассоциации порождены огромной эрудицией поэта. В своем стремлении к «нейтрализации» тона поэзии Бродский соединял высокое и низкое, смешивал иронию и лиризм, придавал поэзии большую информативную насыщенность и событийность. Врожденное понимание специфики родного языка и знание мировой культуры позволили Бродскому в своей поэзии органично соединить глубокий лиризм и философичность русской традиции с событийной масштабностью западной и американской традиции, что и сделало его поэзию уникальной.

Форма стихов Бродского часто подчеркнуто нетрадиционна. Хотя немало у него случаев обращения к классическим размерам, но едва ли не больше всех своих современников он прибегал к тактовику, а также к дольнику, любил всякого рода стихотворные вольности. Вместе с тем он был чрезвычайно изобретателен в строфике, которая в современной поэзии, надо сказать, весьма упрощена. У Бродского, особенно позднего, — обилие переносов, «спотыкающийся» синтаксис, стих может завершаться союзом или частицей, становящимися ударными, попадающими на рифму. Сами же рифмы Бродского обнаруживают некоторое сходство с рифмами В.В. Маяковского. И еще одна из основных отличительных черт Бродского — это усвоение самых разных поэтических традиций и стилей, их равенство, где высокий стиль может соседствовать с ненормативной лексикой.

Традиционными мотивами лирики Бродского являются мотивы одиночества, бездомности, бесприютности («Осенний крик ястреба», «Воротишься на родину», «Вновь я посетил...», «Стансы» и др.). А отчаяние земного существования преодолевается самой поэзией, внутренней структурой поэтического слова, поэтическим чувствованием автора.

Своей четкой философской системы у поэта не было. Бродский говорил, что он «ни в чем сильно не убежден», а его вера в Бога была внецерковна и внеконфессиональна. Хотя он неоднократно и писал «рождественские» стихи, в которых почти нет современных параллелей, но там есть подспудная мысль о духовной «пустыне», в которой мы живем.

Когда Бродский перенес первую тяжелую операцию на открытом сердце (всего на его долю выпало три инфаркта и две операции на сердце), лечивший его врач послал родителям вызов для ухода за больным, но в выездной визе родителям было отказано. Спустя несколько лет и просьба Бродского о визе для поездки на похороны матери также была проигнорирована.

Несмотря на две сложные операции на сердце, Бродский так и не бросил курить вопреки просьбам врачей, и пристрастие к курению он шутя называл «своим Дантесом». Умер Бродский легко, во сне, в ночь с 27 на 28 января 1996 г. в Нью-Йорке, был временно захоронен в пригороде Нью-Йорка, затем по завещанию поэта его тело было предано земле в Италии.

На родине поэзия Бродского долгие годы продолжала оставаться привилегией самиздата. Усилиями друзей было выпущено тиражом 15 экземпляров машинописное собрание его поэзии и переводов в пяти томах, по рукам ходили многочисленные машинописные копии его зарубежных изданий и отдельных произведений.

Первая официальная публикация лучших стихотворений Бродского на родине состоялась в 1987 г., инициатором ее стал журнал «Новый мир». И с тех пор многие периодические издания обращались к его поэзии и прозе. В России были изданы многочисленные сборники и собрания сочинений Нобелевского лауреата — Иосифа Бродского, которого в 1972-м власть попросила убраться из страны как не «вписывающегося» в систему, несговорчивого «тунеядца».

ЛЕОНИД УТЕСОВ
(1895—1982)

Лазарю Вайсбейну, которого всякий россиянин знает как Леонида Утесова, посчастливилось стать более чем эстрадным певцом — он стал частью жизни целых четырех поколений, а его творческая жизнь продолжалась без малого семьдесят лет. Пение Утесова хотели слышать все, от мала до велика, включая первых лиц государства, а спетые им песни люди помнят не по именам их авторов, а как «песни Утесова». «Песня старого извозчика» в годы Великой Отечественной войны служила радиомаяком для одного из авиационных полков. Юрий Гагарин ждал своего взлета под пение Утесова...

Настоящее его имя Лазарь Иосифович Вайсбейн, родился в Одессе 9 (21) марта 1895 г. Отец Утесова происходил из богатой еврейской семьи, но женился вопреки воли родителей и был лишен наследства. Чтобы содержать семью, Иосиф Вайсбейн занялся коммерцией и постепенно преуспел, но особого достатка в семье никогда не было.

В детстве Лазарь, или Ледя, как его все называли, был «сорванцом и буйной головой». Родители мечтали о хорошем образовании для сына, а Ледя мечтал о другом — стать дирижером симфонического оркестра или по меньшей мере просто артистом. Уже к 15 годам Ледя превосходно владел многими музыкальными инструментами, часто играл на еврейских свадьбах, пел в синагоге.

Родители определили Лазаря в коммерческое училище. Но коммерция Утесова очень мало интересовала. Он с удовольствием пел в хоре, который был в училище, играл там же в духовом оркестре и большую часть времени уделял музыке, а не учебе. Учась на четвертом курсе коммерческого училища, Лазарь вымазал чернилами одежду учителя закона Божьего, и его из училища выгнали. Отцу пришлось смириться с тем, что в 1912 г. Лазарь устроился в цирк — балаган Бороданова, его взяли артистом на кольцах, трапеции, иногда он выступал коверным «рыжим».

В 1912—1913 гг. Лазарь Вайсбейн становится Леонидом Утесовым. Артист одесского комедийно-фарсового театра Василий Скавронский предложил юноше взять псевдоним, и Лазарь выбрал «что-то морское» — Утесов.

В 1913 г. Утесов работает в Театре миниатюр Кременчуга, но вскоре снова возвращается в одесский Театр миниатюр. В Одессе он влюбляется в одну из манекенщиц, что работала с ним в театре, но та была замужем. К тому же муж у манекенщицы работал в полиции. Узнав о поведении жены и Утесова, он пригрозил «случайно» его пристрелить. Чтобы остаться в живых, Утесов уезжает в Херсон, где устраивается в подобный одесскому Театр миниатюр.

Из Херсона Утесов вместе с театром поехал в город Александ-ровск, где познакомился с молоденькой актрисой Еленой Осиповной Голдиной (по сцене Ленской). Вскоре она стала первой женой Утесова. В 1914 г. у молодых супругов родилась дочь Эдит. Со своей женой Утесов прожил ровно пятьдесят лет. Их брак сохранился только благодаря удивительной терпимости Елены Осиповны. Со временем у Утесова поклонниц становилось все больше и больше. Жена Утесова, зная об изменах супруга, расторгать брак не собиралась, несмотря на то, что семьянином, особенно в ранние годы, Утесов был очень плохим.

В том же 1914 г. Утесов по призыву уходит в армию. Служил он под Одессой и часто виделся со своей молодой женой и дочерью. Ему даже дали возможность играть в своем театре. Вскоре врачи обнаружили у него какие-то нарушения в сердце, и Утесова освободили от армии.

После 1917 г. Утесов вместе с семьей живет на Украине. В Москву Утесов переехал вместе со своим другом, будущим театральным администратором, в 1921 г. Вскоре он устроился работать в Театре революционной сатиры на Большой Никитской, затем нашел работу в театре «Эрмитаж», где приобрел популярность как куплетист. Затем его пригласили в театр оперетты, который давал спектакли в «Славянском базаре».

Утесов к тому времени уже неплохо пел, танцевал, обожал эксцентрику, поэтому в оперетте он был весьма кстати. В 1922 г. Утесов переезжает в Петроград, где устраивается работать в Свободном театре Юдовского, в котором ставились преимущественно миниатюры.

В середине 1920-х гг. Утесов одновременно выступает в двух ленинградских театрах, в оперетте и «Свободном» театре, и еще по понедельникам, когда «Свободный» не работал, он играл в сборных труппах, причем играл в серьезных драматических спектаклях. Утесов не пропускал ни одной репетиции, знал все роли во всех спектаклях труппы и в любой момент был готов заменить любого из актеров, к счастью, выразительных средств у него всегда хватало. Утесов мог мгновенно перевоплощаться на сцене. Рассказывая в частной беседе о ком-либо, он непременно воспроизводил голос и акцент своего собеседника, будь то поляк, казах, китаец или грузин. Поэтому любая беседа с Утесовым — была словно посещение театра одного актера. И часто без париков и гримов Утесов показывал зрителям десятки непохожих характеров.

Однажды был в его жизни вечер просто фантастический. Тем, кто присутствовал на нем, трудно было поверить в его реальность, и даже хорошо знавшие Утесова отнеслись с недоверием к афише ленинградского «Палас-театра» сообщавшей, что артист предстанет во всех мыслимых театральных жанрах: как певец — эстрадный, опереточный, камерный; как танцор — балетный и эксцентрический; как дирижер — оркестровый и хоровой; как скрипач и гитарист; как рассказчик и куплетист; как клоун, жонглер и акробат на трапеции! Утесов блестяще показал тогда свои бесчисленные таланты. Все номера были исполнены не только профессионально, но и с искренним переживанием, и этот моноспектакль 1923 г. шел целых шесть часов! Как было написано в одной рецензии на этот вечер Утесова, «публика неистовствовала».

Этот вечер в 1923 г., не был единственным, а скорее, типичным для молодого Утесова. Во время Гражданской войны Утесов выступал в бригаде артистов, дававшей на фронте в день по нескольку концертов. Однажды на сверхурочном ночном концерте он один заменил всех своих коллег, рухнувших от усталости. Утесов один повторил все номера их бригады, и вспомнил все что знал сам.

Не удивительно, что кинематографисты сразу заметили его. Первый фильм с участием Утесова вышел в 1923 г., назывался он «Торговый дом «Антанта и К°». В 1927 г. на экраны выходят уже сразу два фильма с его участием: «Карьера Спирьки Шпандыря» и «Чужие». Увы, все эти фильмы не были удачными.

Однако более, чем кино, более, чем театр, Утесова интересовала песня, но не обычная эстрадная, а песня, как маленькая пьеса. Утесов пел почти во всех своих выступлениях: в спектаклях, опереттах, много выступал с популярными тогда куплетами. Но песня еще не была для него основным жанром, если была необходимость петь по ходу действия спектакля — он пел. Всего же за свою жизнь Утесов переиграл сотни ролей и «сыграл» — не просто спел — более семисот песен!

По-настоящему певцом Утесов стал со времени создания им «Теа-джаза» — удивительного оркестра, соединявшего в себе музыку и театр. Послушав зарубежные джаз-банды, Утесов решил организовать свой оркестр, отличный от западных. Позднее он вспоминал: «...неужели нельзя, думал я, повернуть этот жанр в нужном нам направлении? В каком? Мне было пока ясно одно: мой оркестр не должен быть похожим ни на один из существующих, хотя бы потому, что он будет синтетическим».

Утесов мечтал о джазе, который был бы высококлассным и остроумным... театром. Мечтал о музыкантах, которые были бы практически комедийными актерами; он мечтал о концерте, который стал бы спектаклем; и о песнях, которые знала бы вся страна.

Музыканты быстро нашлись. Поначалу они не соглашались «дурачиться» в соответствии с режиссерскими фантазиями Утесова. «Чтобы я, — возмущался тромбонист, — становился на колено и голосом тромбона кому-то объяснялся в любви? Ни за что! Разве я для этого кончал консерваторию?» В итоге тромбонист все же встал на колено. Более того, потом он превратился в одного из самых одаренных артистов «Теа-джаза», в котором органично слились песня, танец, пантомима, декламация, эксцентрика и лирика. Программы «Теа-джаза» ставились как эстрадные спектакли, где различные жанры и номера были объединены единым сюжетным ходом или общими героями.

8 марта 1929 г. в Малом оперном театре на концерте, посвященном Международному женскому дню, впервые прозвучал утесовский «Теа-джаз». Успех был потрясающий. Сам Утесов полагал, что именно в тот день он «схватил Бога за бороду».

Музыкальные критики мгновенно невзлюбили «Теа-джаз» как порождение буржуазного мира. Один из авторитетных тогда музыковедов В. Городинский писал: «Что мы называем легкожанровой музыкой? Это музыка бара, кафешантана, варьете, «цыганщина», джазовая фокстротчина и т.д., все это, что составляет некий музыкальный самогон, что является художественной формой использования музыкального звучания не для поднятия масс, а для того, чтобы душить их инициативу, затемнять их сознание».

Какие только оскорбительные слова в свой адрес не слышал тогда Утесов. Например, под рубрикой «Огонь по халтурщикам» была напечатана рецензия в связи с пребыванием Утесова и его оркестра в Харькове: «Что же представляло собой само выступление Утесова? Кривлянье, шутовство, рассчитанное на то, чтобы благодушно повеселить «господина» публику. Все это сопровождалось ужасным шумом, раздражающим и подавляющим слух. Уходя из театра, слушатель уносил с собой чувство омерзения и брезгливости от всех этих похабных подергиваний и пошлых кабацких песен. На это безобразие должна обратить внимание вся советская общественность. Необходимо прекратить эту халтуру. Нужно изгнать с советской эстрады таких гнусных рвачей от музыки, как Л. Утесов и Кº».

Утесов тогда решил доказать, что его джаз отвергает принципы буржуазной культуры, имеет собственную дорогу и служит именно советскому зрителю. В 1930 г. появилась программа «Джаз на повороте», в которой был такой ход: первое отделение называлось «Джаз на Западе», в нем оркестр играл западные «боевики» типа «У камина» Рэя Нобла, «Штормовая погода» Гарольда Арлена, «Несколько тех дней» Шелтона Брукса. А второе отделение именовалось «Джаз в СССР», и тут оркестр, в белых брюках и темно-голубых джемперах с эмблемой «ТД», исполнял рапсодию на темы песен народов СССР Дунаевского, джазовую сюиту Животова.

Газетные рецензии потеплели, об оркестре стали писать: «Теаджаз» — машина бодрости... Буквально вентилируешь усталые мозги, получив порцию утесовского «Теа-джаза». Учащенный ритм и темп соответствуют бурному стремительному темпу нашей жизни».

Следующей программой, появившейся в 1932 г., был знаменитый «Музыкальный магазин», о котором Утесов говорил: «Лучшее, что сделал я и мой оркестр почти за полвека своего существования, — это синтетическое представление «Музыкальный магазин»». Сам Утесов исполнял в этой программе сразу несколько ролей. Некоторые номера из этого спектакля вошли в фильм «Веселые ребята», и имя главного персонажа в спектакле и фильме осталось одно и то же — Костя Потехин.

На «Музыкальный магазин» публика просто ломилась. На одном из представлений «Музыкального магазина» побывал заместитель председателя Комитета по делам искусств при Совете Народных Комиссаров Б.З. Шумяцкий. Представление ему очень понравилось, и он предложил перенести «Музыкальный магазин» на экран.

Вернувшийся в 1933 г. из Америки кинорежиссер Григорий Александров решил (за давностью лет неизвестно, сам он решил или ему «подсказали») снять фильм, в котором бы полностью был занят утесовский оркестр во главе с ним самим. Так появился фильм «Веселые ребята» (1934), который принес Утесову и его оркестру подлинно всенародную популярность.

Успех музыкальной комедии «Веселые ребята» был феноменальным. Сталину картина очень понравилась. Песни Дунаевского в исполнении Утесова и Орловой распевала вся страна. На международном конкурсе в Венеции фильм был удостоен специального приза. И не было в те годы эстрадного коллектива, имеющего такую же популярность, как утесовский.

За фильм «Веселые ребята» Г. Александрову дали орден Красного Знамени, Л. Орловой — звание заслуженного деятеля искусств РСФСР, а Утесову — руководителю оркестра, создателю «Музыкального магазина», исполнителю главной роли в фильме — фотоаппарат!

После «Веселых ребят» Утесов и Александров поссорились и стали чуть ли не врагами. Хотя оба были соседями в дачном поселке, в 1950-е гг. они перестали даже друг с другом разговаривать.

Дочь Утесовых, Эдит, стала певицей и с 1936 г. начала выступать вместе с отцом в его оркестре.

Семья Утесовых вплоть до конца 1930-х гг. жила в Ленинграде. Лично Утесова власти не любили, и он это знал. Из всех членов тогдашнего Политбюро хорошо к нему относился только нарком путей сообщения Лазарь Каганович. Он помог Утесову переехать из Ленинграда в Москву. Тогда семья Утесовых получила в Москве огромную квартиру в только что построенном Доме железнодорожников.

Сталин очень благоволил к Любови Орловой, но Утесова недолюбливал, зато блатные песни в исполнении певца ему очень нравились, поэтому вождь приглашал его на правительственные концерты в Кремль.

Но, начиная концерт в Кремле в 1939 г., Утесов не слишком удачно пошутил: «Вообще-то я люблю выйти на сцену и потрепаться. А здесь сидят такие люди, что я не знаю, как себя вести». Сталин отвернулся от сцены, а вслед за ним отвернулось и все Политбюро. Больше Утесова в Кремль не приглашали.

Во время Великой Отечественной войны Утесов на средства своего джаз-оркестра «построил» три самолета, названные с разрешения Сталина «Веселые ребята», самолеты были переданы в подарок Военно-воздушным силам. Песня «Мишка-одессит» в исполнении Утесова была одной из самых популярных на фронте, и Главпур армии и флота разослал пластинку с этой песней в воинские части и на боевые корабли. Утесов с оркестром побывал на многих фронтах. После его съемок в 1942 г. в фильме «Концерт фронту!» Утесову в том же году дали звание заслуженного артиста РСФСР.

Ко дню 50-летия Утесова, в 1945 г., его наградили орденом Трудового Красного Знамени, а через два года он получил звание заслуженного деятеля искусств РСФСР.

Но Сталинскую премию и звание народного артиста СССР Иосиф Виссарионович Утесову так и не дал. Тихон Хренников по этому поводу пишет: «Мне, например, виделось тогда, что Утесов очень много делает, чтобы на нашей почве насадить настоящий благородный джаз, без вульгаризмов и крайностей. И даже способствовал тому, чтобы Утесов получил звание. Однако этому воспротивился Сталин, который при обсуждении небрежно бросил: «Это какой Утесов? Который песенки поет? Но у него же в голосе ничего нет, кроме хрипоты!» И провалили Утесову звание».

Казалось бы, в послевоенные годы положение Утесова и его оркестра было превосходным. Везде их хвалили, не хватало билетов на концерты. Утесов находился в поре своей творческой зрелости. Что касается оркестра, то о нем через несколько лет сам Утесов писал: «Музыканты любили свое дело и не жалели на него сил. Я это знал и все от них требовал, требовал, и мне все казалось мало, я всегда был недоволен. Я чувствовал, что они могут лучше, — и именно в силу этой любви. И после каждого концерта я придирался к малейшему их промаху и сердился на них. А теперь, когда я слушаю пластинки тех лет, я понимаю, какие они были молодцы, какие тонкие и сложные вещи им удавались, и кляну себя, что был безжалостным».

Но история повторяется. В 1946 г. вышло Постановление ЦК ВКП(б) «О репертуаре драматических театров и мерах по его улучшению», которое призывало «...отражать в произведениях искусства прежде всего жизнь советского общества в ее непрестанном движении вперед по пути к коммунизму». И критики по команде сразу набросились на Утесова и на советский джаз в целом. В одной из статей М. Сокольский писал: «Что может быть менее созвучным нашей музыке, нашим советским песням, богатейшему фольклору советских народов, чем ноющий, как больной зуб, или воющий саксофон, оглушительно ревущий изо всех сил тромбон, верещащие трубы или однообразно унылый стук всего семейства ударных инструментов, насильственно вколачивающих в сознание слушателя механически повторяющиеся ритмы фокстрота или румбы.

Нет! Мы решительно против искусственного соединения нашей музыки с джаз-оркестрами, а те, кто пытается втискивать ее насильственно в джаз, калечит ее, коверкает». Подобные выступления в печати были типичными, и в конце концов джаз благополучно похоронили.

Но, несмотря на гонения на джаз, в период с 1945 по 1965 г., Утесов работал творчески очень интенсивно, исполнял песни в концертах, читал стихи, в том числе и свои. Программы концертов прежде всего состояли из песен, исполняемых Утесовым, на которого и шла публика.

В 1962 г. на Союз композиторов РСФСР дохнула «оттепель». Союз провел пленум, посвященный легкой музыке, в том числе джазу. На пленуме прозвучало, что джаз может и должен стать частью отечественной культуры. «Я взволнован, — говорил тогда Утесов, — столько лет ждать и наконец дождаться. Это праздник, праздник, пришедший на нашу эстрадную улицу».

Только в связи с 70-летием Утесова ему в 1965 г., наконец, дали звание народного артиста СССР.

Жена Утесова долгие годы болела и в 1962 г. скончалась. Утесов тогда переехал жить к своей дочери в дом в Каретном ряду.

Зимой 1966 г. во время выступления на сцене ЦДСА у Утесова случился сердечный приступ и он потерял сознание. После этого Утесов с концертами практически не выступал. Он записывался на радио, занимался записями на «Мелодии», увлекся фотографией. В 1975 г. на концерте, устроенном в честь его 80-летия, Утесов все же спел кое-что из своего старого репертуара.

В самые последние годы жизни Утесов чувствовал себя одиноким и забытым. В одной из бесед он признался: «Мои близкие в последние годы долго болели, и все внимание было на них, а на меня никто внимания не обращал. Я чувствовал себя в семье сиротой».

И 24 марта 1981 г. состоялось последнее выступление Утесова на сцене. В Центральном Доме работников искусств прошел «антиюбилей» артиста, организованный его друзьями. Это было шуточное действо, в котором «антиюбиляра» чествовали: А. Райкин, Н. Богословский, Р. Плятт, М. Жванецкий, Р. Карцев, В. Ильченко, актеры Театра на Таганке и многие другие. В конце вечера на сцену поднялся сам Утесов, прочитал свои стихи, затем исполнил несколько песен.

На следующий день после «антиюбилея» скончался 75-летний муж Эдит Утесовой — кинорежиссер А. Гендельштейн, а через несколько месяцев после смерти мужа умерла от лейкемии и сама Эдит.

Когда скончалась дочь, Утесову было 86 лет. Одиночество его пугало. К тому же Утесов был не бедным человеком и хотел, чтобы антиквариат и антикварная мебель после его смерти достались доброй женщине, много помогавшей семье Утесова. Через три месяца после смерти дочери Утесов сделал предложение руки и сердца 59-летней Антонине Ревельс, с которой он познакомился еще в 1944 году, когда зачислил ее вместе с мужем Валентином Новицким в свой оркестр. Ревельс и Новицкий были танцовщиками в оркестре Утесова, с тех пор они и подружились семьями. Муж Ревельс — В. Новицкий — умер в 1974 г. Антонина Ревельс уехала в Воронеж, откуда часто приезжала в Москву ухаживать за Утесовым и его больной дочерью.

В январе 1982 г. Ревельс и Утесов расписались. Этот брак продолжался всего два месяца. В санатории «Архангельское» 8 марта 1982 г. Утесову стало плохо, и врачи констатировали, что жить Утесову осталось менее суток.

Похоронен Леонид Осипович Утесов на Новодевичьем кладбище.

АРКАДИЙ РАЙКИН
(1911—1987)

Можно смело утверждать, что вся советская эстрада разговорного жанра вышла из него — Аркадия Райкина. Это справедливо по отношению к тем, кто работает сегодня, и тем, кто будет работать завтра. Райкин — это почти полувековая история сатирического и юмористического разговорного жанра на советской эстраде.

По мнению Геннадия Хазанова, Аркадий Райкин — «это не просто конкретный человек, это понятие, символ, это, если хотите, явление... Мне довелось видеть не так уж много артистов этого же жанра, что и Райкин. Таких артистов вообще очень мало в мире. Но, кроме того, я честно скажу, что не видел и не знаю ни одного артиста, который по мощи, по силе дарования и обаяния, по совершенно магнетическому воздействию на зал мог бы приблизиться к Райкину хоть на какое-нибудь расстояние. Пускай это не покажется громко сказано, честно говоря, нам всем так же далеко до него, как до ближайшей планеты Солнечной системы».

Аркадий Исаакович Райкин родился 24 октября 1911 г. в Риге. Отец — Исаак

Давидович — работал в Рижском порту, мать — Елизавета Борисовна — сидела дома с детьми.

Детство Райкина прошло в Рыбинске, где Аркадий девятилетним мальчиком впервые вышел на любительскую сцену. В 1922 г. Райкины переехали в Петроград, где у них были родственники. С юных лет Аркадий мечтал только о театре, часто ходил в бывший Александринский театр на спектакли, в школе занимался в драмкружке, увлекался живописью и хорошо рисовал.

Несмотря на мечты о театре, Аркадий в 1929 г. устраивается работать лаборантом на Охтенском химическом заводе, чтобы поступить в институт надо было иметь год рабочего стажа. В 1930 г. Аркадий поступает в Ленинградский институт сценических искусств, на режиссерско-актерский курс Владимира Николаевича Соловьева — знатока «комедии дель арте» и театра Мольера.

Аркадий в семье был самым старшим из детей, кроме него росли еще две девочки — Белла и Софья, и самый младший брат Максим, который родился в 1930 г. Родители были категорически против актерской профессии сына, после очередного конфликта с родителями Аркадий ушел из дома в общежитие.

Еще в студенческие годы Райкин начал выступать на эстраде, преимущественно в концертах для детей — показывал номера с куклой, с надувными поросятами, патефоном и другие.

Свою будущую жену Руфину (Рому) Иоффе Аркадий встретил в институте в 1934 г., в 1935-м поженились. Они прожили без малого 50 лет.

Институт Райкин закончил в том же 1935 г. Почти весь его курс, как и самого Аркадия, распределили в Ленинградский ТРАМ — Театр рабочей молодежи. Вскоре Райкин переходит из ТРАМа в Новый театр — будущий Ленсовет, в котором он проработал год. Из Нового театра Райкин решает уйти на эстраду. В качестве профессионального конферансье он впервые выступил в ленинградском Саду отдыха в 1938 г., заменив тогда заболевшего артиста.

Интересует молодого Райкина и кино. Впервые он снялся в картине «Огненные годы» (1939), и сразу же после дебютных съемок он снимается в другом фильме, «Доктор Калюжный» (тоже 1939). Фильмы прошли незамеченными, и, разочаровавшись в кинематографе, Райкин полностью переключается на эстраду.

Он много выступает с эстрадными номерами в Домах культуры и Дворцах пионеров, ведет конферанс. И каждое его выступление проходит с нарастающим успехом. Райкин быстро приближается к известности, за которой не замедлила прийти всенародная любовь.

На 1-м Всесоюзном конкурсе артистов эстрады, который проходил в декабре 1939 г., Райкин выступает с номерами «Чаплин» и «Мишка». Мэтры эстрады сразу же обратили внимание на молодого артиста, и на конкурсе Райкин получает 2-ю премию.

Аркадия Райкина стали часто приглашать на радио. Главным же «призом» в победе на конкурсе было то, что он стал одним из руководителей Ленинградского театра эстрады и миниатюр.

Аркадий Райкин вспоминает: «Мне Сталин четырнадцать раз подряд аплодировал. И все четырнадцать — вставал. Банкет по случаю 60-летия Сталина в 1939 году проходил в Георгиевском зале Большого Кремлевского дворца. За столом пировали приглашенные, рядом пели гостям и играли, сменяя друг друга, артисты. В отличие от моих коллег, выступавших на некотором отдалении, меня усадили за стол прямо напротив Сталина.

Единственный сюжет, который мне предстояло показать, был заранее оговорен. Подбодренный взглядом юбиляра, я поднялся, отодвинул свой стул и изобразил одного из моих персонажей. Сталин смеялся, аплодировал с энтузиазмом. Затем встал, и все, кто был за столом, тоже встали. Сталин предложил тост за Райкина, и все выпили. Тут я возьми да скажи: «Товарищ Сталин, могу и других типов показать». Он вроде удивился, но кивнул. Гости уселись, а я стал показывать номер за номером.

После каждого нового сюжета Сталин вставал, гости тоже хлопали в ладоши стоя. И так четырнадцать раз».

Началась Великая Отечественная война. Райкин со своими актерами постоянно выезжает на фронт. Именно на фронте впервые появились у него сатирические миниатюры, в основном на политическую тему. В 1942 г., оказавшись с концертами на Малой земле, Райкин знакомится с полковником Л.И. Брежневым, будущим Генеральным секретарем ЦК КПСС. «За четыре года мы, — вспоминал позднее Райкин, — проехали много тысяч километров по всем фронтам от Балтики до Кушки, от Новороссийска до Тихого океана...»

После войны в Театре миниатюр появляются новые спектакли, написанные талантливым писателем-сатириком В. Поляковым: «Приходите, побеседуем» (1946), «Откровенно говоря...», «Любовь и коварство» (1949).

В июле 1950 г. у Райкиных рождается сын Костя. Хоть война давно кончилась, но жизнь у семейства Райкиных по-прежнему была тяжелой, о чем Аркадий Исаакович вспоминает: «Как всегда, театр был в постоянных разъездах. Случалось, что я просыпался, не понимая, где нахожусь. Примерно на два месяца ежегодно приезжали в Москву, несколько дольше работали в Ленинграде, по месяцу гастролировали в разных городах. У меня был постоянный номер в гостинице «Москва», где мы оставляли Костю на попечение бабушки. Маленького Костю таскали за собой, можно сказать, в рюкзаке за плечами. В гостинице «Москва» прожили 25 лет, начиная с первых гастролей театра в 1942 г. В Ленинграде у нас было три комнаты в большой квартире в доме на Греческом проспекте, где, кроме нас, обитали шесть жильцов. Позднее, когда Костя подрос, он учился то в ленинградской, то в московской школе».

О жизни в семье Константин Райкин так вспоминает: «Никакого особенного благополучия у нас не было... Папа играл двадцать спектаклей в месяц, получал по сорок рублей за спектакль: это было много, это была зарплата академика, но это не богатство... Машина у нас когда-то появилась, дачи так никогда и не было... Папа очень спокойно относился к житейским благам, мама тоже, и меня они не баловали...»

В 1950 г. Райкин расстается с драматургом Поляковым. Но в театре по прежнему один за другим выходят спектакли: «Человек-невидимка», «Белые ночи», «Любовь и три апельсина». В них Райкин становится гораздо острее как сатирик.

Аркадий Райкин и Михаил Жванецкий познакомились в 1960 г. в Ленинграде, Жванецкий тогда учился в Одесском институте инженеров морского флота и много времени посвящал самодеятельности. В 1961 г. Райкин исполняет первую интермедию Жванецкого «Разговор по поводу». Три года спустя Райкин привлекает Жванецкого к работе над новой театральной программой «Светофор». В этой программе Райкиным впервые были сыграны знаменитые миниатюры Жванецкого: «Авас», «Дефицит», «Век техники». И в 1967 г. Райкин берет Жванецкого в штат своего театра, сначала артистом, а потом заведующим литературной частью.

Но недолго два выдающихся юмориста-сатирика смогли проработать вместе. В начале 70-х Райкин расстается с Михаилом Жванецким. Вспоминает сатирик: «Однажды в разгар моих успехов директор театра мне сказал: «Аркадий Исаакович решил с тобой расстаться». Это был не просто удар, не катастрофа, это была гибель.

Я пришел к нему, подложив заявление об увольнении в конец новой миниатюры. Он спокойно прочитал и сказал, подписав: «Ты правильно сделал...»

Я не хотел говорить ему, каким ударом для меня был разрыв с театром. Мы расстались в отношениях враждебных...

Позднее я что-то еще писал. Но мне было тяжело появляться даже возле театра. Со временем я понял закономерность смены авторов в театре Райкина. Это был естественный процесс развития художника. Каждый автор в этом театре имеет свой век — золотой, потом серебряный, бронзовый... Мы виделись редко, при встречах были фальшиво дружественны. В этом тоже его сила. Он очень сильный человек».

В 1968 г. Райкину присвоили звание народного артиста СССР, после 33 лет непрерывной работы театра и самого Райкина, после того, как его театр объездил все уголки Советского Союза.

Затем последовал очень нелегкий период в жизни Райкина, о котором вспоминает Л. Сидоровский: «...Спектакль «Плюс-минус»... был впервые показан на невских берегах весной 1970-го.

В ту весну, как известно, пышно отмечалось столетие со дня рождения Ленина, и Райкин, отталкиваясь от этой даты, решил сотворить действо особой остроты, особого накала... Артист стремительно выбегал на сцену и с ходу начинал монолог: «Остроумная манера писать состоит, между прочим, в том, что она предполагает ум также и в читателе...» В зале — звенящая тишина... А артист после секундной паузы добавляет: «Владимир Ильич Ленин. «Философские тетради». Этот монолог сочинил сатирик, писатель Леонид Лиходеев, причем он нашел у Ленина еще несколько таких же, никому в зале не известных цитат, которые тогда, в семидесятом, ревностным охранителям «системы» казались прямо-таки «контрреволюцией»...

Спектакль зрители принимали восторженно... Но осенью как-то заявился в столичный Театр эстрады секретарь Волгоградского обкома партии, и ему очень не понравилось, что говорит со сцены Райкин и как на это реагирует народ. Разгневавшись, вмиг отправил в ЦК донос, и оттуда столь же быстро последовало в театр распоряжение: «Первый ряд не продавать!» И каждый вечер стала располагаться на тех стульях комиссия... Аркадий Исаакович позже рассказывал: «Костюмы одинаковые, блокноты одинаковые, глаза одинаковые, лица непроницаемые... Все пишут, пишут... Какая тут, к черту, сатира? Какой юмор?..»

Через неделю вызвали артиста в ЦК, и там небезызвестный Шауро стучал по столу кулаками и советовал Райкину «поменять профессию»... У Райкина инфаркт, после которого он стал совсем седым. В Москве и Ленинграде ему запретили выступать. Театр отправили на длительные гастроли в Петрозаводск. Лишь 1971 г. Райкин вернулся в Ленинград — приближалось его 60-летие.

Чтобы снизить огромную всенародную любовь к артисту, в 1971 г. в КГБ СССР была сочинена история, вполне одобренная властями.

Аркадий Райкин вспоминал: «Была запущена такая сплетня: будто я отправил в Израиль гроб с останками матери и вложил туда золотые вещи!

Впервые я узнал это от своего родственника. Он позвонил мне в Ленинград и с возмущением рассказал, что был на лекции о международном положении на одном из крупных московских предприятий. Докладчика — лектора из райкома партии — кто-то спросил: «А правда ли, что Райкин переправил в Израиль драгоценности, вложенные в гроб с трупом матери?» И лектор, многозначительно помолчав, ответил: «К сожалению, правда».

Жена тут же позвонила в райком партии, узнала фамилию лектора и потребовала, чтобы тот публично извинился перед аудиторией за злостную дезинформацию, в противном случае она от моего имени будет жаловаться в Комитет партийного контроля при ЦК КПСС — председателем его тогда был А.Я. Пельше. Ее требование обещали выполнить и через несколько дней сообщили по телефону, что лектор был снова на этом предприятии и извинился по радиотрансляции. Якобы этот лектор отстранен от работы.

Хочется верить, что так оно и было на самом деле. Но на этом, к сожалению, не кончилось. Я в очередной раз слег в больницу. Театр уехал без меня на гастроли. И вот удивительно, всюду, куда бы наши артисты ни приезжали, к ним обращались с одним и тем же вопросом:

— Ну, что же шеф-то ваш так оплошал? Отправил в Израиль...

Словом, всюду — в Москве, Ворошиловграде — одна и та же версия. Считали, что я не участвую в гастролях отнюдь не из-за болезни. Что чуть ли не в тюрьме...

Выйдя из больницы, я пошел в ЦК, к В.Ф. Шауро.

— Давайте сыграем в открытую, — предложил я. — Вы будете говорить все, что знаете обо мне, а я о вас. Мы оба занимаемся пропагандой, но не знаю, у кого это лучше получается. Вы упорно не замечаете и не хотите замечать то, что видят все. Как растет бюрократический аппарат, как берут взятки, расцветает коррупция... Я взял на себя смелость говорить об этом. В ответ звучат выстрелы. Откуда пошла сплетня? Почему она получила такое распространение, что звучит даже на партийных собраниях?

Он сделал вид, что не понимает, о чем речь, и перевел разговор на другую тему.

Но самое смешное — это помогло. Как возникла легенда, так она и умерла...»

Дочь Аркадия Исааковича Екатерина Райкина об этой истории так рассказывает: «Это стоило моему отцу, «обласканному властями», десяти лет жизни по крайней мере. Тогда цель «дезы» была достигнута, у народа возникли подозрения насчет Райкина... Моя бабушка Елизавета Борисовна Гуревич-Райкина умерла в 1967 г. в возрасте 87 лет в неврологической больнице на 15-й линии Васильевского острова и была похоронена в Санкт-Петербурге». Естественно, что никакого завещания похоронить себя в Израиле мать Аркадия Райкина не оставляла.

В 1974 г. Центральное телевидение наконец обратило внимание на Райкина. С его участием начались съемки сразу двух телефильмов: «Люди и манекены» (четырехсерийный фильм) и «Аркадий Райкин».

О многочисленных гастролях Театра миниатюр и о самом Райкине писали в газетах Венгрии, Польши, Болгарии, Германии. Райкина знают в Италии, Японии. Чешские кинематографисты сделали фильм «Человек со многими лицами», посвященный гастролям театра и Аркадию Райкину.

Английские режиссеры сняли фильм, показанный в Англии. Критик лондонской газеты «Таймс» писал: «Когда смотришь и слушаешь сегодняшних комиков, все чаще приходят на память такие старые мастера мюзик-холла, как Роб Уилтон, Литл Тич, Джордж Формби, Грок и Мэри Ллойд... Среди наших современных комических актеров есть вполне сносные, и они даже вызывают смех, но почти все они не индивидуальны...

На днях на наших телевизионных экранах засверкало изображение именно такого индивидуального комического гения, Би-би-си впервые показало нам прославленного русского комика А. Райкина. Это было настоящее зрелище, подлинное открытие, такое выступление, которого мы не видели давно. Одна из самых больших заслуг Райкина состоит в том, что он представляет собой полную противоположность отвратительным, «смешным до тошноты» комикам, которых мы в таком изобилии импортируем из Соединенных Штатов. У Райкина есть что-то от Чарли Чаплина: удивительная способность живо и наглядно изображать эмоции, способность создавать образы, которые не нуждаются в пояснении. Он обладает даром проникать в самую глубь человеческих чувств... Мне никогда не приходилось видеть такой игры!»

В 1980 г. Райкину была присуждена Ленинская премия, и в 1981 г. он становится Героем Социалистического Труда.

Под конец жизни Райкин решил сменить место жительства, переехать вместе со своим театром в Москву. Он обратился к Л.И. Брежневу с просьбой о переводе Ленинградского государственного Театра миниатюр в столицу. Райкин мотивировал свое желание переехать тем, что сын Константин и дочь Екатерина давно живут в столице (Екатерина Райкина тогда работала в Театре им. Вахтангова и была замужем за Юрием Яковлевым). Жена Райкина к тому времени была тяжело больна, у нее случился инсульт, она подолгу лежала в московских клиниках. Брежнев пообещал помочь с переездом.

В 1981 г. театру Райкина было разрешено переехать в Москву. Меньше чем через год после переезда появился новый спектакль, теперь уже московского театра Райкина: «Лица» (1982), а в 1984 г. «Мир дому твоему».

Но силы Райкина истощались, он часто и подолгу болел. Иногда на сцене сдавала память, утрачивалась легкость движений, но всегда сохранялась атмосфера полного единения с залом, на протяжении полувека сопутствовавшая каждому выходу на сцену этого великого артиста.

Незадолго до смерти Райкин поехал в турне по Америке. Говорил на сцене он уже тихо, но все равно это был тот самый, всеми любимый Райкин, которого все русскоязычные американцы прекрасно знали. И где бы Райкин ни выступал, везде, лишь только он появлялся на сцене, зрители в зале вставали и... начинали плакать. Они понимали, что больше живым этого великого артиста они уже не увидят.

Скончался Аркадий Исаакович 20 декабря 1987 г. на 77-м году жизни.

С 1987 г. Государственный театр миниатюр в Москве становится театром «Сатирикон», а в 1991 г. решением правительства Москвы театру было присвоено имя А.И. Райкина.

МИХАИЛ БОТВИННИК
(1911—1995)

Михаил Моисеевич Ботвинник — шестой в истории шахмат чемпион мира и первый советский чемпион мира (1948—1957, 1958—1960, 1961—1963 гг.) Также Ботвинник семикратный чемпион СССР в 1931—1952 гг.

Родился Михаил Ботвинник 17 (4) августа 1911 г. в Куоккала, ныне Репино Ленинградской области. О своей родословной М.М. Ботвинник вспоминает: «Мой отец — выходец из Белоруссии — из деревни Кудрищино, в 25 километрах от Минска — недалеко от Острошицкого городка. Его отец, мой дед, был фермером-арендатором; вообще это редко встречалось среди евреев — работать в сельском хозяйстве, но так было... Мой отец родился в 1878 году. Он говорил по-русски без какого либо акцента и писал очень хорошо... Конечно, он также говорил на идише; я не знаю, ходил ли он в еврейскую школу, но дома нам было запрещено говорить на идише, только на русском. Кстати, когда родители хотели что-то скрыть от детей, они говорили на идише...»

Отец и мать Михаила Ботвинника были дантистами. Отец был очень хорошим техником и неплохо зарабатывал. Перед революцией 1917 г. семья жила в Петрограде, на Невском проспекте, в большой солнечной квартире из семи комнат, был свой повар, прислуга, одно время у детей была гувернантка.

В шахматы Ботвинника научил играть его друг — Леня Баскин, когда Михаилу было 12 лет. А в

13 лет — Михаил член шахматного клуба, через два года он имел уже первую категорию. Победа над тогдашним чемпионом мира Х.Р. Капабланкой в сеансе одновременной игры в 1925 г. в Ленинграде принесла Ботвиннику первую известность — Михаилу тогда было всего 14.

Рассказывает М.М. Ботвинник: «Мои родители были категорически против моих занятий шахматами. Помню, гуляя с отцом по Владимирской, прошли игорный клуб, где на втором этаже размещалось Петроградское шахматное собрание, арендуя две комнаты, и я сказал отцу: «Папа, смотри, здесь я играю». Он был против того, что я играю в шахматы; он ужасно беспокоился, что я должен проходить через все комнаты этого карточного притона. Он думал, что это может затянуть меня... Даже когда пришли первые успехи и мое имя появилось в газетах, большого энтузиазма не было. Когда в 1926-м мне понадобилось впервые отправиться играть в Стокгольм, моя мама помчалась в школу и разговаривала с моим классным руководителем. Он ей сказал иронически: «Для того чтобы в таком возрасте увидеть мир, можно пропустить 10 дней в школе». Но затем, конечно, они примирились; кроме того, они были против ввиду того, что шахматы — это не профессия. Но я — я не мог не играть...»

В 15 лет Ботвинник отправился в составе ленинградской команды на турнир в Стокгольм. В 16 лет он становится самым молодым мастером шахмат в стране и успешно дебютирует в чемпионате СССР. А в 1931 г. Ботвинник впервые выиграл звание чемпиона СССР.

Михаил Ботвинник — один из самых ярких представителей российской шахматной школы, получившей международное признание в 1930-е гг. В истории шахмат с именем Ботвинник связана целая эпоха. Именно Ботвинник утвердил приоритет советской шахматной школы в мировых шахматах. Его игру отличали глубокие стратегические замыслы, неожиданные тактические удары, постоянное стремление к инициативе, к созданию цельных партий.

Ботвинник первым стал уделять особое внимание вопросам тренировки шахматистов, создал свой метод подготовки к соревнованиям. Внес ценный вклад в теорию многочисленных начал, разработал ряд оригинальных дебютных систем (например, система Ботвинника в ферзевом гамбите). Обогатил теорию эндшпиля (особенно ладейных окончаний) ценными анализами.

В 1928—1932 гг. Ботвинник учился в Политехническом институте, в 1935-м он женится на Гаянэ Анановой — балерине Мариинского, затем Большого театра. Во время Великой Отечественной войны Ботвинник работал в Перми инженером по высоковольтной изоляции.

В 1945-м Ботвинник возглавил сборную СССР в радиоматче с командой США, в котором советские шахматисты победили 15,5 : 4,5 (Ботвинник выиграл на первой доске у чемпиона США А. Денкера со счетом 2: 0).

После внезапной смерти А. Алехина в 1946 г. Международная шахматная федерация, чтобы определить чемпиона мира, решила провести матч-турнир из пяти сильнейших мировых шахматистов. Ботвинник был основным претендентом на звание чемпиона мира, выиграв перед этим крупные турниры в Гронингене (1946) и Москве (1947).

Победив в матче-турнире на первенство мира (1948) четырех сильнейших мировых шахматистов: советских П. Кереса, В. Смыслова, М. Ботвинника, американца С. Решевского и голландца М. Эйве, Михаил Ботвинник стал шестым в истории шахмат чемпионом мира, опередив второго призера на целых 3 очка!

В 1951—1963 гг. Ботвинник сыграл 7 матчей на первенство мира, два вничью 12 : 12 (с Д. Бронштейном, 1951 и В. Смысловым, 1954), три проиграл (В. Смыслову, 1957—9,5 : 12,5; М. Талю, 1960—8,5 : 12,5 и Т. Петросяну, 1963—9,5 : 12,5) и выиграл два матча-реванша (у Смыслова, 1958—12,5 : 10,5 и Таля, 1961—13 : 8), таким образом, став единственным шахматистом, дважды возвратившим себе звание чемпиона мира.

М.М. Ботвинник рассказывает: «Я никогда не курил, за исключением двух месяцев в юности (после школы), и не пил. Обычно я ел за полтора часа до игры, затем лежал, но не спал, просто лежал, потому что, когда вы лежите, никто не пристает с пустыми разговорами. Вначале я брал с собой на игру сок черной смородины с лимоном — моя жена сама выжимала его, затем я стал пить кофе... Для себя я заметил следующее: если я прибавил в весе во время турнира, это означало, что я играл плохо, и если я возвращался после партии, не чувствуя усталости, — это тоже плохо. Но если я был опустошен, тогда все было в порядке. После моей партии с Капабланкой в 1938 г. я не мог встать со стула...»

Михаил Ботвинник удивительно успешно совмещал шахматную деятельность с научной работой в области электротехники. Он стал автором ряда изобретений, запатентованных в различных странах мира. В 1951-м Ботвинник защитил докторскую диссертацию на тему: «Регулирование возбуждения и статическая устойчивость синхронной машины». А с начала 1970-х гг. он работал над созданием искусственного шахматного мастера — компьютерной программы «Пионер». Многие его книги по шахматам, энергетике, кибернетике изданы не только на русском, но на английском, венгерском, датском, немецком, французском, шведском и других языках.

На вопрос же о своем еврействе Ботвинник отвечал иностранным журналистам: «Мое положение сложное: по крови я еврей, по культуре — русский, по воспитанию — советский».

В течение многих лет Михаил Ботвинник руководил юношеской шахматной школой — «Школой Ботвинника», в которой занимались будущие чемпионы мира А. Карпов и Г. Каспаров, известные международные гроссмейстеры А. Соколов, А. Юсупов, Е. Ахмыловская-Дональдсон, Н. Иоселиани и другие гроссмейстеры и мастера. Гарри Каспаров в 1973—1978 гг. посещал «Школу Ботвинника», затем она была закрыта. Тогда Ботвинник стал просто встречаться с талантливым шахматистом, делая все, чтобы поддержать Каспарова.

Михаил Ботвинник — гроссмейстер СССР (1935) и международный гроссмейстер (1950); заслуженный мастер спорта СССР (1945); международный арбитр по шахматной композиции (1956); доктор технических наук (1951); заслуженный работник культуры РСФСР (1971); заслуженный деятель науки и техники России (1991). Около 30 лет Михаил Ботвинник возглавлял общество дружбы «СССР—Нидерланды».

Всего Ботвинник сыграл в турнирах и матчах 1202 партии, в которых одержал 610 побед, 139 проиграл и сделал 453 ничьих (набрав, таким образом, около 70% очков).

Выступив в 59 турнирах, Ботвинник занял 1-е место в 33-х, разделил 1—2-е — в 6, 2—3-е — в 14. Он выиграл 6 матчей из 13, 3 проиграл и 4 закончил вничью. Его результат на 6 шахматных олимпиадах (1954—1964): побед 39, проигрышей 3, ничьих 31.

За достижения в области шахмат Ботвинник награжден орденом Ленина (1957), орденом Октябрьской Революции (1981), орденом Трудового Красного Знамени (1961), орденом «Знак Почета» (1936).

Умер Михаил Моисеевич Ботвинник 5 мая 1995 г. в Москве.

С.В. Истомин

СОДЕРЖАНИЕ

Шапиро М.
Ш 23   **100 великих евреев** / Пер. с англ. — М.: Вече, 2004. — 384 с. (100 великих)

ISBN 5-94538-286-8

В данной книге попытку составить рейтинг ста великих евреев всех времен предпринял Майкл Шапиро — нью-йоркский публицист и композитор. Легкий, порой ироничный стиль, доступное изложение достаточно сложных и запутанных проблем являются несомненными достоинствами этой книги. Конечно, не все читатели смогут согласиться с тезисом об определяющем влиянии иудаизма на морально-этические нормы человечества, на становление всех ведущих мировых религий. Однако автору удалось нарисовать на страницах книги живые портреты самых выдающихся евреев от Авраама и Моисея до Фрейда и Эйнштейна.

Шапиро Майкл

100 ВЕЛИКИХ ЕВРЕЕВ

Генеральный директор *Л.Л. Палько*
Ответственный за выпуск *В.П. Еленский*
Главный редактор *С.Н. Дмитриев*
Редактор *Н.М. Смирнов*
Корректор *С.В. Цыганова*
Верстка *Н. М. Ищук*
Разработка художественного оформления
и подготовка к печати *Д.В. Грушина*

Гигиенический сертификат № 77.99.2.953.П.16227.11.00 от 29.11.2000 г.
129348, Москва, ул. Красной сосны, 24.

ЗАО «ВЕЧЕ» ЛР № 040410 от 16.12.1997 г.
ООО «Издательство «ВЕЧЕ 2000»
ИД № 01802 (код 221) от 17.05.2000 г.
ЗАО «Издательство «ВЕЧЕ»
ИД № 05134 (код 221) от 22.06.2001 г.

E-mail: veche@veche.ru
http://www.veche.ru

Подписано в печать 28.11.2002. Формат 60×90^1/$_{16}$. Гарнитура «Таймс».
Печать офсетная. Бумага газетная. Печ. л. 30. Тираж 7000 экз. Заказ № 0411120.

Отпечатано на MBS в полном соответствии
с качеством предоставленного оригинал-макета
в ОАО «Ярославский полиграфкомбинат»
150049, Ярославль, ул. Свободы, 97